THE MASK™ RETURNS

John Arcudi
story
Doug Mahnke
art

TITAN BOOKS

Pat Brosseau
letters

Mike Richardson
original edits

Chris Chalenor
colors

Kij Johnson & John Weeks
collection editors

Brian Gogolin
collection designer

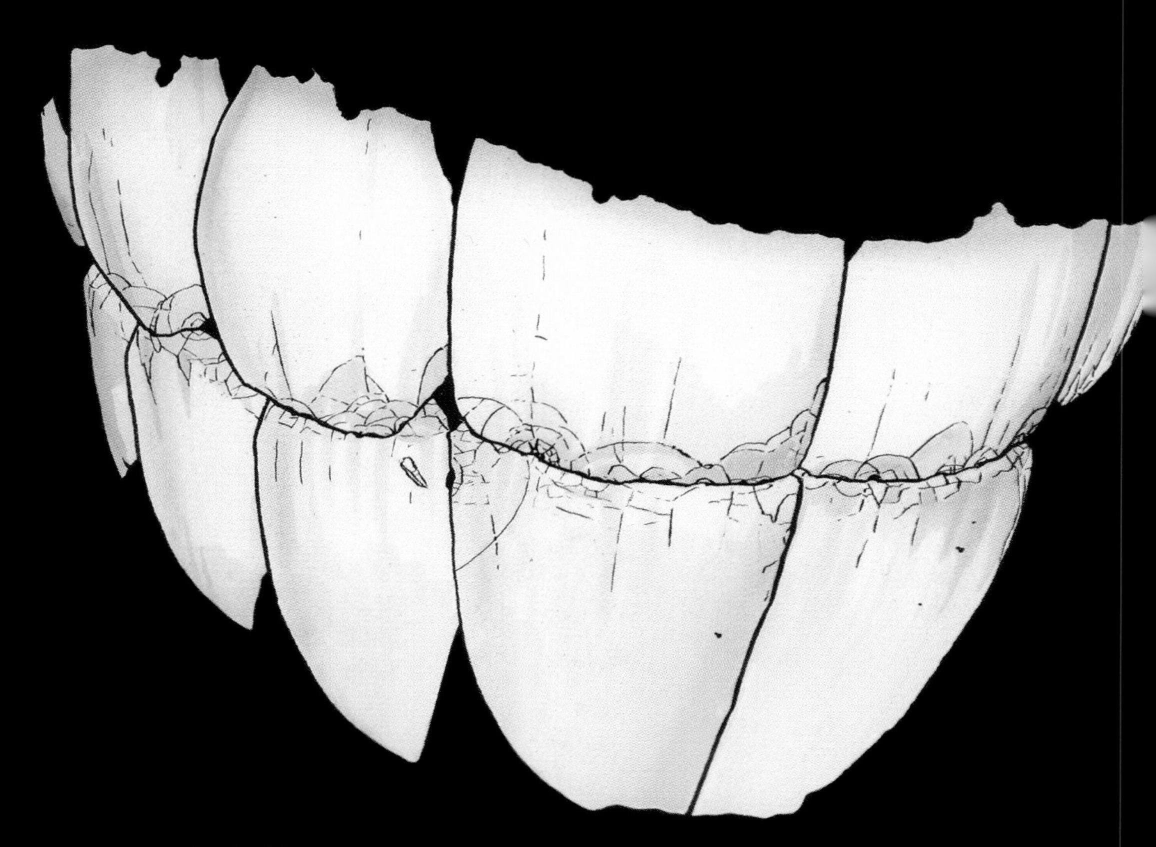

Published by
Titan Books Ltd.
42 - 44 Dolben Street
London SE1 0UP

ISBN:1-85286-604-7
First UK edition: October 1994

10 9 8 7 6 5 4 3 2 1
Printed in Canada

The Mask™ created by Mike Richardson

Introduction

by Randy Stradley

Welcome to the world of the Mask. Watch where you step.

The world of the Mask may look as though it is a wild, chaotic place where anything can, and will, happen—a cartoon fantasy where bombs blow up but don't really hurt people, and balloon animals are transformed into Tommy guns—but if you look carefully, you'll see that the events in this world maintain a precarious equilibrium between fantasy and reality. And the fulcrum on which this balance depends if the Mask him- (or her-) self. Whoever is wearing the Mask is the *only* one (with the possible exception of Walter, who we'll get to in a moment) who can survive otherwise lethal use of force, and the only one who can produce *whatever* the situation calls for from thin air. This is important.

One of the widely accepted "rules" in writing fiction is as follows: The writer is allowed only one fantastic element, or one convenient coincidence. Readers will voluntarily suspend their disbelief once within the course of a story—after that they start rolling their eyes. Comics readers, on a whole, are probably more forgiving than this, but in general, I believe everyone adjusts their expectations to suit the material (one is more willing to accept, for instance, a series of supernatural events occurring in a Stephen King story than in a Tom Clancy techno-thriller). But there is a "trick"—widely used in writing fantasy—that allows a writer to bend the aforementioned rule. That trick is to make your "fantastic element" so big, so bizarre, so downright *crazy*, that once your audience accepts it, they're practically obligated to accept everything that follows, provided what follows is a "logical" extension of that one element. Some examples of this would be: "We've cloned dinosaurs from DNA extracted from gajillion year-old blood-sucking insects trapped in amber," or "This guy can fly because he's from the planet Krypton," or "Put on this mask and you can do anything!"

Once the "big lie" has been established, and readers have accepted it, the story can proceed. Whether it's Lieutenant Kellaway, "Little" Nunzio, or Kathy, whoever has the Mask possesses unlimited power. But pitting someone with super, albeit wacky, powers against the Mob (or the police, as the case may be) will soon become routine if something isn't done to spice it up. This is where another "rule" comes into force: Heroes are often defined by their villains.

Enter Walter (I told you we'd get to him), the strong silent type if anybody ever was. The sophisticated sort of man who is kind to his mother, whose word (so to speak) is his bond, and who believes strongly that one should always finish what one starts. In the Dark Horse Comics graphic novel collection *The Mask*, Walter began the job of killing the Mask. In this story he returns (and returns, and returns) to finish the task. As silent as the Mask is verbose, as pragmatic as the the Mask is flamboyant, Walter does what any good antagonist should—defines the "hero" by being everything he or she isn't. And in the process becomes one of the most memorable and, well, likable villains in recent memory.

The point of this dissection of the mechanics of the story is not to make the whole thing look simple to construct, because it's not. While there are "rules" that can be followed, and basic "plot paradigms" which can be helpful in planning event sequences, the difference between knowing the rules and constructing a working, engaging story is similar to the difference between drawing a line on a map and saying, "This is where the road will go," and actually building that road. No matter how detailed the map, there will always be unexpected obstacles that the construction crew must deal with, and overcome.

Writer John Arcudi and artist Doug Mahnke had a map. A pretty good one, as a matter of fact. But somewhere along the way *they* decided to make the road go where they wanted it to go, and *The Mask* has never been the same since.

I have praised John Arcudi privately, and he hates it, so I'm sure he'll despise this public pat on the back even more. Tough. In my position as creative director at Dark Horse I'm required to read a wide variety of comic-book scripts from dozens of writers. And, while every writer has their own style, the primary objective of any comics script is to provide a blueprint for an artist to follow so that an entertaining story can be told. But some of the scripts I see are so dense (both in panel description and dialogue) as to virtually reduce the artist's role to that of a mere functionary. Others are so vague and general that if the same script was to given to two different artists, the finished stories would bear only a superficial resemblance to each other. But John Arcudi does the job. His panel descriptions are succinct, yet evocative, and they leave room for an artist to bring something of themselves to the story. An editor knows that when John is teamed with a competent, professional artist, the results always please. When John is teamed with an artist of Doug Mahnke's caliber... well, see for yourself.

Doug Mahnke is one of those artists whose growth can, literally, be tracked from issue-to-issue. When Doug began his stint on *The Mask*, he was a raw talent whose energy alone made up for whatever may have been lacking in his drawing skills. Today, he is a master draftsman who renders figures with such élan and facial expressions with such subtlety that a roomful of thugs being gunned down by the Mask becomes a bloody, graceful ballet, and the monstrous Walter is imbued with a horrifying almost-innocence and sadness. Expect great things from this man.

Of course, by the time anybody reads this introduction, the Mask will, in most people's minds, be synonymous with actor Jim Carrey and his over-the-top portrayal of the character in the film of the same name. And why not? The motion picture is an hilarious romp, complete with wild stunts, eye-popping, jaw-dropping Tex Avery-style gags, and the swingingest "sort of" hero in decades—just like the comic book.

And there's the rub. Those who have read the comic *know* that years before the Mask ever made the leap to the big screen, his personality and *modus operandi* had already been set in print, but for millions of moviegoers *The Mask* (the movie) will be their first exposure to the character. Again, not to take anything away from the talented writers, director, actors, and crew of the film—because they really did do a spectacular job of realizing the comic book Mask's cartoon-like antics in a real world—but credit should be given where credit is due.

John and Doug, take a bow.

CHAPTER 1

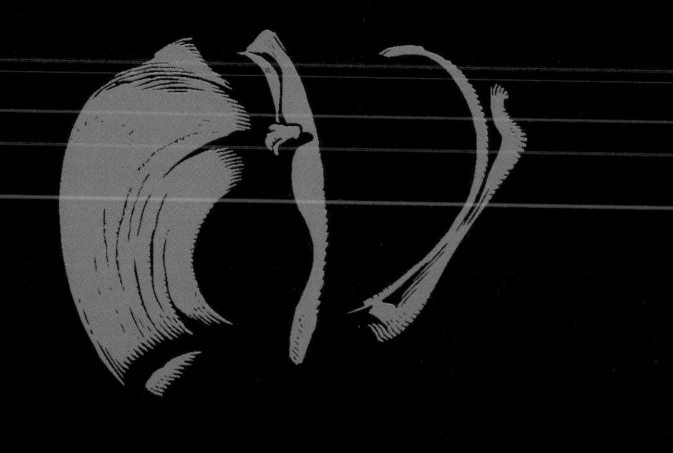

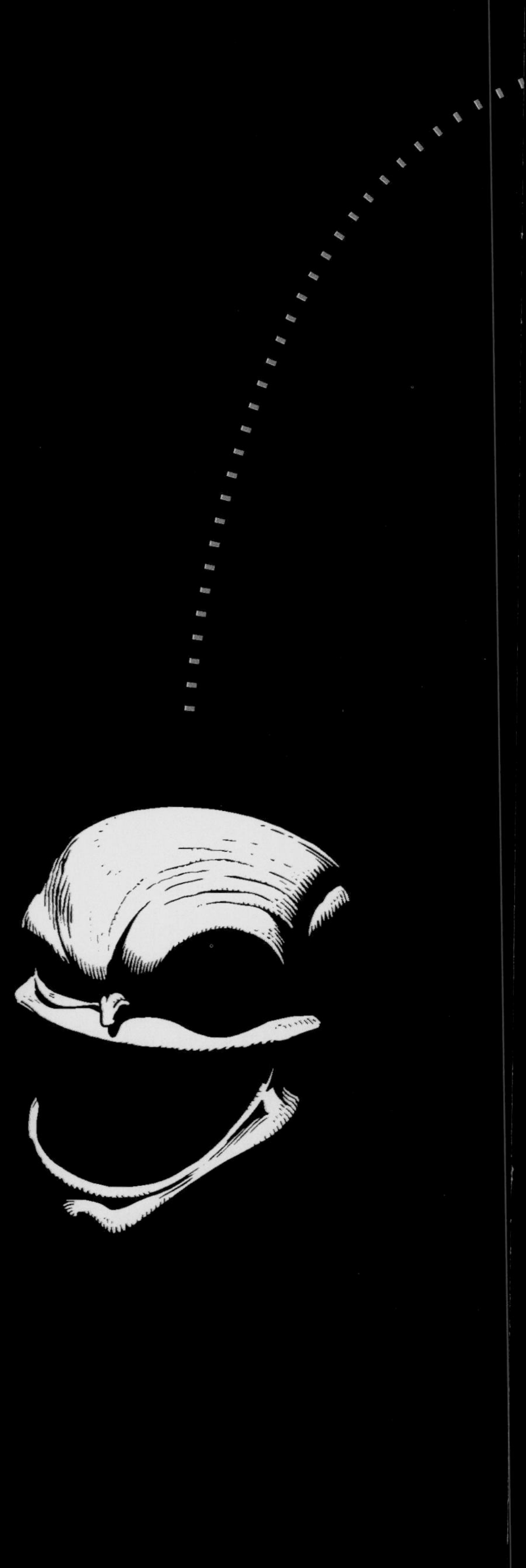

REE WEEKS AGO, POLICE UTENANT KELLAWAY INTER- ED IN A HOSTAGE SITUATION. PUT FIVE SOLDIERS OF THE ZZO FAMILY OUT OF COMMIS- N AND EMERGED A HERO.
HE WAS SUSPENDED FROM THE FORCE FOR HIS TROUBLES.
CRIPES, CALUCCI, YOU GOTTA LAY OFF THAT PORK FRIED RICE.
UP YERS! OOF!
TONIGHT, DON CESARE MOZZO'S MEN WILL ATTEMPT TO MAKE THAT SUS- PENSION PERMANENT.
HEY, D'YA KNOW WHICH ONE IS THE BEDROOM? 'CAUSE I REMEMBER ONE TIME, WE HADDA GO FROM ROOM--
HE KNOWS WHAT HE'S DOIN', STUPID. HE ALWAYS KNOWS WHAT HE'S DOIN'. THAT'S WHY DON MOZZO HIRED HIM.

ERSONALLY, I NK WE SHOULD OW THE WHOLE USE UP. THAT'S W I'D DO IT.
WELL, YOU AIN'T DOIN' IT. BESIDES, DON MOZZO WANTS TO MAKE SURE THIS COP IS DEAD AFTER ALL THE GRIEF HE'S GIVEN US.
Y'KNOW, I STILL N'T FIGGER HOW HE T LOUIE AND THE GANG, L BY HISSELF. I MEAN--

SHUT
UP!

I DON'T KNOW WHO SENT YOU, BUDDY...
BUT I'M DELIVERING YOU STRAIGHT TO HELL.
BLAM
WHONK
UHHH, HI THERE.

BLAM BLAM BLAM BLAM BLAM BLAM

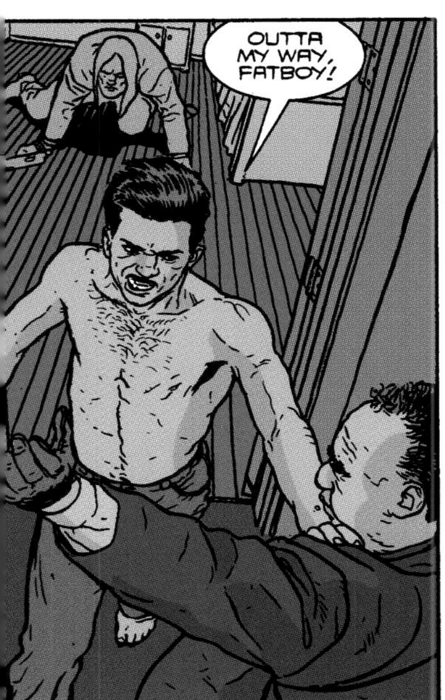
OUTTA MY WAY, FATBOY!

I'M GONNA MAKE IT, I'M GONNA MAKE IT.

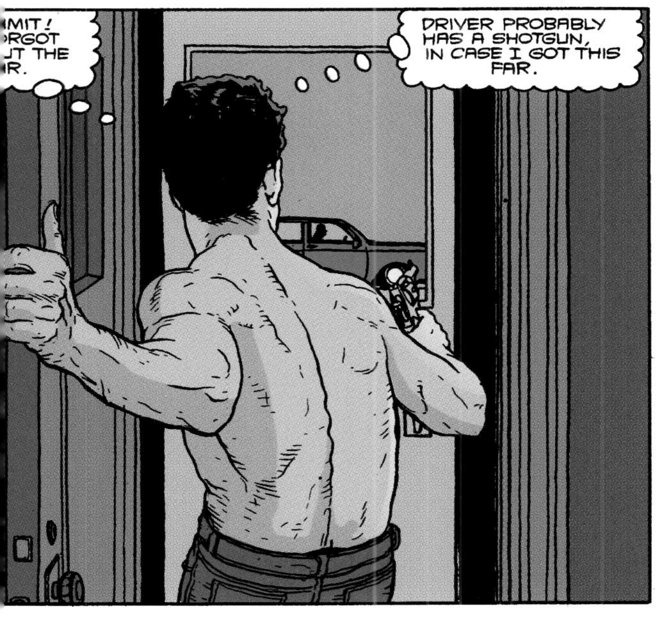
MIT! RGOT UT THE R.
DRIVER PROBABLY HAS A SHOTGUN, IN CASE I GOT THIS FAR.

YOW!!
THUNK

THWP THWP THWP
PRETTY GOOD SILENCER, BUT *THIS'LL* HELP WAKE THE NEIGHBORS.

GREAT, JUST GREAT.
CLICK

THWP THWP THWP
OUT OF AMMO!
GUESS THAT'S WHY THE FORCE ENCOURAGED US TO USE AUTOMATICS.

NOBODY BETTER BE OUT BACK, 'CAUSE IT'S EITHER THE BACK WAY--

OR THE BASEMENT!

BARRY, GET OUT-SIDE. HE LOCKED HISSELF IN THE ELLAR, AND HE MIGHT TRY ONE OF THE WINDOWS.
HAD HE WANTED OUT, HE WOULD HAVE USED THIS OTHER DOOR.

WELL, THEN WHAT THE FRIG'S HE DOIN' DOWN THERE?
CAN'T BE SURE.
BUT IT SOUNDS AS IF HE'S DIGGING.

THERE! THERE IT IS!

KRAAK

THWIP
THWIP
THWIP

SAY, WHATTAYA SUPPOSE WAS SO IMPORTANT DOWN HERE THAT HE'D GO DIGGING FOR IT NOW?
TAKE A LOOK IN THE SACK.

CRIPES, I DON'T BELIEVE IT!
IT'S SOME KINDA MASK!

MUST BE WORTH QUITE A BIT.
BRING IT WITH YOU.

HEH HEH
TH-TH-THERE WAS A LOT OF SH-SH-SHOOTING.
HEH HEH
I TH-TH-THOUGHT TH-TH-THINGS WERE GOING POORLY. I ALMOST L-L-LEFT WITHOUT YOU.
IF YOU HAD, I WOULD HAVE FOUND YOU AND KILLED YOU.
NOW GET US OUT OF HERE.

SPEED IT UP, DAMN YOU!
YOU WEREN'T THE ONLY ONE TO HEAR THOSE SHOTS!
ALL RIGHT. D-D-DON'T HAVE TO Y-Y-YELL.

C-C-C'MON, PAL, PUT THE P-P-PEDAL TO THE M-M-METAL.

RRRRRRR. DIRTY NO GOOD #@*%¢'S!

LOOK WHAT WE BRUNG YOU. A MASK TO HIDE YER UGLY PUSS.
HEY, I C-C-CAN'T SEE! G-G-GET IT OFF MY F-F-FACE! I CAN'T SEE ANYTHING!
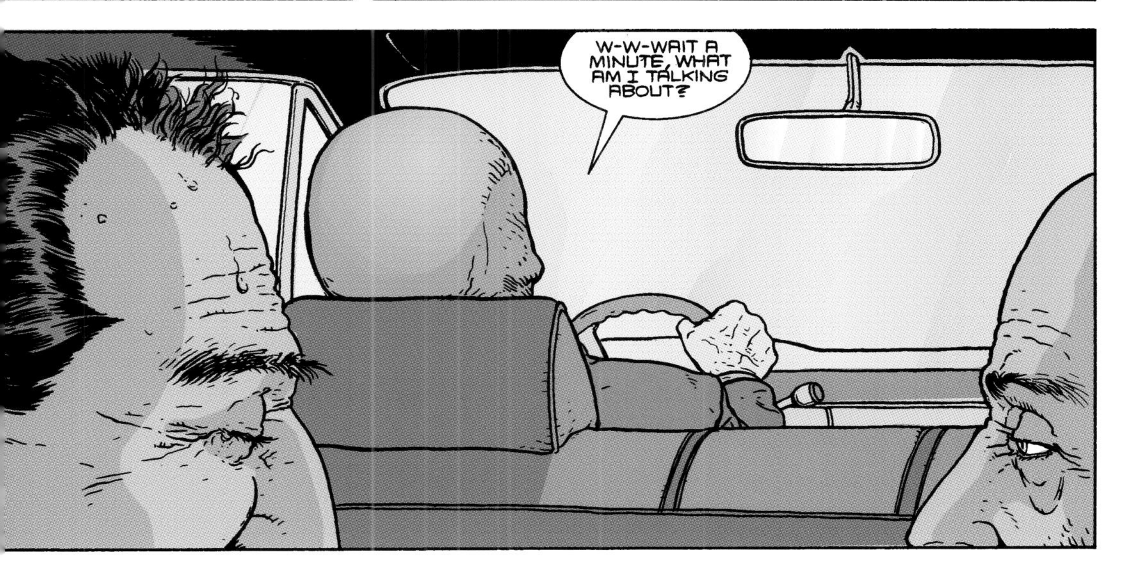
W-W-WAIT A MINUTE, WHAT AM I TALKING ABOUT?

I CAN SEE EVERY-THING!!
MASK WAR
NOW THEN...
WHO SAID THEY WANTED TO GO FASTER?

VVVRROOM
RANDY'S CANDYS

SSSSLOW DOWWWNNN...
♫ WE GOT A GORILLA ♪ FOR SALE, MAGILLA, GORILLA FOR SALE... ♫

SSSLOW, OR I K-KILLL.
OH THIS IS RIDICULOUS!
FIRST IT'S SPEED UP, NOW IT'S SLOW DOWN...

MAKE UP YOUR MIND!
KA-RUNK

KEECH
CREEECH

WHEW! WHATTA STOP.
YOU GUYS ALL RIGHT?

HEY GUYS, ARE YOU--
YOIKS!

NOW THERE'S AN AD FOR SEAT BELTS!
BILL'S LIQUOR WAREHOUSE
TERRIBLE'S TIRES

SAY, LOOKEE HERE.

WELL, I'LL BE. THIS MASK HAS MADE ME ABSOLUTELY GORGEOUS!
EXCEPT FOR THAT CRACK RUN-NING DOWN THE MIDDLE OF MY FACE.

IT'S ALSO MADE ME...
INVULNERABLE
SPRINGER'S AUTOMATIC WEAPONS AND PARTY SUPPLIES
MINI GUNS

'SCUSE ME, FELLAS.
I'VE GOTTA FIND OUT WHAT ELSE THIS MASK CAN DO.

MANY MILES AWAY, WALTER IS BECOMING ACCLIMATED TO THE DOVER STATE PENI-TENTIARY.

WHAT ARE YOU STARIN' AT ME FOR?

SMASH!

WHO THE HELL DID THAT!
H-HE DID, JOHNNY.

HEH HEH.
HI WALTER.

AND THE DOVER STATE PENITENTIARY IS BECOMING ACCLI-MATED TO WALTER.

MEANWHILE, BACK IN THE CITY...
NO BOSS, WE AIN'T HEARD NUTHIN'.
DeNucci's PASTRY
HOBNAIL SHOE & REPAIR
MUSIC
SPEED PIG
MONSTER MEAT HOOK

YEAH, I KNOW.
AS SOON AS DEY GET BACK, CALL YOU.

GEEZ, WHAT A LOUSY PICTURE OF OLIN HOWARD.
CLICK

WHOA, WHAT HAPPENED TO YOU?
WHERE IS HE? I GOTTA TALK TO THE BOSS.

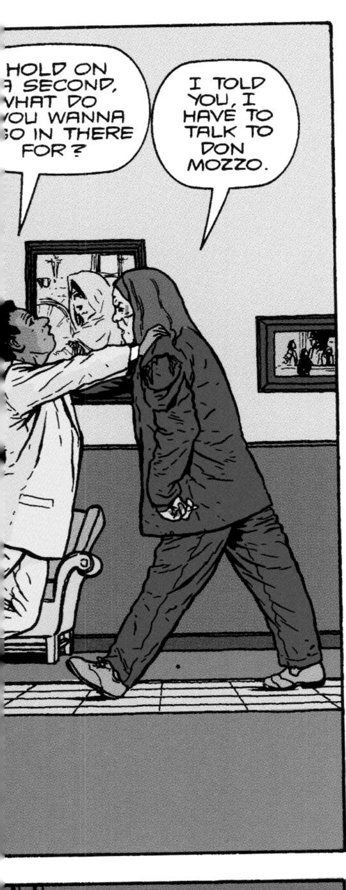
HOLD ON A SECOND, WHAT DO YOU WANNA GO IN THERE FOR?
I TOLD YOU, I HAVE TO TALK TO DON MOZZO.

WHATEVER MESSED YOU UP MUSTA KNOCKED LOOSE SOME BRAINS.
DON MOZZO LEFT FOR MIAMI LAST NIGHT, BEFORE YOU WENT TO ICE THE COP.

MIAMI?
YEAH, DON'TCHA REMEMBER?
YOU WERE SUPPOSED TO CALL HIM AS SOON AS YOU GOT BACK.

MIAMI?!
YEAH! LISTEN, YOU WANT TO TALK TO HIM, I'LL GIVE HIM A CALL.
AND YOU CAN TELL HIM WHAT WENT WRONG, 'CAUSE SOMETHIN' OBVIOUSLY DID.

MIAMI?!

WHAT'S YOUR PROBLEM, LAUGHING BOY?
Y-YER FACE...IT RIPPED!

AHH. I SEE.
ICY COLD SOFT DRINKS.

HEY! WHO YELLED MIAMI?
FORGET ABOUT THAT.

OKAY. SO I'M NOT ONE OF THE BOYS.
BUT ONE OF YOU GOOFBALLS MUST RECOGNIZE ME, RIGHT?

I KNOW, I KNOW. YER THE BIG-HEAD KILLER, RIGHT?
BINGO!!

YOU CAN'T GO IN THERE!
OOOH. YOU'RE SCARIN' ME.

Y'KNOW, THE COPS BLASTED HIM TO HELL, AND HE STILL LOOKS OKAY TO ME.
I HEARD EVEN WALTER COULDN'T DO HIM IN.

EXACTLY. SO MOZZO IS OUT, AND I'M IN.
AND I SAY, WE EXPAND OUR TERRITORY OF OPERATIONS.

BUT MR. BIG-HEAD, YOU TRY TO DO THAT, YOU'LL HAVE A WAR ON YOUR HANDS.

YOU JUST LEAVE IT TO ME.

ACROSS TOWN, GIUSEPPE PESCADO HAS JUST MARRIED OFF HIS YOUNGEST DAUGHTER.
THE RECEPTION IS A STRICTLY FORMAL AFFAIR, BULLET-PROOF VEST OPTIONAL.

PARDON ME, SIR, BUT I HEAR DON MOZZO--
PLEASE, ALPHONSE, NO BUSINESS HERE.
THIS IS A WEDDING RECEPTION.

OKAY, EVERYBODY, IT'S TIME FOR THE FAMILY PORTRAIT!

OKAY, THAT'S PERFECT.
NOW SMILE...

AND SAY "DECEASED!"
WARNING
DO NOT STRIKE WITH HAMMER
BA-DA-BOOM!

I JUST LOVE WEDDINGS.

HEY, JACKIE!
EH?
Star Tribune
PESCADO CRIME
WIPED OUT IN BOMB

MR. YUNG IS WAITING.

EMPIRE HUNAN
PLEASE FORGIVE ME, MR. YUNG.
YOU ARE FIRED.

GENTLEMEN.
MR. YUNG HAS ARRIVED.

MY COLLEAGUES, I DO NOT HAVE TO TELL YOU THAT THESE ARE TURBULENT DAYS.
GIUSEPPE PESCADO AND HIS FAMILY HAVE BEEN OBLITERATED, AND RUMORS SUGGEST CESARE MOZZO IS MISSING.

THE TIME IS RIPE FOR GROWTH.

KSSSH

WHAT, HO!
THE ELDER ORDER OF THE "BLACK DRAGONS" DOTH SUP AS ONE THIS EVE.

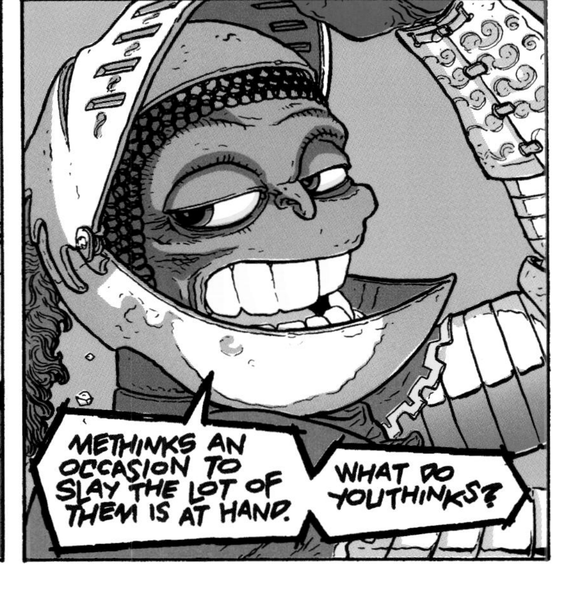
METHINKS AN OCCASION TO SLAY THE LOT OF THEM IS AT HAND.
WHAT DO YOUTHINKS?

WHAT ARE YOU WAITING FOR?
KILL THIS MADMAN!

AHHH, THIS DOTH PROVIDE GREATER MIRTH THAN A CASK OF JACKANAPES EVER COULD.
VERILY.

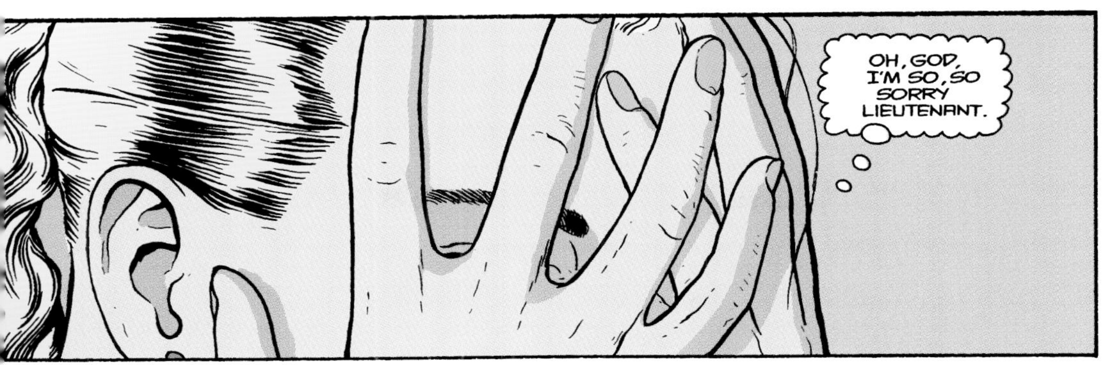
OH, GOD, I'M SO, SO SORRY LIEUTENANT.

WHEN I SAW THE TV REPORTS, I WAS SO QUICK TO BLAME YOU FOR THE CRIMES, BUT NOW I CAN SEE--

IT'S ALL MY FAULT.
THERE, THERE. YOU CAN'T BLAME YOURSELF.

BUT IT IS MY FAULT, DETECTIVE LIONEL.
I TRIED TO UNLOAD THE RESPONSIBILITY OF THE MASK ONTO LIEUTENANT KELLA-WAY--

AND LOOK WHAT HAPPENED TO HIM!
THE FACT IS, IT'S MY RESPON-SIBILITY, AND I'VE GOT TO DO SOME-THING ABOUT IT.
NOW HOLD ON, KATHY--
NO SMOKING

NO! I WON'T HOLD ON!
I'VE GOT A JOB TO DO, AND NOTHING YOU CAN SAY WILL STOP ME.
BUT I DON'T WANT TO STOP YOU!
302

I JUST WANT TO KNOW WHAT THE HELL YOU'RE TALKING ABOUT!

THE DON IS IN·OUT
TERS MUSIC
SINATRA SINATRA SINATRA
WAYNE NEWTON'S GREATEST HITS
PERRY COMO LIVE
CHECK ALL GUNS AT THE DOOR
DeNucci's PASTRY
HOBNAIL SHOE & GUN REPAIR
YO, BOSS! SOMEONE HERE TO SEE YOU.

YEAH? WHERE IS HE?
SHE'S IN THERE.

'SCUSE ME, LADIES.
POINK
HERE, KEEP THIS BURNING FOR ME.

YEAH, HONEY, WHATTAYA WANT WITH ME?

AH-WOOOGA!
DON'T CALL ME HONEY, BUSTER!

THE NAME IS KATHY.
TO BE CONTINUED

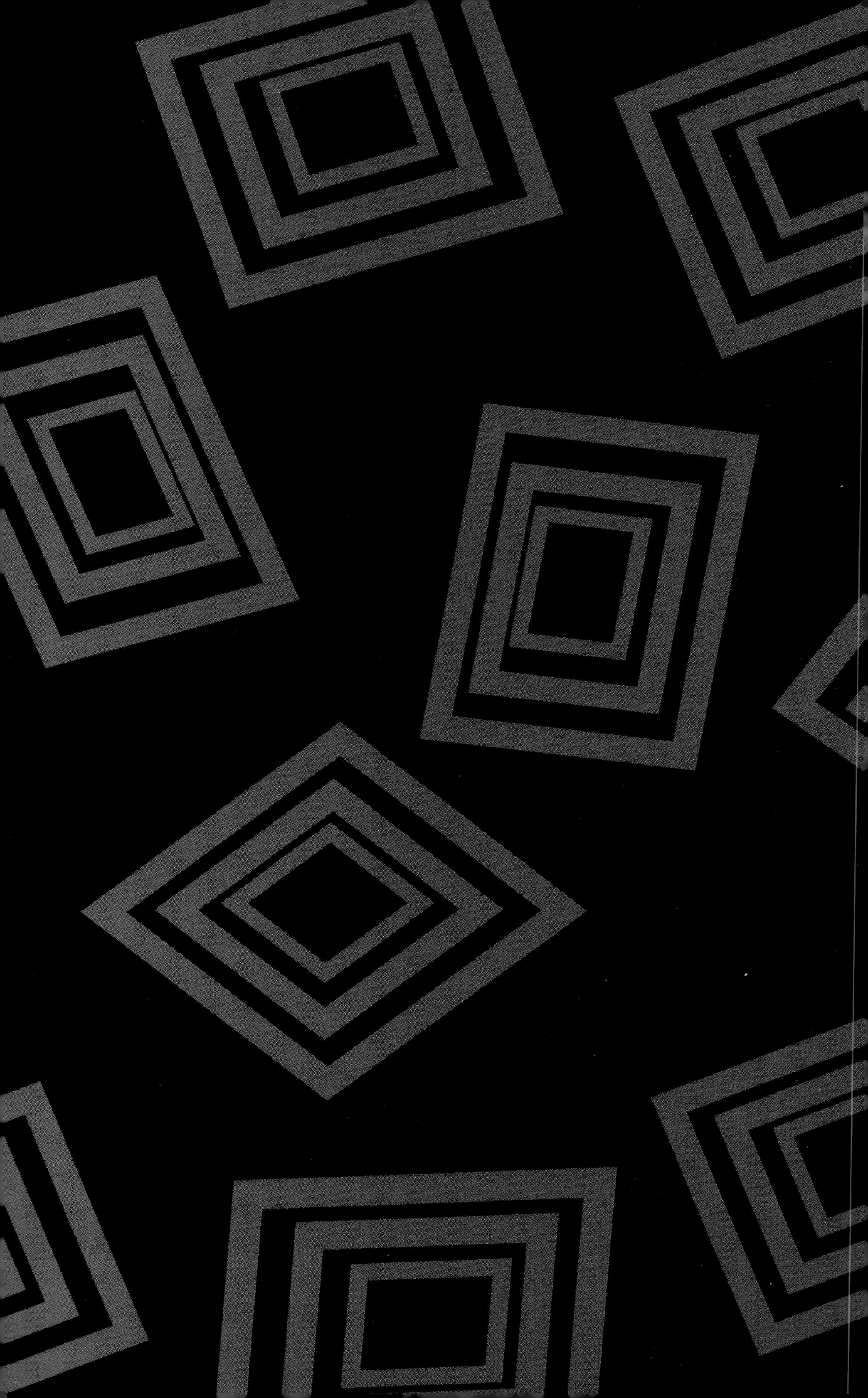

CHAPTER

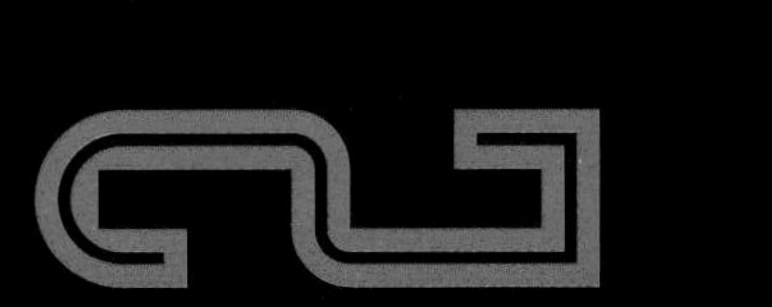

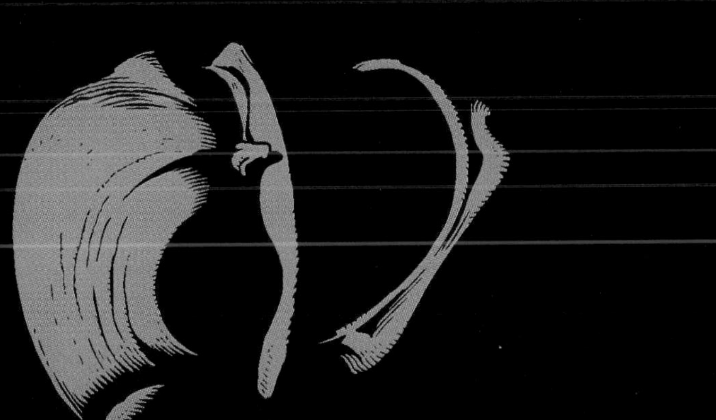

POLICE NOT WELCOME
CHECK ALL GUNS AT THE
I'M TELLING YOU, IT JUST AIN'T RIGHT.

THIS GUY'S GOT NO VALUE FOR TRADITIONS.
MOZZO MAY HAVE PISSED ME OFF ONCE OR TWICE, BUT HE ALWAYS RESPECTED TRADITION, KNOW WHAT I'M SAYING?

AND ANOTHER THING --
LOOK, BENNY, YOU GOT A GRIPE, DON'T SQUAWK TO ME.
THERE'S THE MAN YOU WANT TO TALK TO.

I LOVE TO SING-A, ABOUT THE MOON-A AND THE JUNE-A AND THE SPRING-A

HEY, YOU CRAZY BASTARD!

UH OH, BOSS.
LOOKS LIKE TROUBLE.

TELL THE DON THAT EUGENE PESCADO OF PHILLY WOULD LIKE A WORD WITH HIM.
NOW!!

HEY BOSS, YOU HEAR THA--

BOSS?

WE'RE GONNA MAKE THIS SCUM-BAG PAY.
NOBODY KILLS A PESCADO AND GET'S AWAY WITH IT, RIGHT SON?
YEAH, DAD. WHATEVER YOU SAY, ONLY, AIN'T THIS A LITTLE RISKY?
WE COULD GET ARRESTED, CARRY-ING GUNS IN THE OPEN LIKE THIS.
UPTOWN BAR & GRILL
ARGOS cafe

HOW CAN YOU SAY THAT?
HERE WE ARE, ABOUT TO EXACT VENGEANCE FOR THE DEATH OF MY BROTHER, YOUR UNCLE, AND YOU TALK ABOUT RISK?

BESIDES, THE CAPTAIN OF THIS PRECINCT IS A GOOD FRIEND OF MINE.
HELLO.

PLAY BALL.
CRACK

OOF!
EEEEEEEEEE

C'MON! LET'S GET 'IM!
BONK!
HERE COMES RED!!!
HE'S PAST THE 30, THE 35, THE 40, THE 50, THE 60, THE 70, THE 80, THE 90--

TOUCHDOWN!!!
THE DON IS

THE CROWD GOES WILD!!!!

ELL, THE ROWD GOES. NYWAY.

HOLY...

DIDJA SEE THE GAME, KATHY. DIDJA?
I SCORED THAT LAST TD FOR YOU, YOU KNOW.
YOU KNOW, A FEW PRO TEAMS HAVE MADE ME SOME OFFERS, BUT I TOLD 'EM I HAD TO FINISH SCHOOL FIRST.
I THINK THAT'S BEST, DON'T YOU?

H-HEY, BOSS. DON'TCHA THINK MAYBE WE SHOULD GET OUTTA HERE?

PARDON M

WHONK!
WHAT HAVE I SAID ABOU INTERRUPTIN ME WHEN I'M TALKING WITH A LADY!?!

YOU NEVER SAID NOTHING ABOUT THAT, BOSS.
OH, WELL THEN, WHAT'S ON YOUR MIND?

WELL, I WAS JUST THINKING, WITH ALL THOSE FELLAS LYING AROUND OUTSIDE, MAYBE THE COPS MIGHT HAVE SOME-THING ON YOU.

SOUNDS TO ME LIKE YOU'RE CALLING ME A POLTROON, TOMMY M'BOY.

OH, I DON'T KNOW.
THE THOUGHT OF OF GOING SOME-PLACE ELSE WHERE WE COULD BE MORE ...PRIVATE HAS IT'S ATTRACTION.

GET THE GUYS TOGETHER AND MEET ME OUT BACK, TOMMY.
I KNOW JUST THE PLACE.

MIAMI. HOT, HUMID, AND BUG-INFESTED.
THE PERFECT VACATION SPOT.
DON'T TELL ME YOU CAN'T DO THIS, FRANCIS--

BECAUSE IF YOU CAN'T DO IT, YOU'RE WORTHLESS TO ME, AND YOU KNOW WHAT THAT MEANS.

PLEASE, DON MOZZO, TRY TO SEE IT FROM MY STANDPOINT.
THE HEAT HAS REALLY BEEN ON UP HERE SINCE LISTOR'S ARREST.

I KNOW THAT, FRANCIS.
DO YOU THINK I CAME TO MIAMI FOR MY HEALTH?

BUT NOBODY IS GOING TO TAKE ANY NOTE OF THIS. IT'S TOO SMALL A MATTER.
THAT'S EASY FOR YOU TO SAY FROM WHERE YOU SIT.

FOR THE SAKE OF OUR FRIENDSHIP, I'M GOING TO FORGET YOU JUST SAID THAT, FRANCIS.
NOW GET TO WORK.

HERE.
AND GET. ME ANOTHER ONE OF THESE.

DO YOU THINK HE'LL DO IT, BOSS?
DON'T ASK STUPID QUESTIONS, HOWARD.

BUT MISTER ALBERT, THE FILE SAYS--
JUST SHUT UP AND MAKE THE CALL, ANNA!

Francis Albert
PAROLE BOARD CHAIRMAN
GOOD LORD, WHY DID I EVER GET INTO GRAFT?

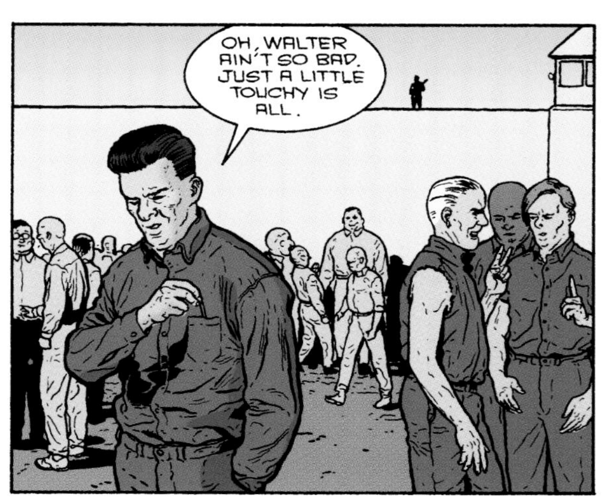
OH, WALTER AIN'T SO BAD. JUST A LITTLE TOUCHY IS ALL.

HE'S NOT LOOKING FOR TROUBLE, REALLY.

FACT IS, IF YOU CAN LEARN HOW TO TALK TO HIM, HE'S A PRETTY NICE GUY.

HI, WALTER.

KRA-ACK
AAIIIII!!

PARDON ME, WALTER.

UM, LISTEN, THE WARDEN WANTS TO SEE YOU.
B-BUT IT'S GOOD NEWS, HONEST.

WARDEN TOLD ME THAT THE PAROLE BOARD WANTS TO RE-VIEW YOUR CASE EARLY.

THEY SIGHTED YOUR "EXEMPLARY BEHAVIOR IN THE PRISON POPULA-TION" AS THE REASON.

I'LL BE ROOTING FOR YOU, WALTER.

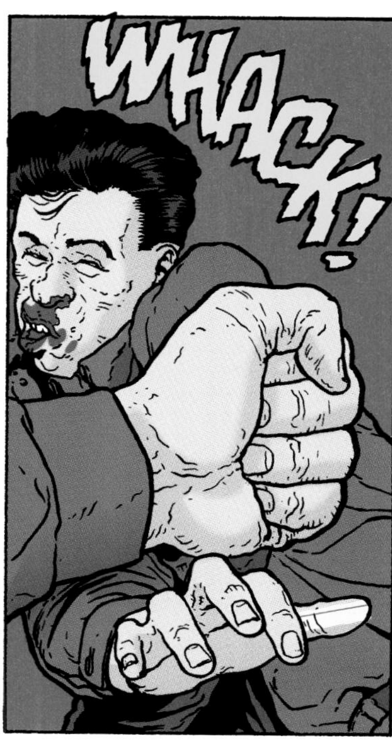
WHACK!

RAP RAP
YEAH?

UH, HIYA LIONEL.
WELL, HELLO CAPTAIN! PLEASE, COME IN!

HOW'VE YOU BEEN?
WHAT'S ON YOUR MIND, CAPTAIN?

UM, SINCE BIG-HEAD HAS GONE PUBLIC AGAIN, THE BRASS HAVE BEEN REALLY LEANING ON ME.
WELL, THEN YOU'D BETTER GET SOMEBODY RIGHT ON IT, EH?

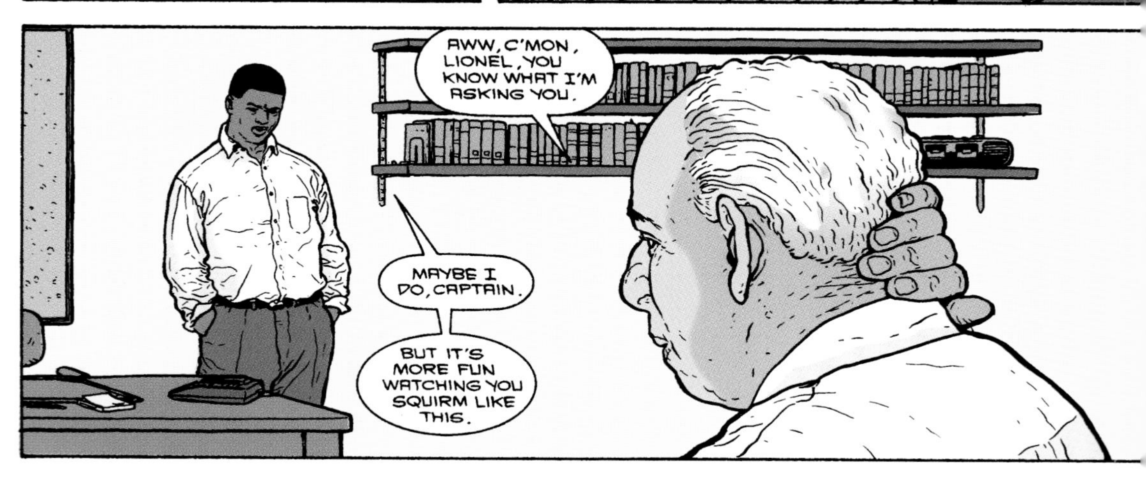
AWW, C'MON, LIONEL, YOU KNOW WHAT I'M ASKING YOU.
MAYBE I DO, CAPTAIN.
BUT IT'S MORE FUN WATCHING YOU SQUIRM LIKE THIS.

LOOK, I KNOW KELLAWAY'S GETTING SHOT HAS BEEN ROUGH ON YOU.
IT'S BEEN ROUGH ON ALL OF US.
NOT ON YOU. YOU HAVEN'T EVEN DROPPED BY THE HOSPITAL TO SEE HIM.
HEY, YOU KNOW WE NEVER GOT ALONG. I JUST FIGURED HE WOULDN'T BE TOO HAPPY TO SEE ME.
WHAT ARE YOU TALKING ABOUT!?!
THE MAN'S IN A #@¢%ING COMA!!!
YOU DON'T GIVE A DAMN ABOUT KELLAWAY.
DON'T WORRY, CAPTAIN, I'LL TAKE ON THE BIG-HEAD CASE, BUT NOT BE-CAUSE YOU ASKED ME TO.
I'LL TAKE IT BECAUSE I'M A COP. AT LEAST FOR NOW.
JUST STAY THE HELL OUT OF MY WAY, YOU GOT THAT?
AND YOU GET YOUR FAT GREASY ASS OFF MY PART-NER'S DESK!!

DON MOZZO'S PRIVATE HOME, IN THE "GIORGIO" PART OF TOWN.
YEAH. YOU CAN HAVE ANYTHING IN THE FRIDGE. COLD CUTS. BEER. WHAT-EVER.

THAT OUGHTA KEEP THOSE GOONS BUSY FOR A WHILE.
NOW. LET'S GET DOWN TO BUSINESS.

R-R-RIIIP

WELL, THAT'S FINE, BUT AREN'T YOU GOING TO TAKE THAT OFF?

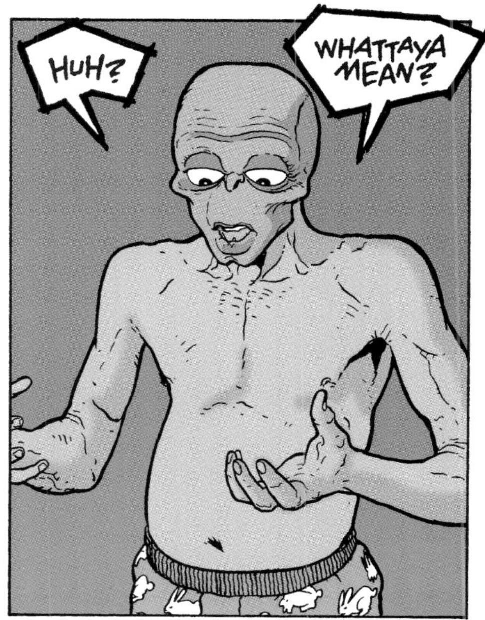
HUH?
WHATTAYA MEAN?

AWW, COME ON, BABY, THAT CAN'T BE YOUR REAL FACE, ALL GREEN LIKE THAT.
I WANT TO SEE WHAT YOU LOOK LIKE UNDER THERE.

NO WAY, LADY!

WHAT'S THE BIG DEAL?
ARE YOU... AFRAID TO TAKE IT OFF?

ALL YOU HAVETA KNOW IS THAT THIS AIN'T COMIN' OFF.
GOT THAT?

YES, BUT YOU WON'T BE GETTING ANYTHING.
NOT AS LONG AS YOU'RE PLAYING "MASQUERADE."

W-W-WAIT.

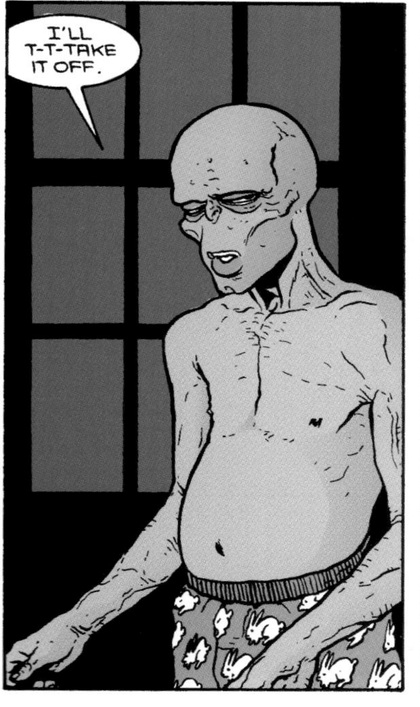
I'LL T-T-TAKE IT OFF.

NO!
NO WE WON'T! NOT AS LONG AS I'M IN CHARGE.

WH-WHAT AM I S-S-SAYING? I C-C-CAN TAKE IT OFF IF I WANT TO.
HAVEN'T T-T-TAKEN IT OFF IN OVER A WEEK. M-M-MAKES ME S-S-SO P-P-PARANOID. N-NEED A REST.

WHEW!
I G-G-GUESS IT WAS A L-L-LITTLE T-TOUGH FOR ME TO B-BELIEVE YOU LIKE ME F-F-FOR M-M-ME.
Y-Y-YOU SEE, I N-N-NEVER HAD A G-GIRL-FRIEND BE-FORE.
TH-TH-THAT'S WHY I COULDN'T L-L-LET YOU LEAVE, 'CAUSE Y-Y-YOU R-R-REALLY--
SAVE IT, BUDDY!
JUST PUT YOUR HANDS UP AND GET AWAY FROM THE MASK.
--LIKE ...ME.
LOOK, I'M SORRY, BUT I HAVE TO DO THIS.
THAT THING IS TOO DANGEROUS.
YOU'VE FELT THE POWER IT HOLDS, HOW IT COURSES THROUGH YOU.
YOU MUST REALIZE NOW HOW TERRIBLE IT IS.

YOU LOOK LIKE A REALLY NICE GUY, AND I WOULDN'T WANT TO HURT YOU.
SO I'LL JUST TAKE THE MASK--

NO!!!!

BANG BANG

HEY, WHAT GIVES!?!

PEPE, GET HER.
WE'LL CHECK ON THE BOSS.

I NEVER TRUSTED THAT BITCH.
THIS AIN'T THE BOSS, TOMMY! IT'S LITTLE NUNZIO, OUR DRIVER. WHATTAYA SUPPOSE HE'S DOING HERE?

I DON'T KNOW WHAT THE HELL'S GOING ON HERE--
--BUT I'M GONNA FIND OUT!

BAM

HEY, TOMMY. AFTER WE GET HER OUTTA THE ATTIC, SHE MIGHT NOT TALK.
WHATTA WE DO THEN?

"WHAT DO YOU THINK, BENNY?!"

BAM

BAM

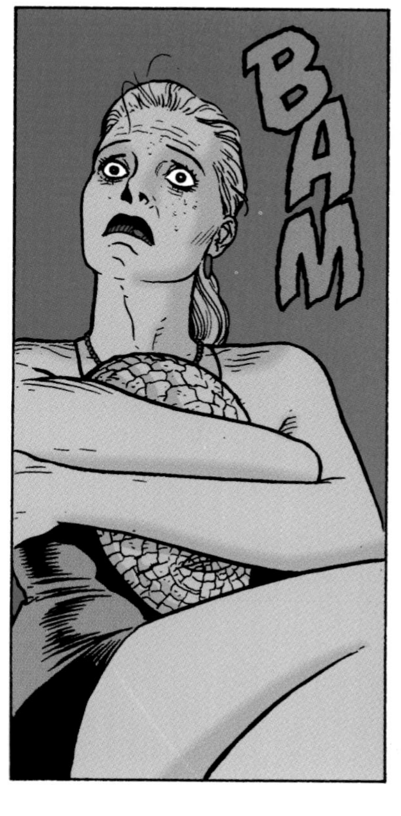
BAM

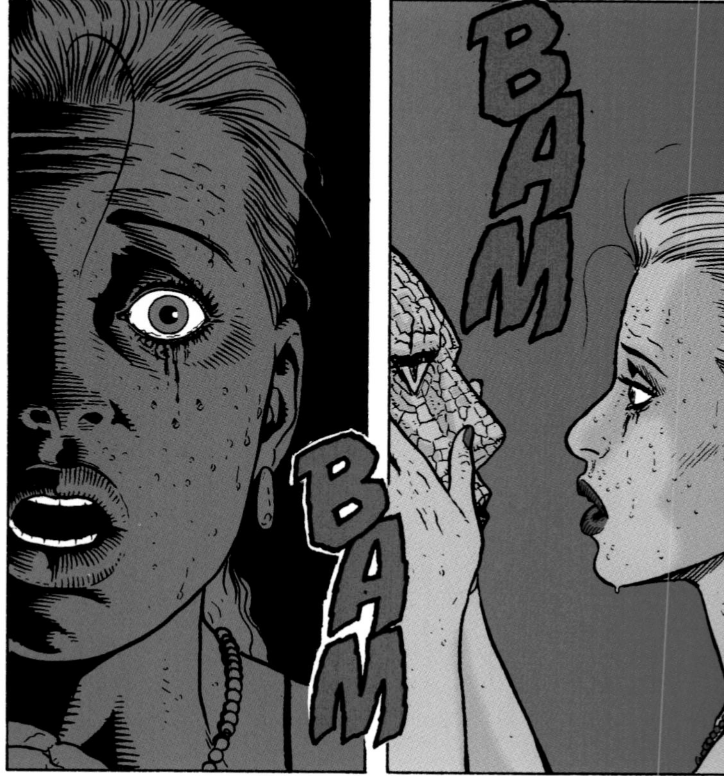
BAM
BAM

CRASH

FUN'S OVER, BABE.

SHE... SHE'S *GONE!*

RATATATATATATAT!

I'M GONE ALL RIGHT.
REAL GONE!

CHAPTER

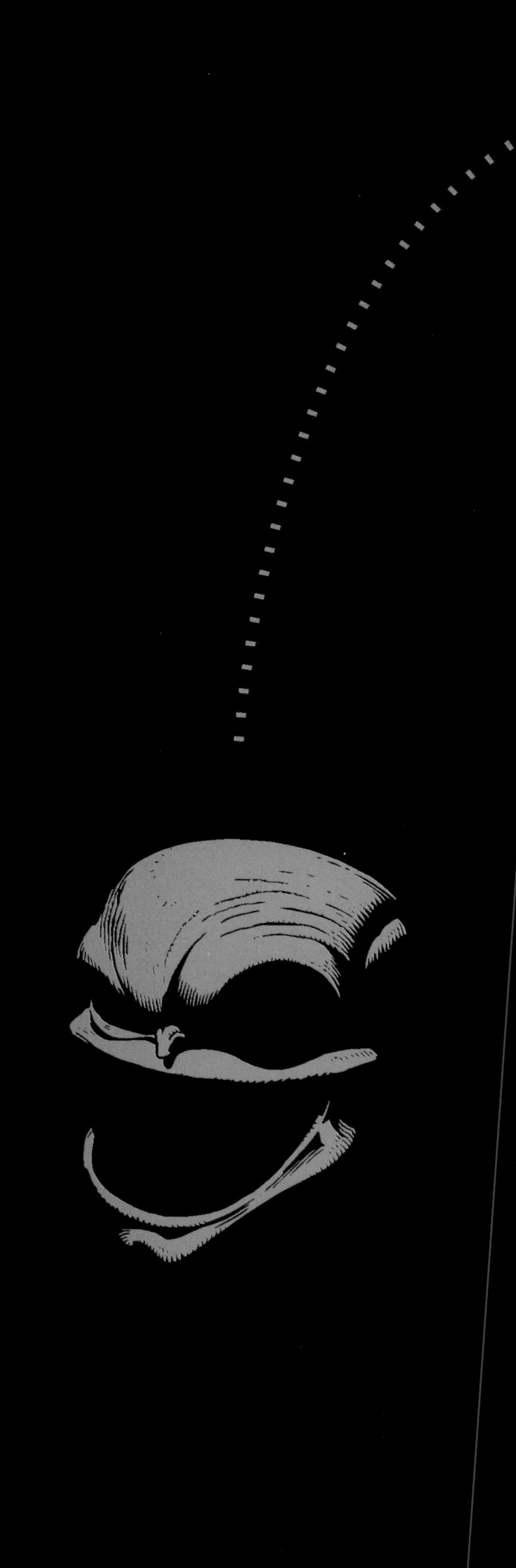

YAAA
YAAAA

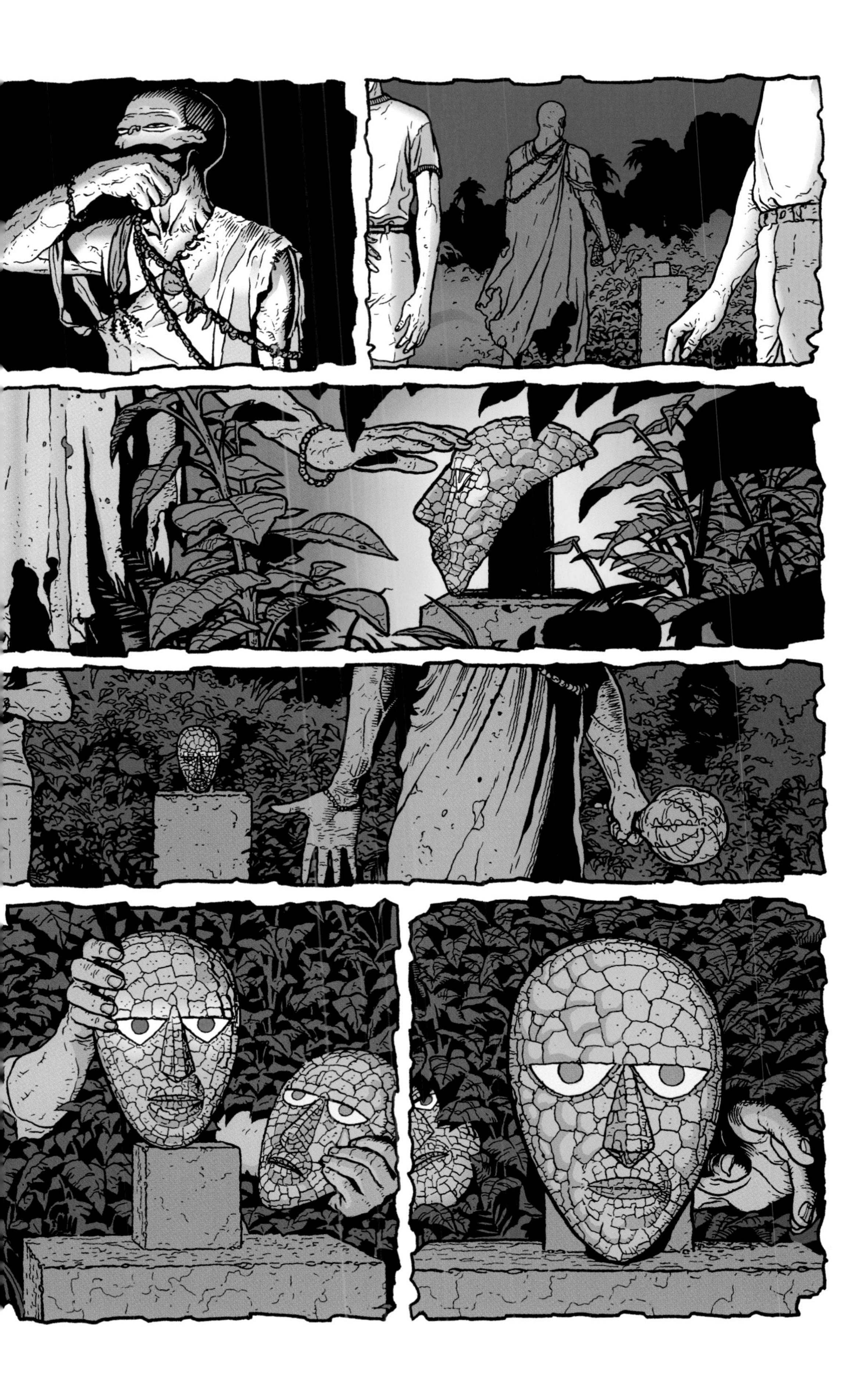

ZZZIP
WAP
YOUR CAR'S BACK THAT WAY, MITCH.
YOU ARE HEADING BACK TO YOUR CAR, AIN'T YOU?
YEAH, OF COURSE. I-I GUESS I JUST GOT LOST.

I GUESS SO.
FOR A SECOND THERE, WE THOUGHT YOU WAS TRYING TO CHEAT MR. RAZZIKY OUTTA HIS MASK.
HEY, HE PAID ME GOOD MONEY TO GET THE MASK FOR HIM.
IT'S ALL HIS.
I'M HAPPY TO HEAR YOU SAY THAT, MITCH.
HAND IT OVER.
SURE THING. I'M KIND OF SURPRISED AT YOU, PETE, FOLLOWING ME AROUND LIKE YOU DON'T TRUST ME.
YEAH, WELL YOU KNOW HOW MR. RAZZIKY IS. ALWAYS PROTECTIN' HIS INVESTMENTS.
CLICK
JOHNNY, PLEASE KILL MITCH.

HOLD IT!!

THIS IS ONE OF THE REPLICAS MR. RAZZIKY HAD MADE.
IT'S A FAKE.
REALLY?

THEN THIS ONE MUST BE THE REAL THING!

SAY "HI" TO SATAN FOR ME, BOYS.

AAH!
WHAT A WEIRD DREAM.
OR WAS IT?
IS THAT WHERE YOU CAME FROM?
THEN HOW IN HELL DID YOU GET UP HERE? DID THIS MITCH GUY BRING YOU?
AHH, WHO CARES?
I GOT ENOUGH TROUBLE TRYING TO FIGURE OUT HOW I CAN SAFELY GET RID OF THIS THING--
BECAUSE I OBVIOUSLY CAN'T DESTROY IT.

I CAN'T JUST THROW IT AWAY. SOMEBODY ELSE WOULD FIND IT.
AND SO FAR AS I KNOW, I'M THE ONLY PERSON WHO'S HAD THIS THING WITHOUT ABUSING IT.

THAT LAST GUY REALLY MADE A MESS OF THIS CITY.
Star Tribune
Three Children Killed in another mob shooting

I JUST WISH THERE WERE SOME WAY FOR ME TO UNDO THAT DAMAGE.

NAAAHH

GLAD TO SEE YOU'RE BACK ON THE STREETS.
YOU KNOW, I HAD A LOT TO DO WITH THAT.

NOT THAT YOU OWE ME ANYTHING. CERTAINLY NOT.
SCHICK

NOT A THING.

ALL RIGHT, LET'S GET DOWN TO BUSINESS.
I FLEW BACK UP FROM MIAMI BECAUSE I KNEW YOU WOULD ONLY DEAL DIRECTLY WITH ME AFTER OUR-- MISUNDERSTANDING, SHALL WE SAY?

I'M TAKING A RISK, BEING UP HERE LIKE THIS.
BUT IT'S IMPORTANT TO ME THAT YOU ARE SATISFIED.

SSSSK

THE POINT--THE *THING* IS, THAT BIG-HEAD BASTARD IS BACK, AND HE'S MAKING REAL TROUBLE FOR ME.
FOR EVERYBODY.

SSSK

URRHHH--I'M TAKING SOME MEASURES, OF COURSE.
BUT I'LL STILL NEED PROTECTION--AND I KNOW--IF--IF--ANYONE CAN PROTECT ME--

SSSSK

FOR GOD'S SAKE, WALTER, STOP IT! YOU'RE MAKING ME SICK!

I MEAN, YOU--YOU COULD HURT YOURSELF DOING THAT.

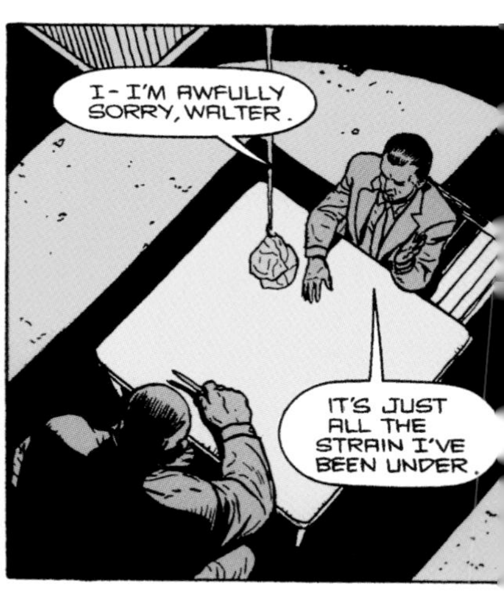
I- I'M AWFULLY SORRY, WALTER.
IT'S JUST ALL THE STRAIN I'VE BEEN UNDER.

YOU CAN DO WHATEVER YOU WANT. IT'S NONE OF MY BUSINESS.

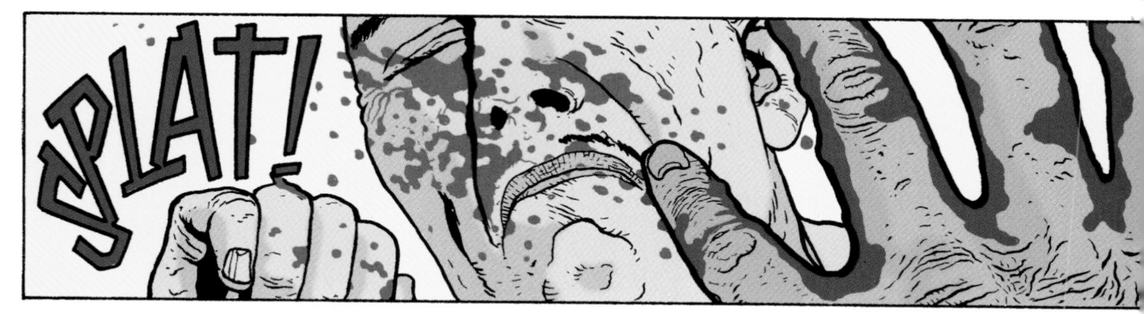
SPLAT!

GEE, WALTER, I HOPE THIS DOESN'T MEAN YOU WON'T TAKE THE JOB.

CHECK ALL GUNS AT THE DOOR
PASTRY
REPAIR
I WONDER IF ANYTHING IS STILL HAPPENING HERE.
AFTER ALL... I...KILLED ONLY A FEW OF THOSE CRONIES.

THEN AGAIN, NONE OF THEM SEEMED BRIGHT ENOUGH TO DO ANYTHING WITHOUT CONSTANT SUPERVISION.

OOF!

OH, I'M DREADFULLY SORRY. IT'S ALL MY FAULT.
WHATEVER. FORGET IT, OKAY?

HUH. WHY DOES THAT GUY LOOK SO FAMILIAR?

SHREEE
POLICE NOT WELCOME
WHAT THE HELL ?!

SPECIAL DELIVERY FOR "BIG-HEAD"!!
POOM

KEESH
THE DON IS IN·OUT
CHECK ALL GUNS AT THE DOOR
PASTRY

BOO-OOM!

MY GOD! I'VE GOT TO DO SOME-THING.
I'VE GOT TO.
OOOHHHHHH

ALL RIGHT! YOU WIN!

YOU KNOW, I WAS SUPPOSED TO SHOOT TWO ROCKETS INTO THAT PLACE.
DON'T WORRY, PAL. I THINK WE GOT "BIG-HEAD'S" ATTENTION.

RATATATATATATATATAT

RATATATAT

GRAASH

OHHHHH

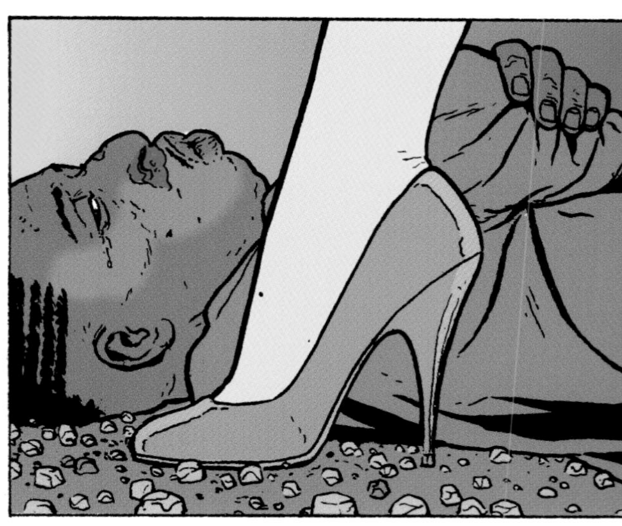

AAH, MY ARM-- AAAIIIIEEE!

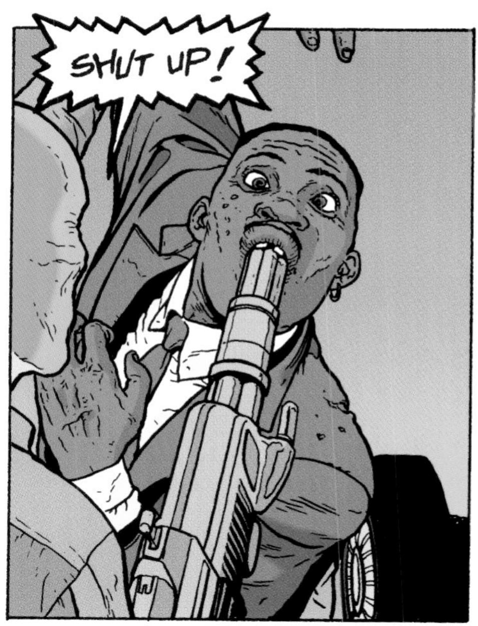

SHUT UP!

ET THIS STRAIGHT, CUMBAG!
E ONLY REASON U'RE STILL ALIVE BECAUSE YOU'RE KING ME TO WHO- VER IT IS YOU WORK FOR.
RIGHT?!
UH-HUH.

SO FAR, SO GOOD.
I'M IN TOTAL CONTROL.

NOW IF I COULD JUST FIGURE OUT WHERE THIS GUN CAME FROM.

YOU REMEMBER THAT TIME WE BUSTED ROLLO IN THE TRAIN STATION JOHN?

HE WAS IN THE STALL, AND YOU SHOUTED: "DON'T MAKE ANY SUDDEN MOVES, ROLLO! JUST COME OUT WITH YOUR HANDS UP!"

HA-- AND THEN ROLLO COMES HA HA-- COMES OUT, WITH HIS PANTS HA HA-- HIS PANTS--

AW, JEEZUS, WHAT AM I DOING!? YOU CAN'T HEAR ME.
I MUST BE GOING NUTS!

NOT AT ALL.
HUH?

IT'S VERY THERAPEUTIC TO TALK TO PATIENTS IN A COMA, HELPS THEM RECOVER.
302
IS HE A FRIEND?

PARTNER. WE WERE ON THE FORCE TO-GETHER.
RIGHT, KELLAWAY. HE WAS IN THE PAPERS ALOT WHEN THE "BIG-HEAD" KILLINGS STARTED.

YEAH, WE WORKED THAT CASE TOGETHER. HE REALLY HATED THAT S.O.B.
E'D PROBABLY IP IF HE KNEW BIG-HEAD" WAS ACK AGAIN.

HAVE YOU TOLD HIM?
HMMMM. WELL, I DON'T KNOW HOW "THERAPEUTIC" IT'D BE, BUT HEARING ABOUT "BIG-HEAD" JUST MIGHT GET A RISE OUTTA HIM.

SAY, YOU WOULDN'T, MAYBE, WANT TO GRAB A CUP OF COFFEE WITH ME?
YOU'RE SURE YOUR FRIEND WON'T MIND?

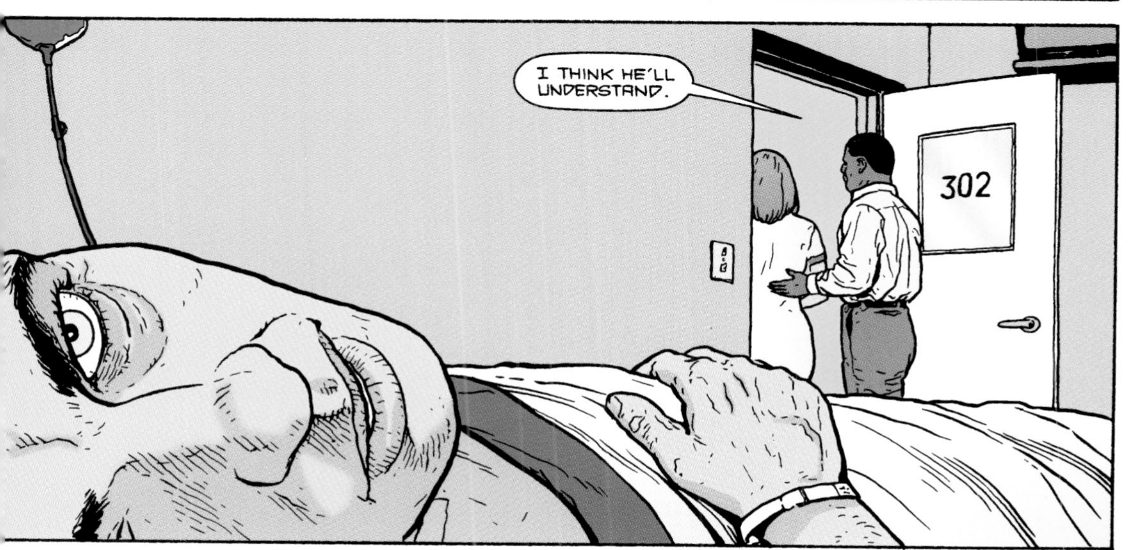
I THINK HE'LL UNDERSTAND.
302

MIDNIGHT. DOWN ON THE DOCKS.
WHERE ELSE?

I DON'T LIKE THIS. IT'S GETTING AWFULLY LATE.
HEY, YOU HEAR THAT?

YEAH, IT'S COMING FROM THE ROOF.

KEEESH!

EDDY!
WHUMP!

KLIK KLIK KLIK KL

K KLIK KLIK KLIK
EDDY WAS VERY COOPERATIVE.

HE BROUGHT ME RIGHT TO YOU--
EXACTLY AS I TOLD HIM TO.

THEN WHY DID YOU KILL HIM?
BECAUSE HE DID EXACTLY AS YOU TOLD HIM TO-- FIRST.
HEY, DIDN'T "BIG-HEAD" USED TO BE A GUY?!

WHO CARES? I DON'T CARE, I REALLY DON'T.
JUST PLEASE, PLEASE, PLEASE-- DON'T HURT ME.

DON'T YOU WANT US TO SHOOT HER?
DON'T LISTEN TO THEM. THEY WON'T HURT YOU.
I CAN GIVE YOU MONEY. IS THAT WHAT YOU WANT?

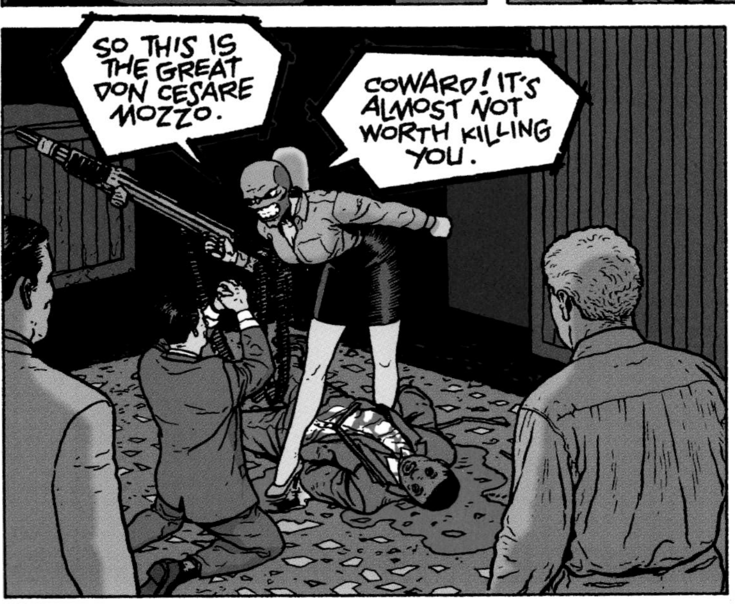
SO THIS IS THE GREAT DON CESARE MOZZO.
COWARD! IT'S ALMOST NOT WORTH KILLING YOU.

ALMOST.

BOOOM!
WHONK
I DON'T FRIGGIN' BELIEVE IT.

WALTER KILLED "BIG-HEAD"!!

CHAPTER

NOT MUCH OF A PARTY, I'M AFRAID, BUT IT'S THE BEST I COULD DO ON SUCH SHORT NOTICE.
IT'LL DO, LIONEL.

ONLY, CAN'T YOU GET ME SOME VODKA FOR THIS?
WHAT, ARE YOU KIDDING ME? YOU JUST CAME OUTTA YOUR COMA THIS MORNING.
HAPPY TIME
ORANGE JUICE

U KNOW, MR. LLAWAY, ONEL HAS TOLD A LOT ABOUT YOU--
AND "BIG-HEAD."
WANDA!
HAPPY TIME
ORANGE

HAH! I BET HE HAS, BUT LET'S TALK ABOUT SOME-THING ELSE, OKAY?
RIGHT NOW, THE LAST THING ON MY MIND IS "BIG-HEAD."

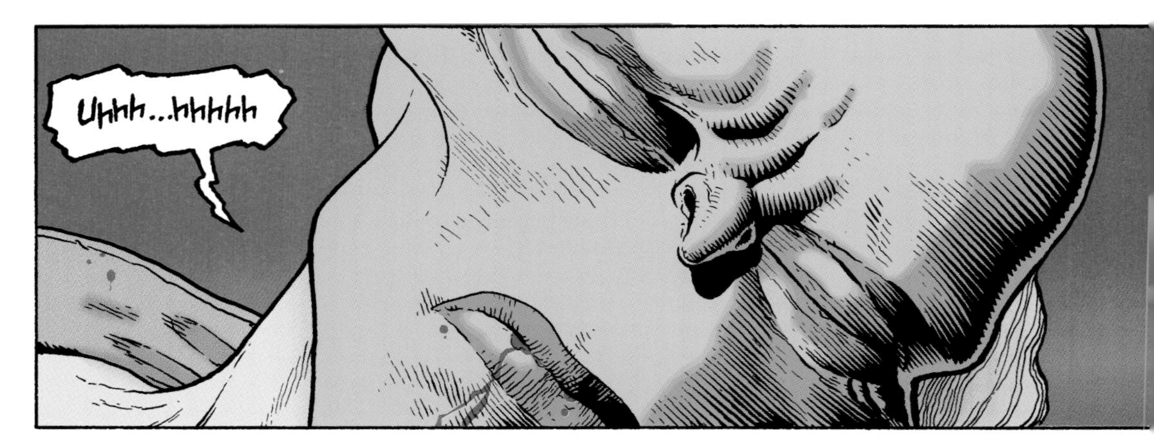
Uhhh...hhhhh

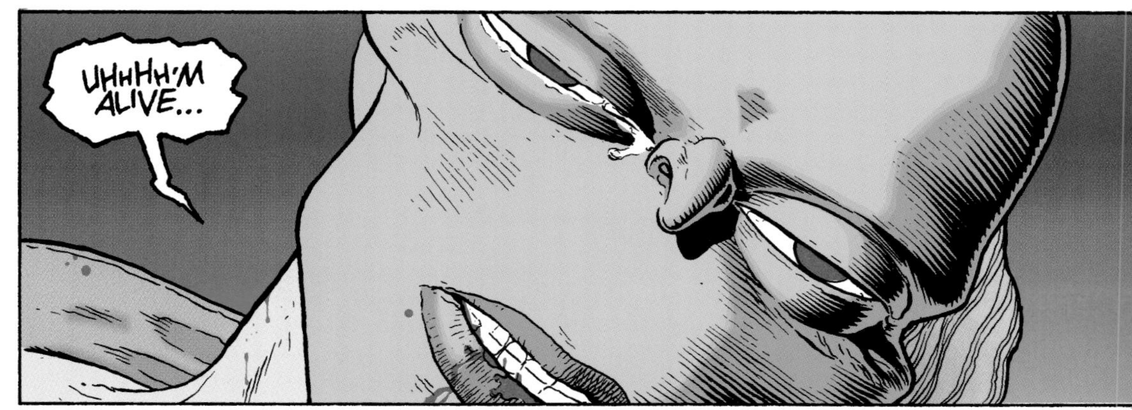
UHHHH'M ALIVE...

NOW I REMEMBER. THE MASK PROTECTS YOU.
NO WONDER I FORGOT. I COULD FIT A BOWLING BALL IN THAT HOLE.

BUT I'M OKAY NOW.

WHOA!*

PAL, I HOPE THAT'S ALL THE AMMO YOU HAVE IN THAT GUN--
`CAUSE I'M PRETTY SURE THIS IS ALL THE BLOOD I HAVE IN THIS BODY.

WHUNK!
OOF.

ALL RIGHT, THAT'S ENOUGH, YOU BASTARD!

EAT THIS!

BOOM
BOOM

SAY, WHERE THE HELL DID THIS COME FROM?

WHUNK!

HEY, WALTER, C'MON.

FORGET HER. LET'S GET THE HELL OUTTA HERE.

YEAH, FORGET ME, WALTER.
I'M NO GOOD FOR YOU.

I CAN'T TAKE ANY MORE OF THIS.
I'VE GOT TO END IT!

I'LL BE ALL RIGHT, WON'T BE WOUNDED. STAN WASN'T, WHY SHOULD I BE.*
I JUST HAVE TO DO IT QUICKLY. JUST ONE QUICK MOTION.
*HOW DOES SHE KNOW THIS? SEE THE MASK #0.
NOW!

WHEW!

YAAAAAAA

WHAT AM I SCREAMING FOR? HE CAN'T RECOGNIZE ME LIKE THIS.
SAY, IF YOU'RE LOOKIN FOR A LADY WI A GREE FACE, SH RAN OF THAT W

WOW! THAT WAS A CLOSE ONE.

I WAS INSANE TO THINK I COULD CONTROL THIS THING.
I'VE BEEN FIGHTING IT SO HARD, TRYING TO KEEP IT FROM CONTROLLING ME, THAT I'VE BECOME A MURDEROUS ANIMAL.

THERE'S JUST NO WAY TO WIN WITH THIS THING.
IT'S GOT TO GO, NO MATTER WHO MIGHT FIND IT.

IT'S GOT TO GO.

BUMP

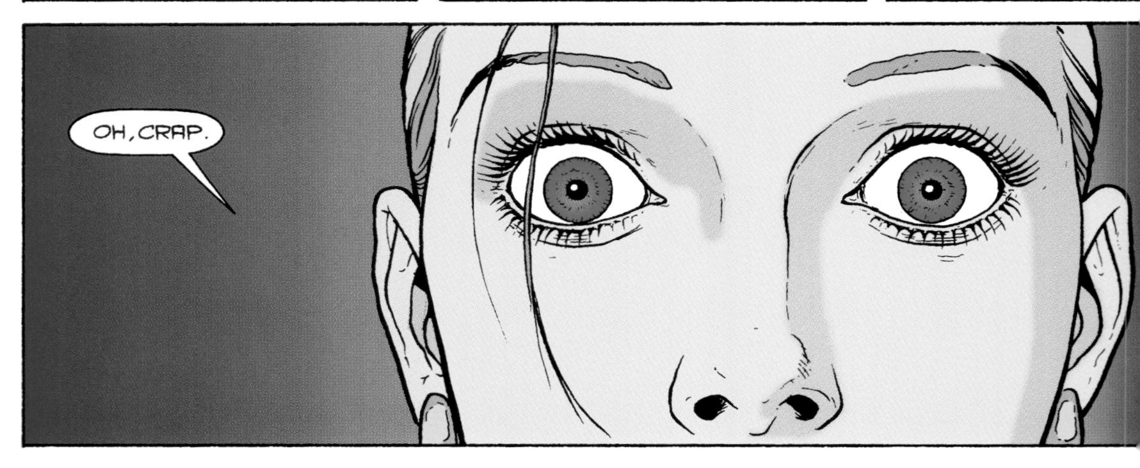
OH, CRAP.

LADY WITH THE GREEN FACE?
THAT WAY.
...REMEMBER?

GEEZUS, THIS GUY'S LIKE A BAD PENNY!
A VERY BIG, VERY NASTY, BAD PENNY.

OKAY, SO I HAVE NO CHOICE.
BUT JUST THIS LAST TIME.

HOLD IT, BUDDY!
YOU WANT ME, YOU GOT ME.

BUT THIS TIME WE'LL DO IT MY WAY.
JUST HAND-TO-HAND COMBAT.
NO BOARDS, NO GUNS, NO WEAPONS AT ALL.

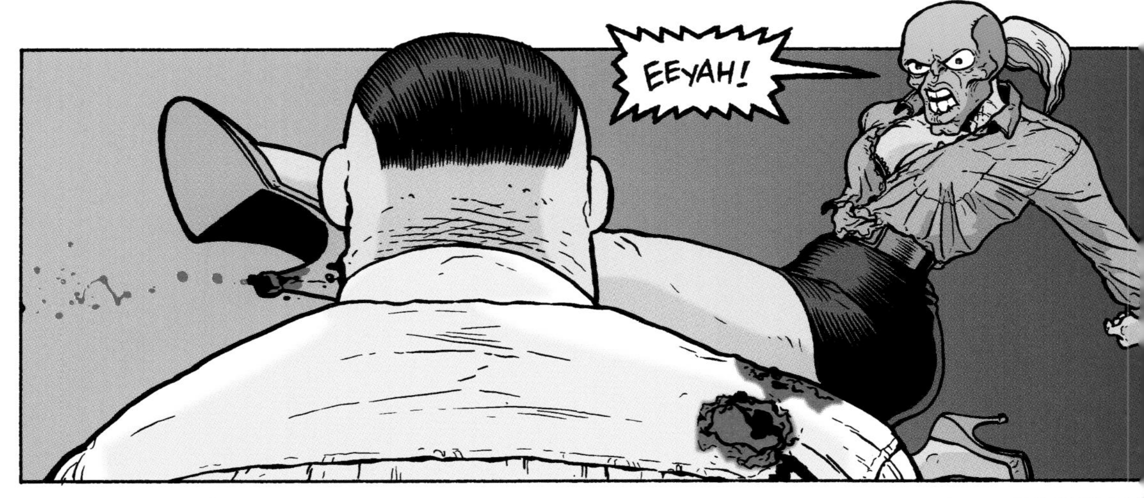
EEYAH!

YUH!

HI!!!!!

WA! YI! MAA!
KI! POW! BAM!
ZAP!

HUH-HUH-
HAD ENUFF!

SMASH!

ON SECOND THOUGHT...

BRRRAAAPPP
LET'S GO BACK TO USING WEAPONS!

GEEZ, WALTER AIN'T GETTING NOWHERE WITH "BIG-HEAD."
IF "BIG-HEAD" WINS, WE'RE IN "BIG-TROUBLE," BOSS.
YEAH, BUT FORTUNATELY, I KNOW A FEW HUNDRED GUYS WHO MIGHT BE ABLE TO HELP US.

I REALLY GOTTA BE GOING, LIEUTENANT.
ANYWAY, IT'S LATE. YOU SHOULD GET SOME SLEEP.
GET SOME SLEEP?! HELL, I'VE BEEN IN A COMA FOR DAYS. LAST THING I WANT TO DO IS SLEEP.

UHHH, EXCUSE ME, DETECTIVE LIONEL? URGENT NEWS.
BE RIGHT THERE.

URGENT, HUH? SOUNDS TO ME LIKE--

"BIG-HEAD," DOWN BY THE DOCKS.
I KNEW IT.
WHAT MAKES THE CAPTAIN SO SURE IT'S "BIG-HEAD"?

WELL, APPARENTLY SHE'S HAVING A FIRE-FIGHT--
HOLD ON. SHE?
SHE!?!

"BIG-HEAD" IS A *SHE?*
THAT'S THE WAY THE ANONYMOUS CALLER DESCRIBED HER, ACCORDING TO THE CAPTAIN.

WHAT ELSE DID THIS ANONYMOUS CALLER SAY?
APPARENTLY SHE'S SHOOTING IT OUT DOWN ON PIER #7, WITH SOME GOON.
AND THE GUY ALSO SAID SHE'S BEEN HIT WITH A FEW SHOTGUN BLASTS, AND KEEPS COMING.

SURE SOUNDS LIKE "BIG-HEAD."
OKAY, YOU HEAD DOWN TO THE CAR AND ALERT ALL AVAILABLE UNITS. I'LL BE RIGHT DOWN.

LOOKS LIKE I GOT A HELL OF A NIGHT AHEAD OF ME, LIEUTENANT.
ALL THINGS CONSIDERED, I WOULDN'T MIND TRADING PLACES WITH--

--YOU.

WOW! THESE E.R. DOUBLE SHIFTS ARE HELL.
IF I'D KNOWN I WOULD HAVE TO SEW UP THIS MANY GUNSHOT WOUNDS TO GET THROUGH MY RESIDENCY, I WOULD HAVE GONE INTO RESEARCH INSTEAD.
YES, BUT THEN WE NEVER WOULD HAVE MET, AND THAT--
OH MY GOD!!
HONK
HONK
LOOK OUT!
KATHY, IF THAT'S YOU WEARING THAT MASK, I'LL NEVER FORGIVE MYSELF.

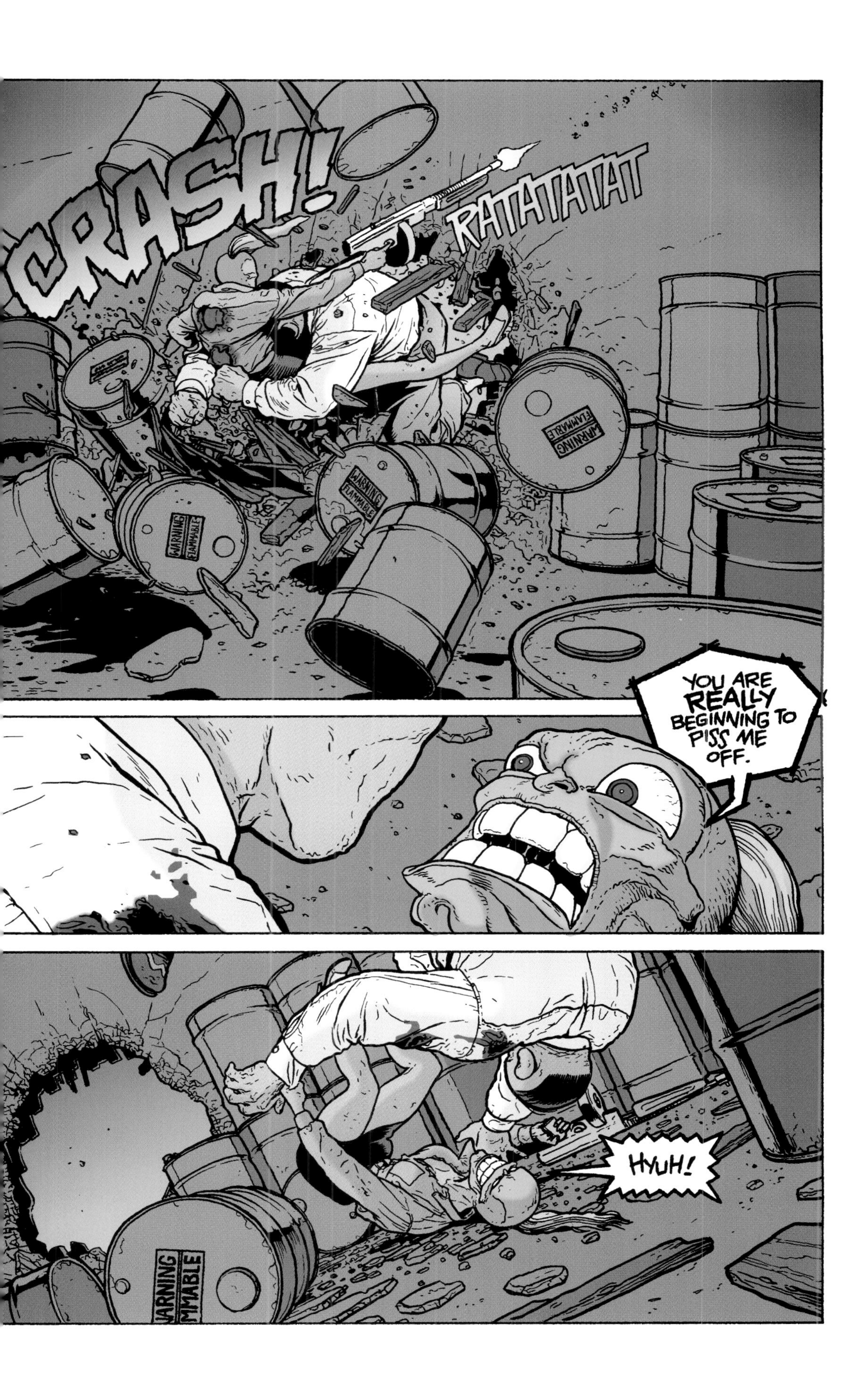
CRASH!
RATATATAT
WARNING FLAMMABLE
WARNING FLAMMABLE
WARNING FLAMMABLE
YOU ARE REALLY BEGINNING TO PISS ME OFF.
HYUH!
WARNING
MMABLE

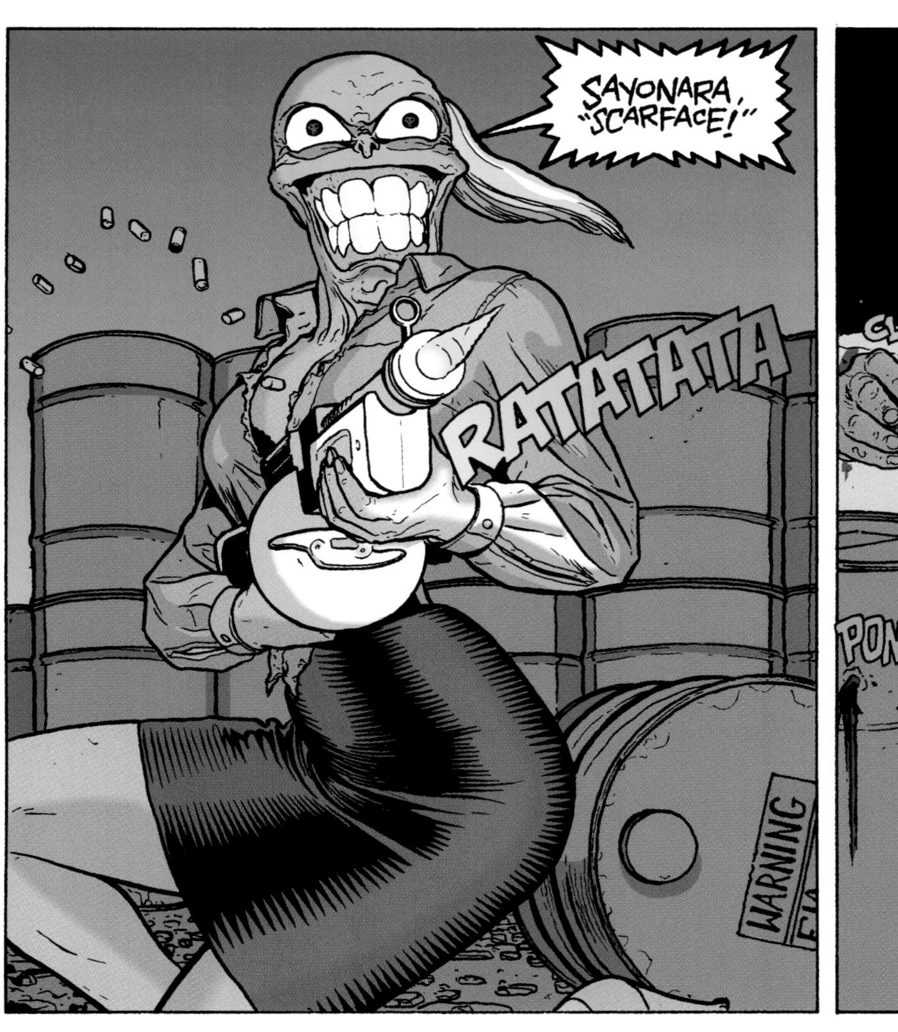
SAYONARA, "SCARFACE!"
RATATATA
WARNING

CLICK
PONK
PONK
PONK

BOOM!
YOU KNOW, A COUPLA MINUTES AGO, THAT PROBABLY WOULDA JANGLED MY NERVES A TAD.
BUT NOT ANYMORE, NO SIR.

MATTER OF FACT, I KINDA LIKED IT!
WHHOOSH

WOO HOO! WOO HOO! WOO HOO!
WHHOOOSH

I'M GOING CRAZY, BOYS-- DON'T STOP ME!
WHA-- WHAT AM I SAYING?
I'M NOT... I WON'T GO CRAZY.
GOOD LORD. THIS IS NEVER GOING TO END.

HUNK
OH, FOR GOD'S SAKE--
MOTHER
WHEN ARE YOU GOING TO DIE?

OUTSIDE, WHERE IT'S SAFE.
LOOK, THE PLACE IS ON FIRE. MAYBE WE SHOULD DO SOMETHING.
AND GET OUR ASSES SHOT OFF? NO THANKS.
JUST WAIT TILL A FEW MORE UNITS GET HERE. LET ONE OF THEM PLAY HERO.
POLICE

BETTER KEEP OUR EYES OPEN. RADIO SAYS SOME NUT DRIVING A CAR MIGHT BE HEADING OUR WAY.
THAT'S ALL THEY SAID? THEY DIDN'T MENTION WHAT THE CAR LOOKED LIKE?

HONK
HONK
HONK

IT PROBABLY LOOKS A LOT LIKE THAT ONE.

YAAAAAAAAA!
ALL RIGHT! ALL RIGHT!! LEGGO!!
I KNOW WHAT YOU WANT, STAN. LIEUTENANT KELLAWAY, AND THAT LITTLE HOOD-LUM WANTED IT TOO.
EVERYBODY WHO KNOWS ABOUT IT WANTS IT.
EVERYBODY EXCEPT ME.
I'M SICK TO DEATH OF IT.

CLACK
CLACK
BESIDES, I CAN'T IMAGINE YOU ANY MORE DANGEROUS THAN YOU AL-READY ARE.

WHAT THE HELL ARE YOU WAITING FOR?
TAKE IT! TAKE IT! TAKE IT!

KRASSH!

KATHY! RUN!!

KRUNCH!!
WARNING FLAMMABLE

BA-BOOOOM!

SOONER THAN YOU MIGHT THINK.
BUT HOW DID YOU KNOW IT WAS ME?
I DON'T KNOW. I JUST DID.

YOU BASTARD! I COULD KILL YOU!
LOOK, LIONEL, I'M SORRY ABOUT STEALING YOUR CAR, BUT I HAD TO.

THAT AIN'T WHAT I'M MAD ABOUT! YOU'RE NOT EVEN A COP ANYMORE, AND YOU'RE STILL SHOWING ME UP.
I CAN'T BELIEVE WHAT THE BOYS ARE TELLING ME. I CAN'T BELIEVE YOU FINALLY KILLED "BIG-HEAD"!
YEAH, WELL, TO TELL YOU THE TRUTH --

DMJA1
" NEITHER CAN I."

OTHER GRAPHIC NOVELS AVAILABLE FROM TITAN BOOKS

The Mask
John Arcudi & Doug Mahnke
152pp full colour paperback

Hard Boiled
Frank Miller & Geof Darrow
128pp full colour paperback

Predator
Mark Verheiden, Chris Warner &
Ron Randall
112pp full colour paperback

Predator: Big Game
John Arcudi, Evan Dorkin &
Armando Gil
112pp full colour paperback

Predator: Cold War
Mark Verheiden, Ron Randall &
Steve Mitchell
112pp full colour paperback

Sin City
Frank Miller
208pp b/w paperback

Sin City: A Dame to Kill For
Frank Miller
208pp b/w paperback

Terminator: Tempest
John Arcudi, Chris Warner &
Paul Guinan
112pp full colour paperback

Aliens: Book One
Mark Verheiden & Mark A. Nelson
168pp b/w paperback

Aliens: Book Two
Mark Verheiden & Denis Beauvais
112pp full colour paperback

Aliens: Earth War
Mark Verheiden & Sam Kieth
112pp full colour paperback

Aliens: Genocide
John Arcudi, Damon Willis &
Karl Story
112pp full colour paperback

Aliens: Hive
Jerry Prosser & Kelley Jones
112pp full colour paperback

Aliens: Newt's Tale
Mike Richardson, Jim Somerville &
Brian Garvey
96pp full colour paperback

Aliens: Rogue
Ian Edgington & Will Simpson
112pp full colour paperback

Aliens vs Predator
Randy Stradley, Phill Norwood,
Chris Warner, Karl Story &
Robert Campanella
176pp full colour paperback

For a full list of graphic novels available by mail order from Titan Books, please send a large S.A.E. to Titan Books Mail Order, 42-44 Dolben St, London, SE1 0UP, marking both envelopes MRGN.

CW00664179

CONGRÉGATION POUR LES INSTITUTS DE VIE CONSACRÉE
ET LES SOCIÉTÉS DE VIE APOSTOLIQUE

LA GESTION DES BIENS ECCLÉSIASTIQUES DES INSTITUTS DE VIE CONSACRÉE ET DES SOCIÉTÉS DE VIE APOSTOLIQUE

Au service de l'*humanum* et de la mission dans l'Église

Actes du Symposium International
Rome, 8-9 mars 2014

Présentation du
Card. João Braz de Aviz

Titre original:

*La gestione dei beni ecclesiastici degli Istituti di vita consacrata e delle Società di vita apostolica. A servizio dell'*humanum *e della missione nella Chiesa*

Prémiere edition *2014*
Edition Print on demand *2021*
Traduit en français par MARIE-CAROLINE BEYLIER

En couverture:

Multiplication des pains – Cène, ivoire sculpté, XIe-XIIe siècles

00120 Città del Vaticano
Tel.: +39 06 698 45780 Email: commerciale.lev@spc.va
www.libreriaeditricevaticana.va
www.vatican.va

ISBN 978-88266-0499-2

MESSAGE DU SAINT-PÈRE AUX PARTICIPANTS AU SYMPOSIUM

À mon vénéré frère
le Cardinal João Braz de Aviz
Préfet de la Congrégation pour les Instituts de vie consacrée et les Sociétés de vie apostolique

Je vous envoie mon salut cordial, ainsi qu'à tous les participants au symposium international sur le thème: « La gestion des biens ecclésiastiques des instituts de vie consacrée et des sociétés de vie apostolique au service de l'*humanum* et de la mission de l'Église ».

Notre époque est caractérisée par des changements et des progrès importants dans de nombreux domaines, ayant des conséquences importantes pour la vie des hommes. Toutefois, bien qu'ayant réduit la pauvreté, les objectifs atteints ont souvent contribué à édifier une *économie de l'exclusion et de l'iniquité*: « Aujourd'hui, tout entre dans le jeu de la compétitivité et de la loi du plus fort, où le puissant mange le plus faible » (cf. Exhort. apost. *Evangelii gaudium*, n. 53). Face à la précarité dans laquelle vivent la majorité des hommes et des femmes de notre temps, ainsi que face aux fragilités spirituelles et morales de tant de personnes, en particulier les jeunes, en tant que communauté chrétienne nous nous sentons interpellés.

Les instituts de vie consacrée et les sociétés de vie apostolique peuvent et doivent être des sujets qui vivent et témoignent en personne et de façon active que le *principe de gratuité et la logique du don* trouvent leur place dans l'activité économique. Le charisme de fondation de chaque institut est inscrit de plein droit dans cette « logique »: en *étant don*, comme consacrés, vous apportez votre véritable contribution au développement économique, social et politique. La *fidélité au charisme de fondation* et au patrimoine spirituel qui y est lié, ainsi qu'aux finalités propres à chaque institut, doivent demeurer le premier critère d'évaluation de l'administration, de la gestion et de toutes les interventions réalisées dans les instituts, à tous les niveaux: « La nature du charisme oriente les énergies, soutient la fidélité et guide le travail apostolique de tous, pour l'unique mission » (Exhort. apost. post-syn. *Vita consecrata*, n. 45).

Il faut veiller attentivement à ce que les biens des instituts soient administrés avec circonspection et transparence, qu'ils soient protégés et préservés, en alliant la dimension charismatique et spirituelle prioritaire à la dimension économique et à l'efficacité, qui trouve son *humus* dans la tradition administrative des instituts qui ne tolère pas les gaspillages et est attentive au bon usage des ressources.

Au lendemain de la clôture du Concile Vatican II, le serviteur de Dieu Paul VI appelait à « une mentalité chrétienne nouvelle et authentique » et à un « nouveau style de vie ecclésiale » : « Nous notons avec une attention particulière comment dans une période comme la nôtre, marquée tout entière par la conquête, la possession, la puissance des biens économiques, se manifeste dans l'opinion publique, à l'intérieur et à l'extérieur de l'Église, le désir, presque le besoin, de voir la pauvreté de l'Évangile et de la déceler en particulier là où l'Évangile est prêché et représenté » (Audience générale du 24 juin 1970).

J'ai voulu rappeler ce besoin également dans le Message pour le Carême de cette année. Les instituts de vie consacrée et les sociétés de vie apostolique ont toujours été une voix prophétique et un témoignage vivant de la nouveauté qu'est le Christ, de la conformation à Celui qui s'est fait pauvre en s'enrichissant par sa pauvreté. Cette pauvreté amoureuse est solidarité, partage et charité et s'exprime dans la sobriété, dans la recherche de la justice et dans la joie de l'essentiel, pour mettre en garde contre les idoles matérielles qui affaiblissent le sens authentique de la vie. Une pauvreté théorique ne sert à rien, ce qui sert est la pauvreté que l'on apprend en touchant la chair du Christ pauvre, chez les humbles, les pauvres, les malades, les enfants. Soyez encore aujourd'hui, pour l'Église et le monde, aux avant-postes de l'attention à l'égard de tous les pauvres et de toutes les pauvretés, matérielles, morales et spirituelles, pour surmonter tout égoïsme dans la logique de l'Évangile qui enseigne à avoir confiance dans la Providence de Dieu.

Tandis que j'exprime ma reconnaissance à la Congrégation pour les instituts de vie consacrée et les sociétés de vie apostolique qui a promu et préparé le symposium, je forme des vœux afin que celui-ci porte les fruits espérés. J'invoque pour cela l'intercession de la Bienheureuse Vierge Marie et je vous bénis tous.

Du Vatican, le 8 mars 2014

FRANÇOIS

INTERVENTION
DU CARDINAL PIETRO PAROLIN

Secrétaire d'État du Saint-Siège

Votre Éminence, Votre Excellence,
chers Frères, chères Sœurs,

L'Antienne de *Magnificat* de ces premières vêpres de ce dimanche de Carême nous rappelle que « l'homme ne vit pas seulement de pain, mais de toute parole qui sort de la bouche de Dieu » (*Mt* 4,4). D'autre part, il n'y a pas de doute que l'homme a aussi besoin de pain et de tant d'autres choses pour vivre. Votre symposium en ces jours est une occasion importante pour réfléchir ensemble sur les critères et les modalités pour une gestion appropriée des biens des Instituts de vie consacrée et des Sociétés de vie apostolique.

Les ressources disponibles sont une providence qu'il faut accueillir et gérer à bon escient. Elles doivent être utilisées dans la fidélité au charisme fondateur et selon les finalités propres à chaque institution, avec une administration la plus prudente possible. Il faut pour cela une préparation adaptée, pour discerner et agir de manière responsable, en adoptant des critères d'économie et de transparence, de façon à ce que le conseil évangélique de pauvreté soit reflété avec cohérence dans la gestion de ses biens, aussi bien dans son ensemble que dans les choix spécifiques.

La parole du Christ rappelée précédemment incite à donner un juste ordre des priorités. Les biens matériels et leur gestion ne peuvent être la préoccupation première. Mais cela ne veut certes pas dire qu'il faille s'en désintéresser ou les négliger. Cela nous aide plutôt à comprendre pourquoi, quand un problème de nature économico-gestionnelle s'aggrave, il s'agit souvent d'un symptôme de difficultés plus profondes, d'un signal d'une certaine fatigue ou d'une perte de vitalité et de force du charisme. Dans ces cas, une réforme de la gestion économique à elle seule ne suffit pas, mais il faut s'interroger sur la nature de la vraie faiblesse, qui finit aussi par provoquer la diminution des ressources. Autrement, il est possible que confrontés à une gestion toujours plus optimale, on enregistre une difficulté toujours plus importante pour disposer de ressources adaptées à sa mission, et l'on entre ainsi dans un cercle vicieux.

Jésus répond au tentateur : « L'homme ne vit pas seulement de pain ». Ces paroles nous interpellent profondément et nous invitent à mettre en avant toujours la parole de Dieu, à témoigner avec fraîcheur le charisme que chacun a reçu, à expérimenter l'Évangile avec authenticité et plénitude.

Si nous sommes en revanche trop inquiets pour le peu de pain disponible, et que nous nous consacrons à la meilleure manière d'économiser quelques miettes, ces ressources pourraient « inexplicablement » diminuer encore plus. Bien que les critères de gestion aient été mis à jour selon la meilleure méthode, nous pourrions avoir des difficultés pour trouver un minimum de ressources adéquates à nos objectifs. Des économies ont été réalisées, les libéralités ont diminué, une excellente révision des dépenses a été faite, mais les poissons et les pains, au lieu d'augmenter, ont baissé. Comment cela se fait-il ?

Cette remarque de l'évangéliste à la fin de son récit sur la multiplication des pains nous frappe toujours : « Tous mangèrent à leur faim et, des morceaux qui restaient, on ramassa douze paniers pleins » (*Mt* 14,20). Non seulement la foule fut nourrie, mais il en restait en grande quantité !

Il est certes important d'économiser, d'être parcimonieux, de trouver le meilleur système de gestion, de trouver les économes et administrateurs les plus adaptés et préparés, mais ce n'est pas là le cœur d'une gestion optimale quand c'est l'Évangile qui l'inspire. Le cœur est le feu de la foi et de la charité, qui nous rend heureux et nous responsabilise et donne une impulsion à la créativité et à l'imagination au service du charisme fondateur et de la mission de l'Église, et donc aussi de l'*humanum*.

Si cette lumière brille et réchauffe les esprits et les cœurs, il sera plus facile qu'il reste les « douze paniers pleins » et l'engagement dans le domaine économique apportera moins d'anxiété. Si cette lumière brille et que nous cherchons d'abord le Royaume de Dieu et sa justice, la gestion des biens de l'Église, comme tant d'autres choses, nous donnera moins d'inquiétude et plus de satisfaction. Nous demandons au Seigneur cette force, cette lumière et cette foi. La Providence nous donnera le reste, non pas comme une bénédiction miraculeuse à ceux qui ne s'impliquent pas, mais comme don à ceux qui, tout en s'impliquant au maximum, s'abandonnent confiants à la providence de Dieu et le mettent en priorité dans leurs pensées et leurs actions.

Que le Seigneur vous bénisse, vous et votre travail pour ce symposium, et récompense ceux qui l'ont préparé avec soin. Qu'il puisse marquer un pas en avant pour une gestion qui soit toujours au cœur de la fraternité, de la pauvreté et du partage.

PRÉSENTATION
DU CARDINAL JOÃO BRAZ DE AVIZ

Préfet de la Congrégation pour les Instituts de vie consacrée et les Sociétés de vie apostolique

Très chers,

En tant que préfet de la Congrégation pour les Instituts de vie consacrée et les sociétés de vie apostolique, j'ai le devoir et le plaisir de souhaiter la bienvenue à tous les participants à cette rencontre de réflexion et d'étude, souhaitée par le Saint-Père François – *suprême administrateur et dispensateur de tous les biens ecclésiastiques* (cf. can. 1256 CIS) – et organisée par le Dicastère pour la vie consacrée dans la mesure où les consacrés, même d'un point de vue des biens matériels, font partie de sa compétence institutionnelle propre.

« Comme l'administrateur fidèle et prudent a le devoir de prendre particulièrement soin de ce qui lui est confié, l'Église est consciente de la responsabilité de protéger et gérer avec attention ses biens, à la lumière de sa mission d'évangélisation et avec une attention particulière envers les nécessiteux ». Telles sont les paroles du Pape François dans l'incipit de la lettre apostolique sous forme de *Motu Proprio Fidelis dispensator et prudens* – du 24 février dernier – avec laquelle a été formée une nouvelle structure de coordination des Affaires économiques et administratives du Saint-Siège et de l'État de la Cité du Vatican.

Le thème sur lequel nous sommes appelés à réfléchir est celui de la gestion des biens des Instituts de vie consacrée et des sociétés de vie apostolique, qui sont des biens de l'Église, au service de l'*humanum* et de la mission ecclésiale. Dans la droite ligne d'un « *discernement évangélique* » (*Evangelii gaudium*, n. 50) – sollicité par le Pape François dans son exhortation apostolique – le symposium propose d'initier une réflexion sur les « biens ecclésiastiques », c'est-à-dire des moyens au service des fins propres de l'Église (cf. can. 1254 § 1), avec une attention particulière sur les problématiques actuelles venant de l'administration et la gestion des œuvres des Instituts de vie consacrée et sociétés de vie apostolique. Par le biais de celles-ci, les Consacrés « ont valorisé en eux la force prophétique de leurs charismes et la richesse de leur spiritualité dans l'Église et dans le monde » (*Repartir du Christ*, 36).

Au service de l'*humanum*. « La complexité et la gravité de l'actuelle situation économique » – comme nous le rappelle *Caritas in veritate* (n. 21) – exigent de la part des Consacrés de donner des visages à la prophétie comme contribution à une « *nouvelle synthèse humaniste* ». Ce qui veut dire « assumer avec réalisme, confiance et espérance les nouvelles responsabilités auxquelles nous appelle la situation d'un monde qui a besoin de se renouveler en profondeur au niveau culturel et de redécouvrir les valeurs de fond sur lesquelles construire un avenir meilleur » (*ibidem*). « La prophétie du Règne [...] n'est pas négociable [...] les religieux et les religieuses sont des hommes et des femmes qui illuminent le futur », ainsi s'est adressé aux Supérieurs généraux le Pape François le 29 novembre dernier.

Et de la mission de l'Église. « Une identification des fins sans une adéquate recherche communautaire des moyens pour les atteindre est condamnée à se traduire en pure imagination » (*Evangelii gaudium*, n. 33). Dans cette perspective, les consacrés sont conscients que « Chaque fois que nous cherchons à revenir à la source pour récupérer la fraîcheur originale de l'Évangile, surgissent de nouvelles voies, des méthodes créatives, d'autres formes d'expression, des signes plus éloquents, des paroles chargées de sens renouvelé pour le monde d'aujourd'hui. En réalité, toute action évangélisatrice authentique est toujours 'nouvelle' » (*Evangelii gaudium*, n. 11).

L'Église suit avec une attention particulière la vie consacrée : la présence universelle et le caractère évangélique du témoignage des personnes consacrées sont essentiels à la mission de l'Église et à sa vocation de communion et de sainteté (cf. *Vita Consecrata*, 9). Chaque Institut de vie consacrée et Société de vie apostolique, tout comme l'administrateur fidèle et prudent de l'Évangile, doit toujours prendre soin de ce qui lui est confié. Les consacrés, en tant que membres de l'Église, doivent être toujours plus conscients du fait que la correcte administration des biens temporels, pour l'Église, n'est pas seulement un devoir de vérité ou de style, un devoir humain, pour ainsi dire.

La gestion des biens ecclésiastiques est une vraie mission en soi, comme l'affirme *Gaudium et spes*, « qui doit exprimer et servir cette communion dans laquelle est rassemblée l'unique peuple de Dieu ». Ce sont les finalités propres à l'Église qui donnent consistance et légitimité à ses droits de caractère économique, justifiant l'existence d'un patrimoine ecclésiastique. Ces finalités sont essentiellement les suivantes : l'organisation du culte divin qui, naturellement, comprend aussi la construction et l'entretien des bâtiments sacrés et de leurs dépendances. La digne subsistance des clercs et des autres personnes qui dédient leur activité au service de l'Église, en pourvoyant aussi à la formation spirituelle, doctrinale et scientifique adéquate. L'exercice des œuvres d'apostolat et de charité, en particulier pour les pauvres, une partie essentielle de la vie de l'Église, avec la prédication de la Parole et la célébration des sacrements. La nécessité des moyens économiques et matériels, avec la conséquence que cela implique de les chercher, de les demander, de les administrer, ne doit toutefois jamais excéder « le concept des *fins* auxquelles ils doivent servir et dont ils doivent sentir le frein, la générosité dans l'utilisation, la spiritualité de la signification » (Paul VI).

Nous savons que l'économie joue souvent un rôle déterminant dans l'histoire humaine, religieuse aussi, et en particulier dans la culture d'aujourd'hui. Souvent, elle détermine la structure de l'organisation sociale et tend à refléter la même vision de l'homme. Dans cette culture, les consacrés, dans leur spécifique *sequela Christi*, doivent rester fidèles à l'Évangile et à l'homme. Il ne s'agit pas d'un service privé de leur part, mais ecclésial. Il ne s'agit pas tant et non pas seulement d'une fonctionnalité de structures et efficacité de services, mais d'une capacité d'être témoins et proches par amour du Christ.

D'une part, les consacrés sont presque induits ou contraints à entrer dans le mécanisme des lois de l'économie moderne, mais ils doivent le faire avec la simplicité et la prudence qui est propre au disciple du Seigneur. D'autre part, ils doivent être conscients qu'ils peuvent courir le risque de perdre leur propre identité de consacrés, en se transformant en administrateurs médiocres ou mauvais, sans points de repère, et donc agir en violation des préceptes de l'Évangile et de la justice, ternissant ainsi l'image de l'Église même. La gestion attentive et prévoyante des biens ecclésiastiques et des œuvres revêt, par conséquent, un caractère évangélique. La tutelle et la gestion des biens de l'Église ne peuvent qu'advenir à la lumière de sa mission d'évangélisation.

Les finalités des biens ecclésiastiques sont aussi une ligne directrice pour une correcte gestion des biens mêmes de l'Église et, pour les consacrés, ils impliquent l'indispensable sauvegarde de l'identité chrétienne et catholique, comme prémisse de la tutelle du patrimoine charismatique de tout institut de vie consacrée ou œuvre caritative. Même dans la gestion des biens temporels, en tant que consacrés, nous sommes exhortés à parcourir le chemin de la communion. En effet, si « de la reconnaissance du fait que nous formons une seule famille qui collabore dans une communion véritable et qui est constituée de sujets qui ne vivent pas simplement les uns à côté des autres » (*Caritas in Veritate*, n. 53) dépend le développement des peuples, le chemin en synergie solidaire avec les Instituts de vie consacrée et les sociétés de vie apostolique est d'autant plus nécessaire que par leur nature ils existent comme don dans l'Église-communion. D'autres lignes directrices indispensables sont la collaboration intraecclésiale compte tenu de l'identité et de l'autonomie des différents Instituts, le respect de la volonté des donateurs et des offrants, le principe de la transparence financière et le respect de la légitime législation civile en la matière.

Nous ne devons pas oublier que la gestion des domaines économique et financier est intimement liée à la mission spécifique de l'Église, mais aussi liée au bien commun, dans la perspective du développement complet de la personne humaine. Étant donné l'effort important et la contribution notoire offerte par les Instituts de vie consacrée et aux sociétés de vie apostolique, le moment historique particulièrement difficile et la nécessité de continuer à travailler pour le bien de tous, la présente rencontre de réflexion et d'étude, adressée aux Économes Généraux et, à travers eux, à tous les Instituts de vie consacrée et les sociétés de vie apostolique, s'impose. Il est nécessaire de faire le point de la situation, qui présente des ombres et des lumières, pour le renouvellement d'une conscience de la responsabilité appartenant à chaque institut, qui doit s'habituer à la planification, pour activer toutes les ressources – sans les gaspiller – pour sa mission, qui est une mission de l'Église, dans la fidélité à son charisme.

Pour être de fidèles administrateurs des biens ecclésiastiques, il est nécessaire d'avoir conscience de la grande responsabilité de protéger et gérer avec attention les biens des Instituts de vie consacrée et des sociétés de vie apostolique comme biens ecclésiastiques, à la lumière des finalités spécifiques des biens de l'Église, dans le contexte de sa mission d'évangélisation. Nous serons aidés dans notre réflexion par les interventions et les communications tenues par des experts, qui ont été appelés pour parler de la gestion des biens ecclésiastiques sous différents aspects et sur la base de leurs compétences et expériences. Il s'agit de pasteurs de l'Église et d'enseignants universitaires, de « officiali » de la Congrégation pour les Instituts de vie consacrée et les sociétés de vie apostolique et de membres des instituts de vie consacrée qui effectuent le service de l'autorité ou qui se consacrent à la gestion quotidienne des biens de leur institut.

Je remercie d'ores et déjà tous ceux de notre Dicastère qui se sont consacrés, de manière souvent inconnue à la plupart, mais concrète et efficace, à la planification et à la préparation de ce symposium. Je veux exprimer, en outre, mes vifs remerciements à tous ceux qui prendront la parole pour la contribution apportée à la réflexion commune. Je souhaite que nous puissions repartir de ce symposium avec une conscience, un engagement et un élan renouvelés concernant la gestion des biens temporels, dans la fidélité charismatique et la docilité à l'Esprit, qui comportent des changements de mentalité, de comportement et, parfois, nous le sollicitons, aussi de structures.

ACTES DU SYMPOSIUM INTERNATIONAL

Rome, 8-9 mars 2014

INTRODUCTION

Nicla Spezzati, asc

À l'occasion de la Journée Mondiale de la Paix (1er janvier 2014), le Pape François lisait dans son message – avec un écho évident à la récente exhortation apostolique *Evangelii gaudium* – « la succession des crises économiques » comme des événements qui doivent « conduire à d'opportunes nouvelles réflexions sur les modèles de développement économique, et à un changement dans les modes de vie. La crise d'aujourd'hui, avec son lourd héritage pour la vie des personnes, peut être aussi une occasion propice pour retrouver les vertus de prudence, de tempérance, de justice et de force. Elles peuvent aider à dépasser les moments difficiles et à redécouvrir les liens fraternels qui nous lient les uns aux autres, avec la confiance profonde dont l'homme a besoin et qui est en outre capable de quelque chose de plus que la maximalisation de ses intérêts individuels. Surtout, ces vertus sont nécessaires pour construire et maintenir une société à la mesure de la dignité humaine ».[1]

Au service de l'*humanum*

L'histoire de la vie consacrée – dans son extraordinaire variété de charismes – a indubitablement contribué à l'élaboration de « modèles de développement économique » grâce également à la capacité de changer et d'adapter ses « propres styles de vie ». On pense, par exemple, à l'« *Ora et labora* » de Saint Benoît qui n'est pas simplement la voie pour la sainteté individuelle, mais le fondement de celle qui s'affirmera ensuite comme une éthique du travail basée sur le principe de la noblesse du travail, noblesse que

[1] François, Message du Pape François pour la célébration de la XLVIIe Journée Mondiale de la Paix, *La fraternité, fondement et route pour la paix*, 6.

le judaïsme avait, d'une certaine manière, revendiquée. L'expérience du monachisme bénédictin et cistercien représente le point d'arrivée de la réflexion sur la vie économique que les Pères de l'Église, à partir du IVe siècle, avaient déjà mis en œuvre avec perspicacité en soumettant la relation avec les biens terrestres au crible de l'éthique chrétienne. La culture monastique fut donc le berceau au sein duquel se forma le premier lexique économique et commercial qui influencera l'Europe du bas Moyen Âge. Les abbayes étaient en effet les premières structures économiques complexes nécessitant l'utilisation d'une comptabilité et d'une gestion appropriées.[2]

François d'Assise, en choisissant la pauvreté volontaire, provoqua une révolution culturelle qui est au cœur de l'économie de marché moderne. Celle-ci ne serait pas telle que nous la connaissons sans l'école économique et les œuvres franciscaines. Nous retrouvons les premières réflexions systématiques sur l'économie, sur la valeur et le prix des biens, sur la monnaie, dans les œuvres de Guillaume d'Ockham, Pietro Olivi et Duns Scot, qui sont des penseurs franciscains. De l'école franciscaine naît une doctrine économique, qui contient en soi de nouvelles idées socio-économiques et donne lieu aux premières formes de microcrédit de l'histoire. Le mouvement franciscain, tout comme le mouvement bénédictin, ont pesé – comme il est bien connu – sur la vie religieuse, culturelle, et pas moins, sur la vie économique de l'Europe.[3] En outre, Saint Benoît et Saint François, selon leurs Règles respectives, sont des interprètes et témoins de styles de vie et pratiques de vie où chacun a élaboré sa propre vision – devenue paradigme – comme mode de penser la relation avec les biens encore avant de penser

[2] Cf. M. FOLADOR, *L'organizzazione perfetta. La Regola di San Benedetto. Una saggezza antica al servizio dell'impresa moderna*, Milano 2006.

[3] Cf. O. BAZZICHI, Paradigma francescano e "Caritas in veritate", in *La Società* 6 (2009) 784-800; cf. A. CACCIOTTI - M. MELLI (a cura di), *I Francescani e l'uso del denaro*. Atti dell'VIII Convegno storico di Greccio (7-8 maggio 2010), Milano 2011.

leur modalité d'utilisation (*Comunicazione* du Père Santiago Gonzalez Silva, CMF).

Les «modèles de développement» et «styles de vie» – à y regarder de près – convergent vers une nouvelle synthèse humaniste, synthèse qui a vu et voit dans les Saints de la Charité son plus brillant témoignage. «Des figures de saints comme François d'Assise, Ignace de Loyola, Jean de Dieu, Camille de Lellis, Vincent de Paul, Louise de Marillac, Joseph-Benoît Cottolengo, Jean Bosco, Louis Orione, Teresa de Calcutta – pour ne prendre que quelques noms –, demeurent des modèles insignes de charité sociale pour tous les hommes de bonne volonté. Les saints sont les vrais porteurs de lumière dans l'histoire, parce qu'ils sont des hommes et des femmes de foi, d'espérance et d'amour».[4] Sous cette lumière, on comprend les «œuvres de charité» des Instituts de vie consacrée et des Sociétés de vie apostolique. «Œuvres» qui ont marqué l'histoire et se confrontent aujourd'hui aux problématiques qui provoquent le changement de cultures et de pratiques concernant la réorganisation et la gestion des œuvres elles-mêmes. Il a été observé que l'«on a l'impression que ces œuvres de notre histoire non seulement appartiennent au passé, mais qu'elles en sont presque prisonnières, qu'elles ne parviennent plus à communiquer la qualité évangélique de leur témoignage dans notre présent».[5] La «qualité évangélique» devient crédible dans le témoignage de la charité «reconnu[e] comme une expression authentique d'humanité et comme un élément d'importance fondamentale dans les relations humaines, même de nature publique».[6] En effet, les «œuvres de charité» réalisées par les IVC et les SVA ne se sont pas limitées à donner une réponse à des besoins de la personne, mais ils ont saisi en eux la demande plus profonde de l'*humanum*:

[4] BENOÎT XVI, Lett. enc. *Deus caritas est*, 40.

[5] SYNODE DES ÉVÊQUES, XIIIème Assemblée Générale Ordinaire, *La nouvelle évangélisation pour la transmission de la foi chrétienne.* Instrumentum Laboris (2012), 32.

[6] BENOÎT XVI, Lett. enc. *Caritas in veritate*, 3.

« Le Christianisme, religion du “Dieu qui possède un visage humain” porte en lui un tel critère ».[7] Critère qui invite l'Église et les sociétés de notre temps « à la solidarité désintéressée et à un retour de l'économie et de la finance à une éthique en faveur de l'être humain », comme l'a affirmé Pape François dans l'exhortation apostolique *Evangelii gaudium.*[8]

À l'horizon du témoignage de l'Évangile de la Charité et confrontés aux nouvelles questions et exigences de notre temps, les 8 et 9 mars dernier a eu lieu un *Symposium International* organisé par la *Congrégation pour les Instituts de vie consacrée et les Sociétés de vie apostolique*, à l'auditorium de l'Université Pontificale « Antonianum ». Le thème s'est focalisé en particulier sur la « Gestion des Biens Ecclésiastiques des IVC et SVA » dans une prospective d'approche complémentaire « au service de l'*humanum* » et « de la mission dans l'Église ». Dans cette perspective, l'événement ecclésial proposait en outre, de « reconsidérer notre itinéraire [de consacrés], à nous donner de nouvelles règles et à trouver de nouvelles formes d'engagement, à miser sur les expériences positives et à rejeter celles qui sont négatives ».[9] La crise, encore en cours, « devient ainsi *occasion de discernement et de nouvelle planification.* Dans cet esprit, confiant plutôt que résigné, il convient d'affronter les difficultés du moment présent » et les conséquences, à certains égards dramatiques, des comportements économiques d'une société en profonde transformation.[10] Le grand défi actuel, culturel et politique en même temps, est celui d'aller au-delà du modèle traditionnel d'économie capitaliste de marché, sans toutefois renoncer aux avantages que ce modèle a jusqu'ici assurés. Ce n'est en effet pas vrai, contrairement à ce que certains voudraient croire, que si l'on veut conserver et étendre l'ordre social fondé sur le

[7] *Ibid.*, 55.

[8] FRANÇOIS, Exhort. ap. *Evangelii gaudium*, 58.

[9] BENOÎT XVI, Lett. enc. *Caritas in veritate*, 21.

[10] Cf. G. MANZONE, Oltre la crisi: il contributo della Caritas in veritate, in *La Società* 23 (2014) 305-315.

marché, on doive nécessairement accepter (ou subir) la traditionnelle forme capitaliste de celui-ci. La conviction selon laquelle le modèle que l'on appelle *turbo capitalisme financier* a désormais épuisé son élan propulsif est actuellement répandue auprès d'une part importante de l'opinion publique. Nous avons devant nous, en cette période, une occasion précieuse pour repenser le mode de conceptualiser le sens du marché. En effet, dans un futur proche, on demandera toujours plus au marché non seulement de produire des richesses et d'assurer une croissance soutenable des revenus, mais aussi de se concentrer sur le développement humain global, c'est-à-dire un développement dont la dimension matérielle, la dimension sociorelationnelle et la dimension spirituelle puissent avancer en harmonie (intervention du professeur Stefano Zamagni).

La mission dans l'Église

Dans un essai de 1965, le Père Yves Congar, OP, observait que rares sont les théologiens qui ont considéré les biens temporels de l'Église, « et pourtant, il s'agit d'une réalité appartenant elle aussi à l'ecclésiologie ».[11] La Constitution conciliaire *Gaudium et spes* en rappelle les perspectives et affirme que « l'Église elle-même se sert d'instruments temporels dans la mesure où sa propre mission le demande ».[12] Cette identité et condition particulière se manifeste dans le style et dans les formes qui traduisent de manière cohérente sa mission pastorale salvifique ou ses « fins ». Cette relation trouve un écho dans les paroles du vénérable Pape Paul VI : « La nécessité des 'moyens' économiques et matériels, avec les conséquences qu'elle comporte de les rechercher, de les demander, de les administrer, ne doit jamais surpasser le concept des 'fins' auxquelles ils doivent servir et dont ils doivent sentir le frein, la générosité

[11] Y. CONGAR, *I beni temporali della Chiesa secondo la tradizione teologica e canonica*, in *Chiesa e povertà*, Rome 1968, 257 (notre traduction).

[12] CONSEIL ŒCUMÉNIQUE VATICAN II, Const. past. *Gaudium et spes*, 76.

dans l'utilisation, la spiritualité de la signification».[13] La question de l'administration des biens temporels se greffe, ainsi, sur les mêmes réalités profondes qui fondent l'identité de l'Église et de sa mission.

Ce fut le fil conducteur du Symposium. Les «biens ecclésiastiques» sont des biens *pour* l'Église et en tant que tels au «service de l'humanum et de la mission *dans* l'Église» (intervention de Son Excellence Monseigneur José Rodriguez Carballo, Archevêque-Secrétaire CIVCSVA). L'ecclésiologie de communion reste le contexte au sein duquel il est possible de dépasser une vision strictement instrumentale des biens et de les replacer, les requalifier comme ressources pour la communion-mission de l'Église, dans la communion-mission des Églises particulières. Dans cette perspective, il reste urgent que tous les consacrés, en particulier ceux qui ont la responsabilité de la gestion des biens de leur Institut, prennent conscience de la nécessité de chercher une réponse radicale à la problématique économique et éthique que comporte une telle gestion. Cette réponse doit puiser ses racines dans l'Évangile et dans une lecture du charisme enracinée dans une ecclésiologie de communion. Sujet ecclésiologique aux implications d'«agenda au quotidien» pour de nombreux IVC et SVA. Lesquelles implications – dans les différents contextes nationaux – ne sont pas réductibles à la «casuistique», mais à des expériences qui ouvrent de nouveaux sentiers de réflexion et de planification entre les Églises particulières et les Instituts mêmes (intervention de Son Excellence Monseigneur Joseph Tobin, Archevêque d'Indianapolis, U.S.A). Durant ces années, a progressivement émergé la conscience de ne pas rester à l'intérieur de «schémas de marché» et de mettre en évidence le sens de l'ecclésialité des biens.

Dans cette même vision se pose la réflexion sur la réglementation du Code (communication du Père Yuji Sugawara, SJ) qui renvoie à un cadre de référence fondamental pour la tutelle et la

[13] PAUL VI, Audience générale du 24 juin 1970, in *L'Osservatore Romano*, 25 juin 1970.

promotion de cette ecclésialité même. Les thèmes centraux de la *Doctrine Sociale de l'Église*, aussi bien comme principes, que comme contenus, ont été l'objet d'une réflexion articulée qui forme la base de la problématique complexe de la relation avec les règles de droit de l'État (communication du Père Mirolaslav Konštanc Adam, OP).

Dans les IVC et SVA, le concept d'« administration » est en cours d'union avec celui de « gestion ». D'où la thématique de notre Symposium. Il ne s'agit pas d'une étape nominaliste, mais bien d'un changement substantiel dans la conduite des activités et donc, d'un changement de l'approche de gestion, et en conséquence, des instruments directionnels correspondants de certaines activités. Changement qui implique des situations spécifiques de nature économico-gestionnelle. En particulier : la sous-évaluation de problèmes qui évolue vers d'insurmontables « criticités » ; des taux de développement des activités et des patrimoines négatifs, avec pour conséquence l'investissement limité dans l'innovation ; des comptes « en rouge » devant couvrir des besoins ordinaires avec un financement extraordinaire à travers une dépendance financière progressive des institutions ou de systèmes de financement externes ; ainsi que, dans certains cas, de réalités avec des gestions d'« urgence » et de « courses aux urgences ». Et pas des moindres, le recours à la cession de patrimoines et d'œuvres avec l'illusion d'apporter une solution aux événements de crise, parfois irréversibles. Enfin, une capacité limitée d'attirer et de retenir des personnes de qualité. Ce ne sont ici que quelques exemples.

Les problèmes de nature économico-administrative ont aussi des conséquences dans le cadre du droit des IVC et des SVA. Droit qui a sa loi-cadre dans le Livre V du CIC *Les biens temporels de l'Église* auquel renvoie expressément le can. 635 § 1 en référence aux biens ecclésiastiques des Instituts Religieux. Les « biens ecclésiastiques » ont été au centre de la réflexion des intervenants. Toutefois, de nouveaux types d'organisation (même juridique), voire un ajustement ciblé de règles et de normes, ne serviraient pas à grand-chose, si en même temps, on n'activait pas un changement de mentalité et de culture de la gestion qui implique directement la façon de mener les « œuvres en soi » du monde des consacrés. Dans cette optique, la mise au point de la relation entre le service de l'autorité et le rôle de l'économe a peu d'importance (intervention de frère Alvaro Rodriguez Echeverria, FSC). Aspect qui nécessite des approfondissements ultérieurs dans la mesure où cela est décisif, non seulement pour la bonne gestion, mais surtout pour donner une dimension concrète à la pratique de vigilance-contrôle sur les actes de l'administration. On doit donc renforcer les synergies entre les rôles (supérieurs et économiques) – et « faire système », comme on entend le répéter – dans le respect et la valorisation des propres facultés et compétences.

Il est normal que, quand le contexte change – on pense, par exemple aux dispositions législatives induites par la crise du système économico-financier – la façon de gérer nos organisations doive aussi changer. Beaucoup des problèmes indiqués précédemment constituent donc la manifestation directe de cette exigence, c'est-à-dire du changement. Comme il est apparu au cours du Symposium, nos IVC et le SVA ont été interpellés pour passer d'une logique d'administration « passive » des biens basée sur le respect formel des normes, à une logique de gestion tendanciellement innovante ; à valoriser leur patrimoine et à garantir une certaine stabilité ;[14] à réaliser des parcours de planification à l'intérieur d'une vision globale de la planification de l'Institut (communication de sœur Yvonne Reungoat, FMA) ; à ne pas rester des organisations « fermées », mais ouvertes au « relationnel », c'est-à-dire attentives aux relations avec les personnes et à l'égard de tous les interlocuteurs critiques, internes et externes à nos Institutions. Un changement qui ne consiste pas en un bouleversement, mais en une intégration, en un nouveau point de vue, actuellement encore en phase de réalisation (cf. les contributions de la « Table ronde »).

[14] Cf. CONFERENZA ITALIANA SUPERIORI MAGGIORI – UNIONE SUPERIORE MAGGIORI D'ITALIA, *Il Patrimonio stabile. Novità, significato, recezione di un istituto a tutela e garanzia dei beni ecclesiastici*, Rome 2014.

Les IVC et les SVA sont aujourd'hui appelés à rassembler certains défis, tout d'abord dans le *changement de mentalité*, et en particulier :

– à ne pas justifier les inefficacités qui se trouvent derrière l'objectif poursuivi : une bonne gestion et mission charismatique de l'Institut sont un binôme possible, sans pour autant diminuer les difficultés du présent ;

– à ne pas considérer l'expérience passée comme une référence de paramètre constant soumettant à risque ou préjudiciant d'adéquates (ou nécessaires) innovations ;

– à ne pas confondre ou superposer le concept de « hiérarchie interne » (les supérieurs) de l'Institut aux différents niveaux administratifs et de gestion, avec la crainte de « perdre le contrôle » ;

– à ne pas supposer que le personnel (laïque et religieux) puisse s'automotiver sans le soutien d'une formation spécifique, prémisse à une innovation souhaitable.

Les nombreuses suggestions émises aussi bien dans les relations que dans le débat respectif peuvent être reproposées, dans les grandes lignes, dans d'autres domaines. La première a déjà été soulignée avec force par le Pape Benoît :

– « Le grand défi qui se présente à nous, qui ressort des problématiques du développement en cette période de mondialisation et qui est rendu encore plus pressant par la crise économique et financière, est celui de montrer, au niveau de la pensée comme des comportements, que non seulement les principes traditionnels de l'éthique sociale, telle que la transparence, l'honnêteté et la responsabilité ne peuvent être négligées ou sous-évaluées mais aussi que, dans les *relations marchandes*, le *principe de gratuité* et la logique du don, comme expression de la fraternité, peuvent et doivent *trouver leur place à l'intérieur de l'activité économique normale* ».[15]

[15] BENOÎT XVI, Lett. enc. *Caritas in veritate*, 36.

– Dans cette perspective, on devrait placer cette «nouvelle planification» souhaitée comme visant à mieux identifier et accroître les *spécificités* des services dans l'optique du *charisme même*, étant donné que ce dernier est un critère de crédibilité/fiabilité au sein de la communauté de référence.

– L'attention et la vigilance des Responsables (Supérieurs majeurs et Économes) ne peuvent se limiter aux problèmes opérationnels de «tous les jours», mais doivent se profiler vers un ordre stratégique, en adoptant des instruments de planification et de programmation, et pas seulement de rapport.

– À part les initiatives qui pourraient entraîner des pertes, il faudrait en mettre en œuvre d'autres, de nature à créer une intégration, planifiées et gérées de telle façon à servir d'outils de compensation par rapport aux premières.

– On devrait éviter l'érosion du patrimoine total de l'institution, lequel constitue, pour finir, la vraie garantie de continuité de la mission *non économique* dans le temps.

«Comme l'Église est missionnaire par nature – affirme Pape François in *Evangelii gaudium* – ainsi surgit inévitablement d'une telle nature la charité effective pour le prochain, la compassion qui comprend, assiste et promeut».[16] Les charismes des consacrés dans la mission de l'Église surgissent de cette charité même dans la mesure où l'on reconnaît en eux «la connexion intime entre évangélisation et promotion humaine, qui doit nécessairement s'exprimer et se développer dans toute l'action évangélisatrice»[17] en particulier pour les pauvres. Les consacrés n'ont jamais été sourds à leurs cris (cf. *Ex* 3,7). Aujourd'hui il s'agit de recréer une nouvelle mentalité, car «l'option pour les pauvres est une catégorie théologique avant d'être culturelle, sociologique, politique ou philosophique».[18] La vie consacrée a fait une option pour les pau-

[16] FRANÇOIS, Exhort. ap. *Evangelii gaudium*, 179.

[17] *Ibid.*, 178.

[18] *Ibid.*, 198.

vres, option entendue comme une forme spéciale de la priorité dans l'exercice de la charité chrétienne. Au cours de ce Symposium même, nous avons pu écouter ceux qui vivent et ont donné leur témoignage au sujet de cette proximité des frontières des «nouvelles fragilités» qui déterminent de «nouvelles pauvretés»: les migrants, les victimes de la traite des personnes, les femmes, les bébés.

La *Table Ronde* a confronté – dans cette optique – les expériences significatives des Instituts et Mouvements ecclésiaux qui se trouvent engagés dans la construction d'une économie prophétique, solidaire et de communion. Ont ensuite été posées des *quaestiones* d'actualité juridico-canonique qui s'ajoutent aux plus amples problématiques des législations civiles et en particulier de la réorganisation des œuvres: la responsabilité des Instituts et de ses membres (can. 639) concernant les dettes et obligations (professeur don Jesu Pudumai Doss, SDB); les personnes juridiques publiques avec une attention particulière pour le contexte et l'expérience des Etats-Unis, mettant en évidence l'intérêt pour une option de gestion qui mérite d'être prise en considération (sœur Peggy Ann Martin, OP); l'évaluation des «instruments» des fondations, des fonds immobiliers et de leur adéquation par rapport à l'identité des Instituts de vie consacrée (Monseigneur Alberto Perlasca). Notamment, le thème du «patrimoine stable» d'un Institut de vie consacrée (can. 1295 § 1) qui se repositionne dans le débat canonique et surtout face aux «criticités patrimoniales» que connaissent actuellement certaines institutions (père Sebastiano Paciolla, O.CIST).

En parlant d'administration et gestion des biens ecclésiastiques, l'intention n'était pas de finir dans un «enchevêtrement de fixations et de procédures»[19] qui limitent le périmètre des problèmes et des urgences, mais plutôt de tracer une feuille de route qui fait appel aux responsabilités des consacrés dans la mission de l'Église, en évitant toute conclusion facile. Ce fut donc une invitation à

[19] FRANÇOIS, Exhort. ap. *Evangelii gaudium*, 49.

élargir les horizons. Les consacrés ne *font* pas mission, « *ils sont une mission* [...] afin d'éclairer, de bénir, de vivifier, de soulager, de guérir, de libérer ».[20]

Le Symposium a indubitablement contribué à tracer un « *status quaestionis* » sur lequel il fallait depuis longtemps concentrer l'attention et la préoccupation des IVC et des SVA. C'est dans cette optique que le Dicastère a exprimé une problématique fortement ressentie au niveau international. En même temps, un exercice d'« imagination prospective » a commencé,[21] à savoir faire prendre conscience aux IVC et aux SVA de leurs potentiels actuels/possibilités ; encourager/réveiller la créativité « innée » générée par la Charité et identifier les orientations qui donnent raison d'espérer et présente une vision du futur. Seulement « grâce à un engagement d'imagination communautaire, [il est possible] de transformer non seulement les institutions, mais aussi les styles de vie, et de susciter un avenir meilleur pour tous les peuples »[22] ainsi que pour la vie consacrée.

NICLA SPEZZATI, ASC
Sous-Secrétaire CIVCSVA

[20] *Ibid.*, 273.

[21] PAUL VI, Lett. ap. *Octogesima adveniens*, 37.

[22] CONSEIL PONTIFICAL JUSTICE ET PAIX, *Pour une réforme du système financier et monétaire international dans la perspective d'une autorité publique à compétence universelle*, Conclusions.

PREMIÈRE SESSION

Modérateur

PÈRE SEBASTIANO PACIOLLA, O.CIST.

Sous-Secrétaire CIVCSVA

L'ADMINISTRATION ET LA GESTION DES BIENS ECCLÉSIASTIQUES DES IVC ET SVA AU SERVICE DE L'*HUMANUM* ET DE LA MISSION DANS L'ÉGLISE

ORIENTATIONS BIBLIQUES ET ECCLÉSIOLOGIQUES

✠ JOSÉ RODRÍGUEZ CARBALLO, OFM

Pour se situer

La mission, avec la dimension contemplative et la vie fraternelle en communauté, forme ce que nous pouvons appeler l'« ossature » de la vie consacrée. Les consacrés sont, de fait, des hommes et femmes appelés et convoqués pour être envoyés en mission (cf. *Mc* 3,13-14). La mission, qui ne peut se détacher des deux autres éléments mentionnés, exige la médiation des biens matériels. De cette exigence dérive la nécessité d'administration des biens avec toute la diligence possible, de manière à ne pas mettre en danger la mission de l'Institut même et, parfois sa survie – chose qui pourrait avoir lieu suite à une mauvaise administration –, mais de la conduire dans toutes ses dimensions : activités apostoliques, formation des membres de l'Institut et de ses collaborateurs, attention à l'égard des confrères et consœurs âgés et malades, sans oublier la solidarité pour ceux qui en ont le plus besoin.

Le thème de ce Symposium, « *La gestion des biens de la part des religieux* » est donc de grande actualité, comme on peut le voir aussi par les nombreuses adhésions, pas uniquement pour la gestion en question, mais aussi pour différentes raisons qui nous préoccupent un peu tous, mais je dirais surtout parce que les consacrés mettent beaucoup en jeu leur crédibilité et la signification évangélique dans la façon de gérer les biens. Derrière les chiffres et la façon de les gérer, il y a en effet toujours un style de vie concret qui authentifie plus ou moins leurs paroles, jusqu'à pouvoir dire que la gestion des biens indique le chemin correct qu'un consacré ou un tout un Institut est en train de parcourir.

Et puisque l'administration des biens est intimement liée avec le style de vie pauvre et austère propre à l'Institut, qui se concrétise dans le vœu de pauvreté ou de «*vivre sine proprio*», il est également important de respecter le style de vie de qui a fait le vœu de pauvreté, donnant naissance à un style de vie économique et d'administration qui favorise d'une part la mission de l'Institut et une pauvreté choisie et, d'autre part, constitue «une politique administrative et économique qui représente une alternative aux propositions du néolibéralisme et une bonne réponse aux besoins des Instituts religieux, au service des pauvres».[1]

Cela exige donc une réflexion sur l'administration des biens dans les Instituts religieux en général: voici l'objectif principal de ce Symposium, auquel il faut ajouter l'élaboration des *orientations* pour une gestion correcte des biens de la part des consacrés,[2] qui doit se soumettre aux normes du droit canonique et du droit civil du pays où se déroule l'activité de l'Institut. Voilà pourquoi, disons-le tout de suite, la gestion des biens de la part des consacrés ne peut se faire sans tenir compte de la spiritualité qui anime la vie et la mission d'un certain charisme; ou mieux encore, la gestion en question ne peut se faire en marge des valeurs évangéliques et de l'ecclésiologie que le Concile Vatican II nous a laissées en héritage.

[1] UNIONE SUPERIORI GENERALI, *Economia e missione nella vita consacrata*, Rome 2002, n. 2.

[2] Le Dicastère pour les Instituts de vie consacrée et les Sociétés de vie apostolique est actuellement en train d'élaborer les orientations mentionnées.

Le grand défi : efficience ou efficacité ?

Ce que nous avons dit jusqu'ici met les consacrés face à un grand défi : choisir entre l'efficience et l'efficacité. Les consacrés, et les économes en particulier en tant qu'administrateurs des biens confiés, vivent souvent une tension importante, à laquelle se référait déjà Paul VI en 1974, à savoir : la tension entre avoir une organisation parfaite et qualifiée et, en tant que consacrés, le devoir de ne pas se laisser absorber plus que nécessaire en vue de « cette *optimam partem* que le Seigneur a louée en Marie de Béthanie [...] contrairement à sa sœur trop affairée (cf. *Lc* 10,42) ».[3] La tentation qui souvent nous attire, à l'heure actuelle, est celle de « chercher tout d'abord une action humainement efficace »,[4] une *efficience* technique et organisationnelle de nos ressources matérielles, plutôt que l'*efficacité* de notre action sur le plan spirituel. Concernant la gestion des biens, les consacrés ne peuvent totalement renoncer à l'*efficience*, c'est-à-dire à obtenir un résultat naturel sur le plan extérieur ; en tant que tels, ils ne peuvent toutefois pas non plus oublier ou mettre en second plan l'*efficacité*, qui est celle qui nous garantit un résultat sur le plan intérieur.[5]

Je vous donne un exemple pour illustrer mes propos. Il n'est pas possible pour un Institut qui gère une école de ne pas s'occuper d'une bonne formation intellectuelle de ses élèves (*efficience*), mais il ne peut non plus oublier leur formation complète, celle qui les prépare à être des constructeurs actifs d'une nouvelle société, en accord avec les valeurs qui donnent sens à la vie des membres de

[3] Cf. PAUL VI, Discorso agli economi delle comunità religiose, in *L'Osservatore Romano*, 9 mai 1974.

[4] PAUL VI, Exhort. ap. *Evangelica testificatio*, 30.

[5] Dans le service de l'administration des biens dans la vie consacrée, il faut bien gérer la tension inévitable entre une bonne préparation, pour que celle-ci soit accomplie avec une certaine efficience, et l'attention non moins nécessaire à l'efficacité. Cette tension doit être toujours animée d'une transparence et correspondance adaptée, et d'une grande dose de prudence et de bon sens. Cf. E. ARENAS - F. TORRES, *Vita consacrata ed economia. Manuale per l'amministrazione degli Istituti religiosi*, Milan 2006, 9 ss.

l'Institut qui gère l'école (*efficacité*).[6] La gestion ordinaire des biens de la part des consacrés aussi bien que l'orientation générale des activités d'un Institut doivent donc correspondre à une *gestion spirituelle*, à savoir animée par l'esprit du charisme de l'Institut qui mène cette gestion. Nous pouvons donc appeler cette gestion, *gestion écologique*: une gestion qui tienne compte des besoins propres à chaque Institut mais également des besoins de l'Église et des nécessités des plus démunis.

Motivations pour une *gestion spirituelle* ou *écologique* des biens

Un discours sur la gestion des biens de la part des religieux, gestion que j'ai donc appelée spirituelle et écologique, ne peut se passer de solides fondements évangéliques, théologiques, charismatiques et sociaux. Tel est ce que je propose au cours de mon intervention, même si pour des raisons d'espace et de temps, je dois me limiter à la présenter de manière très synthétique.

Nous pouvons extraire trois affirmations importantes des textes du Nouveau Testament pour appuyer la *gestion spirituelle* ou *écologique* des biens: Jésus est un homme pauvre qui vit dans la solidarité avec les plus pauvres; il existe un lien étroit entre être disciple et la pauvreté/solidarité; les richesses peuvent nous éloigner de Dieu et nous rendre insensibles aux plus démunis.

Jésus, un homme pauvre et solidaire

Avant de faire d'autres considérations, observons Jésus. Une chose paraît claire: selon les récits évangéliques, Jésus a vécu dans la pauvreté.[7] Il se présente lui-même comme le Fils de l'homme qui «n'a pas un lieu où il puisse reposer sa tête» (*Lc* 9,58). Jésus choisit pour lui-même une vie pauvre et itinérante, sans sécurité humaine; et aussi une vie solidaire. L'insistance avec laquelle les évangélistes

[6] Cf. A. BACHELET, *Economia e fede*, Roma 1990, 11ss.

[7] Cf. B. MAGGIONI, Gesù e il denaro, in *Parola, spirito e vita* 42 (2000) 111-118.

soulignent combien Jésus aimait partager ses repas avec les autres, et en particulier avec les pauvres et les pécheurs (cf. *Lc* 14,23) est significative. Les récits de guérison de malades montrent également un Jésus solidaire, jusqu'au bout, avec ceux qui souffrent, et en particulier avec les plus pauvres. La mémoire de Jésus pauvre et solidaire reste, pour Jean, dans le geste communautaire du lavement des pieds (cf. *Jn* 13,1 ss.). Jésus est un homme pauvre et solidaire: cela ne se discute pas.

Jésus fit ce choix pour montrer le vrai visage de Dieu, le visage du Dieu des pauvres (cf. *Lc* 1,46-56), pour appartenir complètement à sa propre mission (Il est le vrai pauvre qui vit *sans rien qui lui appartienne* et qui est donc libre de tout) et pour témoigner de sa confiance totale au Père, comme le reconnaîtront également ses propres ennemis: «Il a mis sa confiance en Dieu. Que Dieu le délivre maintenant, s'il l'aime!» (*Mt* 27,43).[8] De cette façon, non seulement Jésus est le porte-parole de ceux qui vivent dans un état d'oppression, d'injustice, de pauvreté et de violence, et les représente, mais il concrétise le Règne de Dieu parmi les hommes et les femmes de bonne volonté.

L'être disciple et la pauvreté/solidarité

Dans ce contexte, nous ne pouvons pas nous empêcher de réécouter la première béatitude: «Heureux, vous les pauvres, car le royaume de Dieu est à vous» (*Lc* 6,20). «Heureux les pauvres de cœur, car le royaume des Cieux est à eux» (*Mt* 5,3). Selon le raisonnement de Luc, il sera nécessaire de corriger les structures injustes, partager les biens matériels, transformer l'ordre économique..., afin que les pauvres reçoivent ce qui leur appartient selon la justice. Dans l'Évangile de Luc, nous trouvons en effet les mêmes exigences de justice sociale que dans les livres des prophètes. Selon la logique de Mathieu, un nouveau comportement est exigé au sujet de l'avoir. L'évangéliste veut que nous reconnaissions que,

[8] G. Rossé, Il denaro e la ricchezza nell'evangelista Luca, in *Parola, spirito e vita* 42 (2000) 119-130.

face à Dieu, tous sont pauvres; il veut que nous acceptions de dépendre de Dieu et que l'homme soit valorisé pour ce qu'il est et non pour ce qu'il a. Ni Luc et ni Mathieu ne font un discours politique ou économique, mais leur doctrine a des conséquences profondes sur le mode de vivre entre les hommes, comme Mathieu le rappelle dans le chapitre 25. La richesse et la pauvreté sont deux modes culturels de vivre. Avec cette béatitude, Jésus désacralise la richesse, en lui enlevant le caractère de « sacrement de la promesse »; il pose l'avoir, la richesse et l'argent en dessous du domaine de Dieu, en leur prélevant le pouvoir qu'ils ont sur les hommes et qu'ils instaurent dans les rapports en eux; il met l'humanité sur le plan de l'être, de ce qui compte vraiment: les valeurs qui découlent des béatitudes.[9]

En reparcourant les Évangiles, mémoire transmise par les communautés de la proposition et de la pratique de Jésus, nous remarquons que les pauvres et la pauvreté ne font pas seulement l'objet des attentions de Jésus mais qu'elles sont bien une partie déterminante de la vie et des choix des communautés et, d'une certaine façon, les dimensions mêmes qui déterminèrent les choix de Jésus sont aussi déterminantes dans le choix de pauvreté que Jésus demanda à ses disciples de faire, comme nous pouvons le lire dans l'Évangile de Luc: « Ainsi donc, celui d'entre vous qui ne renonce pas à tout ce qui lui appartient ne peut pas être mon disciple » (*Lc* 14,33). Pour Luc, la relation entre suivre le Christ et pauvreté est claire: le disciple est appelé à renoncer à tout ce qui peut faire obstacle à suivre le Christ pauvre. Et encore: « Vous ne pouvez pas servir à la fois Dieu et l'argent » (*Lc* 16,13). Le disciple est appelé à mettre toute sa confiance en Dieu et en Dieu seul.

Jésus, qui a choisi la pauvreté, demande maintenant à ses disciples de faire de même. Renoncer à tous ses avoirs est la condition pour devenir disciple, pour autant que cette renonciation soit motivée par l'amour envers Lui et ne nous rende pas durs à l'égard des autres. D'autre part, avec les paroles « Vous ne pouvez pas servir à

[9] B. LAMBERT, *Las bienaventuranzas y la cultura hoy*, Salamanca 1987, 62 ss.

la fois Dieu et l'argent», Luc frappe par la tentative de concilier l'inconciliable. Est esclave celui qui appartient à un autre. L'appartenance par amour à Dieu est le niveau le plus élevé de liberté. L'appartenance à la richesse (*Mammon*) est l'esclavage le plus total. Tous ceux qui «aiment l'argent» (cf. *Lc* 16,14; *2 Tm* 3,2), et l'idolâtrent (cf. *Eph* 5,5), ne peuvent être des disciples; et, étant donné que leur richesse est «pourrie» (cf. *Jn* 5,1ss.), ils entreront difficilement dans le Règne (cf. *Lc* 18,24ss.). On ne demande pas seulement au disciple de faire option pour la pauvreté au niveau personnel, mais aussi dans la mission. Celle-ci doit être réalisée dans la pauvreté. Il est demandé aux disciples de ne rien avoir sur eux: «Ni pain, ni besace, ni petite monnaie pour la ceinture» (*Mc* 6,8). Le disciple n'a besoin de rien d'autre que de Jésus, tout le reste ne ferait que ternir le témoignage. Je crois qu'il est important dans ce contexte de se référer à Jean. L'apôtre Jacques, en reprenant la phraséologie des prophètes (cf. *Is* 13,6), dans l'acte d'accusation contre les riches propriétaires terriens, annonce leur ruine imminente et certaine: «Pleurez et gémissez à cause des malheurs qui viendront sur vous!» (*Jc* 5,1). Ce texte nous rappelle, même littéralement, les malédictions contre les riches, les repus et les fêtards cités dans l'Évangile de Luc: «Mais quel malheur pour vous, les riches... Quel malheur pour vous qui êtes repus maintenant... Quel malheur pour vous qui riez maintenant...» (*Lc* 6,24-25).

Mais il ne suffit pas d'être pauvre: le disciple, en particulier dans l'Évangile de Marc, est né dans l'accueil des pauvres et dans l'agir avec eux. Il est significatif que dans l'œuvre de Luc, en présentant l'idéal d'une communauté chrétienne (cf. *At* 2,42-47; 4,32-35), on mette la croissance de la communauté dans la communion fraternelle, dans le dépassement de la pauvreté et dans la solidarité comme accomplissement du *Dt* 15,4: «Il n'y aura pas de pauvre chez toi». Les actes des Apôtres présentent également la richesse et l'usage des biens non seulement liés au sujet de l'être disciple, mais en particulier au sujet de la mission, au point que le détachement des biens est, pour ainsi dire, la «carte de visite» des premières communautés chrétiennes appelées à être des témoins de l'Évangile. Luc présente l'idéal de Jésus comme réalisé au sein d'une fraternité qui partage les biens de façon à ce qu'il n'y ait dans la communauté aucun pauvre et nécessiteux (cf. *At* 2,44-45). Il s'agit d'une communauté de communion fraternelle et de partage, selon la promesse de l'Ancien Testament du Deutéronome déjà mentionnée. Seule une communauté de disciples qui ne se laisse pas attirer par les liens du pouvoir et de l'argent, mais qui garde son cœur dirigé vers Dieu le Père, est le témoin crédible de Jésus Ressuscité et de la puissance de l'Esprit.

Dans ce contexte, il convient de rappeler que la logique transversale de l'Évangile est *la logique du don*. En partant de la contemplation de *Celui qui s'est totalement et entièrement donné à nous*, et que *tout*, dans un sens radical, *appartient à Lui seul* (Saint François), le disciple ne peut pas vivre de cette logique et gérer les biens comme s'il en était le véritable propriétaire, en marginalisant les autres, en particulier les plus démunis. C'est une question de justice envers Dieu – Il est le seul vrai propriétaire – et au sujet de la justice envers les autres, les biens appartiennent à tous. Qui ne respecte pas cette appartenance, dit Saint François d'Assise, est un usurpateur, un « voleur ». Pour compléter ce que l'on vient de dire, il faut rappeler que la Parole de Dieu invite à plusieurs reprises à se limiter à l'essentiel, comme se nourrir et se couvrir : « La première chose pour vivre, c'est l'eau et le pain, le vêtement et la maison pour couvrir la nudité » (*Sir* 29,21). En fait, selon les Saintes Écritures, la miséricorde même est qualifiée par la sobriété (*autárkeia*) (*1 Tim* 6,6).

Danger des richesses dans la relation avec Dieu et avec les autres

Selon Luc, le disciple, comme nous l'avons déjà mentionné, est appelé à avoir un « cœur » décidé pour Dieu, et entièrement orienté vers le vrai « trésor » (cf. *Lc* 12,34). Pour Luc, la confiance dans la richesse s'oppose à la confiance en Dieu. L'épisode du jeune riche (cf. *Lc* 18,18 ss.) auquel Jésus demande de se détacher des richesses, non seulement affectivement mais aussi effectivement, pour pouvoir le suivre, tout comme la parabole du riche et du pauvre Lazare (*Lc* 16,19-31), où le troisième Évangile met en garde contre le danger de devenir insensible à la situation des personnes vivant dans la pauvreté, indiquent que l'on ne peut pas prendre à la légère le commandement de Jésus dans *Lc* 14,33 de renoncer à tous les biens. Luc met en garde ses lecteurs pour leur dire que l'argent et la richesse peuvent prendre la place de Dieu dans le cœur de l'homme et nous séparer des pauvres. Voilà pourquoi le troisième évangéliste met en garde contre l'accumulation des «trésors» et de ne pas s'enrichir auprès de Dieu (cf. *Lc* 12,116ss.). Nous le trouvons un texte qui, je pense, est important dans ce contexte, dans l'apocryphe judaïque, le *Livre d'Hénoch* conservé dans la langue éthiopienne: «Malheur à vous, riches, car vous mettez votre confiance dans les richesses; mais vous perdez ces richesses, car vous avez oublié le Très-Haut au jour de votre prospérité» (*1En* 94,8). Le danger des richesses est de perdre la «mémoire» de Dieu et la confiance en Lui.

Au-delà de ce qui a été dit, la richesse fait écran au message ou à la participation dans le Royaume de Dieu: la séduction des richesses empêche la graine de croître (cf. *Mc* 4,19) et, d'ailleurs, la métaphore du chas de l'aiguille se réfère à la difficulté pour les riches d'entrer dans le Royaume (*Mc* 10,25). On retrouve aussi la dénonciation de la cupidité dans la tradition paulinienne et de façon particulièrement virulente dans *Col* 3,5: «Faites donc mourir les membres qui sont sur la terre, l'impudicité, l'impureté, les passions, les mauvais désirs et la cupidité, qui est une idolâtrie» (cf. *Ep* 5,5). Les conséquences négatives du désir de richesse sont énumérées dans les lettres pastorales avec une gradation d'adjectifs qualificatifs pour indiquer qu'une obsession contraire à la vraie nature de l'homme, une tentation, une tromperie portent au naufrage. La série se conclut par deux termes avec une connotation de jugement eschatologique: «ruine» (*òlethros*) et «perdition» (*apoleia*) (cf. *1Th* 5,3; *2Th* 1,9; *Ph* 1,28; 3,19; *Rm* 9,22; *2Pi* 2,1.3; 3,16). Ce sont cela les avertissements qu'il faut prendre en compte.

En revanche, la pauvreté choisie pour le Royaume est un *sacrement*, c'est-à-dire un signe efficace et un signe concret de la foi en Dieu. Sans la pauvreté, il n'y a pas de foi, si ce n'est dans les paroles. Les disciples doivent conduire une vie comme celle de Jésus, comme celle des « oiseaux du ciel » et des « fleurs des champs » (cf. *Mt* 6,25-35), dans toute la transparence du message de foi en Dieu dont ils doivent témoigner. La pauvreté est le « bâton » royal du disciple, à présent libre de l'esclavage de l'avoir.

Pour synthétiser la gestion des biens au regard de la lumière de l'Évangile, je me permets de proposer cinq clés : la clé du partage de ce que chacun a (cf. *Jn* 6,1-13) ; la clé de l'alternative qui met un frein à l'ambition (cf. *Mc* 9,42-48) ; la clé de la lucidité critique, comme le montre la parabole du riche (cf. *Lc* 16,19-31) ; la clé de l'égalité et de l'équité qui porte à la générosité (cf. *Mt* 19,30 ; 20,16). Tout cela parle de l'exigence d'un exode vers les alternatives qui portent d'une manière ou d'une autre à lutter contre la pauvreté et à être apôtre de nouvelles relations.

Église *koinonia*. Appelés à la fraternité et à la solidarité

Comme l'avait prévu quelques années auparavant, le théologien Y. Congar,[10] le fait d'avoir concentré la théologie du mystère de l'Église sur le concept de *koinonia* est peut-être l'innovation la plus importante de la doctrine du Concile Vatican II pour l'ecclésiologie postconciliaire et pour la vie même de l'Église. Cette idée est intimement liée à une autre idée clé de Vatican II, qui est celle de « Peuple de Dieu ». Dans cette « Église-communion », timidement développée dans les années postconciliaires, tous les baptisés ont leur place : le Pape comme Pasteur suprême de l'Église universelle, en tant que successeur de Pierre sur le siège de Rome ; les Évêques, comme successeurs des apôtres, des pasteurs, des enseignants et

[10] Cf. Y. CONGAR, *Sainte Église. Études et Approches ecclésiologiques*, Paris 1963, 21-24.

des prêtres en communion avec le Pape ;[11] les prêtres comme « coopérateurs avisés de l'ordre épiscopal », qui « sanctifient et dirigent, sous l'autorité de l'évêque, la portion du troupeau du Seigneur qui leur est confiée »;[12] les consacrés, comme prophètes des valeurs du Royaume et témoins de la vie même du Fils de Dieu obéissant, pauvre et chaste ; les laïcs comme membres actifs au sein du peuple de Dieu qui font leur pèlerinage dans ce monde. Reconnaître à tous les membres de l'Église leur place et leur mission dans la communauté ecclésiale comporte une « conversion ecclésiologique » qui, partant de la consécration baptismale sur laquelle se fonde l'égalité fondamentale de tous les membres de l'Église, reconnaît et respecte la vocation et la mission de chacun.

Ce nouveau paradigme de l'Église est alimenté par la spiritualité de communion, proposition forte et significative qui nous a été proposée par le Pape Jean-Paul II en 2001, au début du nouveau millénaire : un modèle éducatif auquel il faut éduquer les ministres de l'autel, les consacrés, les agents de la pastorale ; « lieu » et « espace » où se construisent les familles et les communautés.[13] Pour nous, consacrés, il n'est possible ni de comprendre ni de réaliser des relations authentiques avec les autres membres de l'Église sans vraiment assumer ce modèle éducatif de la spiritualité de communion. Je crois que l'on peut affirmer que celle-ci est la note théologique et ecclésiologique indispensable en cette période actuelle, qui nous dit que tel est ce que nous demande aujourd'hui l'Esprit pour pouvoir donner une nouvelle dynamique évangélisatrice à l'Église : « Faire de l'Église la maison et l'école de la communion : tel est le grand défi qui se présente à nous dans le millénaire qui commence, si nous voulons être fidèles au dessein de Dieu et répondre aussi aux attentes profondes du monde ».[14]

[11] Cf. CONSEIL ŒCUMÉNIQUE VATICAN II, Const. dogm. *Lumen gentium*, 25-27.

[12] *Ibid.*, 28.

[13] JEAN-PAUL II, Lett. ap. *Novo millennio ineunte*, 43.

[14] *Ibid.*

Ce chemin proposé par le Pape n'est pas un chemin intimiste. La spiritualité de communion, précisément parce qu'elle est enracinée dans le mystère de la Sainte Trinité, a des conséquences très concrètes. Parmi celles-ci, on peut en retenir deux : se sentir profondément unis à tous les membres du Corps mystique, donc ressentir l'autre comme un « qui est l'un des nôtres », pour partager ses joies et ses souffrances, deviner ses désirs et répondre à ses besoins ; et accueillir et valoriser l'autre comme un « don pour moi », « donner une place à son frère », en portant « les fardeaux les uns des autres » (*Ga* 6,2). Après avoir proposé cette méthode formative, Jean-Paul II conclut : « Ne nous faisons pas d'illusions : sans ce cheminement spirituel, les moyens extérieurs de la communion serviraient à bien peu de choses. Ils deviendraient des façades sans âme, des masques de communion plus que ses expressions et ses chemins de croissance ».[15] Si toute l'Église doit vivre dans ce modèle éducatif, les personnes consacrées d'autant plus que par leur choix de vie, elles sont appelées à être des « spécialistes » de communion. Voilà pourquoi l'Église confie à ses consacrés le devoir particulier de « développer la spiritualité de la communion d'abord à l'intérieur d'elles-mêmes, puis dans la communauté ecclésiale ».[16]

Quelles sont les conséquences de cette théologie de l'Église-communion pour l'administration des biens ? Vatican II, dans sa Constitution conciliaire sur l'Église dans le monde contemporain, *Gaudium et spes*, nous rappelle que l'administration des biens doit se faire de façon telle que ceux-ci profitent non seulement à leurs propriétaires, mais également aux autres.[17] Pour sa part, dans sa lettre encyclique *Caritas in veritate*, Benoît XVI a dit que le manque de fraternité est une cause importante de la pauvreté, et en particulier dans le domaine relationnel.[18] À son tour, le Pape Fran-

[15] *Ibid.*

[16] JEAN-PAUL II, Exh. ap. *Vita consecrata*, 51.

[17] Cf. CONCILE ŒCUMÉNIQUE VATICAN II, Const. past. *Gaudium et spes*, 69.

[18] Cf. BENOÎT XVI, Lett. enc. *Caritas in veritate*, 19.

çois est convaincu que la lutte contre la pauvreté comporte le détachement des biens, «des styles de vie sobres et basés sur l'essentiel» et le partager de propres richesses, de manière à «faire l'expérience de la communion fraternelle avec les autres comme 'le bien le plus précieux'».[19] Le Pape François a écrit récemment : «De même que l'administrateur fidèle et prudent a le devoir de prendre soin attentivement de tout ce qui lui a été confié, l'Église est consciente de sa responsabilité de préserver et de gérer avec attention ses biens, à la lumière de sa mission d'évangélisation et avec une prévenance particulière envers les personnes qui sont dans le besoin».[20] Penser aux autres, être moins autoréférentiels, relations fraternelles, style de vie sobre et essentiel, mission évangélisatrice et souci pour les pauvres, voici certains critères qui doivent guider la gestion des biens de la part de l'Église et donc aussi de la part des consacrés.

Tout cela s'oppose à la poursuite avide de biens matériels, à la dégradation des relations interpersonnelles et à la recherche du profit au-delà de toute logique d'une économie saine, résultat ainsi décrit : «L'individualisme post-moderne et mondialisé favorise un style de vie [...] qui dénature les liens familiaux».[21] C'est ce que le Pape François appelle «nouvelle tyrannie invisible [...] parfois virtuelle», d'un «marché divinisé» où règne «la spéculation financière», «une corruption ramifiée», «une évasion fiscale égoïste».[22] Ces comportements, que nous appellerons mieux encore, «culture du "déchet"», dans laquelle les «exclus ne sont pas des 'exploités', mais des déchets, "des restes"»,[23] portent pour l'homme à l'éloignement de Dieu et du prochain, et donc à la prolifération de la pauvreté.

[19] FRANÇOIS, *Message pour la célébration XLVIIe journée mondiale de la paix* (2014) 5.

[20] FRANÇOIS, M.p. *Fidelis dispensator et prudens*, 24 février 2014.

[21] FRANÇOIS, Esort. ap. *Evangelii gaudium*, 67.

[22] *Ibid.*, 56.

[23] *Ibid.*, 53.

Dans un tel contexte, le Pape François, en parlant de certains défis du monde actuel, dénonce le système économique actuel comme « injuste à sa racine »,[24] dans la mesure où il fait prévaloir « la loi du plus fort », selon laquelle « le puissant mange le plus faible ».[25] C'est pour cela que le système économique actuel « tue ». La crise économique que nous sommes en train de vivre devrait nous inviter à repenser les modèles de développement économique et à un changement de style de vie qui se caractérise par la sobriété et la solidarité. La solidarité est le critère qui casse la logique de la recherche avide des biens matériels, face à laquelle il est nécessaire de créer « une nouvelle mentalité » qui pense en termes de communauté, de fraternité, de priorité de la vie de tous et de chacun pour la possession des biens de la part de quelques-uns. Une telle mentalité naît de la conscience, comme l'enseigne la doctrine sociale de l'Église et nous le rappelait il y a quelques années Bergoglio – à l'époque Cardinal –, de ce que la destination universelle des biens est un droit primaire, « antérieur à la propriété privée, dans la mesure où cette dernière est subordonnée à la première ».[26] Cette nouvelle mentalité « doit devenir chair et pensée au sein de nos institutions, elle doit cesser de rester lettre morte, pour prendre forme dans une réalité qui impose une autre culture et une autre société. Il est urgent de lutter pour la rédemption des personnes, fils et filles de Dieu, mais surtout contre la prétention d'un usage aveugle des biens de la terre ».[27]

La solidarité n'est donc pas un sentiment « émotionnel » mais une façon de comprendre et de vivre les activités – dans ce contexte, les activités économiques – et la société elle-même. Dans notre cas, la solidarité doit se traduire en idées, pratiques, sentiments, structures et institutions au service des plus pauvres.

[24] *Ibid.*, 59.

[25] *Ibid.*, 53.

[26] Jorge Mario Bergoglio - Papa Francesco, in *Riflessioni di un pastore. Misericordia, Missione, Testimonianza, Vita*, Cité du Vatican 2013, 462-463.

[27] *Ibid.*, 463.

De cette façon, la solidarité devient culture. La solidarité est donc une attitude globale qui doit se refléter dans nos relations avec les personnes et les groupes, et qui vise à répondre à l'inégalité sociale, mais qui met aussi en place les moyens de prévenir ces déséquilibres. De cette façon, en nous demandant où se trouve la solidarité en tant que culture – dans nos communautés, dans nos écoles, dans l'Église elle-même –, nous devrions arriver à la révision des critères qui nous ont guidés dans le domaine économique jusqu'à ce jour. Il s'agit de chemins qui ne sont pas faciles à parcourir, mais qui sont propres aux consacrés, jusqu'à devenir une sorte de « marque de fabrique », de « certificat d'authenticité » du style de vie d'un consacré.

Les consacrés sont appelés à dépasser la « solidarité superficielle », caractérisée par des aides apportées de temps en temps, pour adopter une « solidarité féconde », une « solidarité excellente ». Cela est ancré dans l'Évangile, c'est-à-dire dans la logique de la gratuité et du don inconditionnel ; elle va de pair avec l'intelligence, la capacité et l'efficacité ; elle tente de gérer les ressources de manière plus responsable et avec sérieux ; elle met en mouvement la médiation adéquate pour répondre à ceux qui sont en difficulté ; et elle a comme finalité la construction d'une société inclusive et fraternelle.[28] Respecter ces principes comporte une gestion juste et solidaire. Pour les consacrés, il ne s'agit donc pas simplement de faire la charité – déjà en soi particulièrement exigeante –, mais d'accomplir une solidarité juste : donner à chacun ce qui lui appartient.

« Donnez, et l'on vous donnera : c'est une mesure [...] débordante » (*Lc* 6,38), puisque « c'est en donnant que l'on reçoit ».[29] « Il y a plus de bonheur à donner qu'à recevoir » (*Ac* 20,35). La lettre et surtout l'esprit de ces textes ne se prêtent pas une recherche frénétique et débridée, démesurée ou exagérée, de à résultats purement économiques dans la gestion des biens. Je vou-

[28] *Ibid.*, 465-468.

[29] *Prière*, attribuée à Saint François d'Assise (notre traduction).

drais citer dans ce contexte un texte d'Ambroise. Le Saint Évêque de Milan dit : « Vous possédez des biens qui vous garantissent la prospérité pour de nombreuses années. Ne vous limitez pas à les conserver. Faites-les fructifier, pour vous et pour les autres. De quelle manière ? En les déposant dans un lieu inaccessible aux voleurs ; en les gardant dans le cœur des pauvres. Voici vos coffres-forts : le ventre des affamés. Voici vos greniers : les maisons des veuves. Voici vos dépôts : la bouche des orphelins [...]. Vous n'avez aucune excuse lorsque vous utilisez uniquement pour vous ce que, à travers vous, Dieu a voulu donner à son peuple. Le prophète Osée dit : 'Semez les graines de la justice'. Déposez donc vos graines dans le cœur des pauvres ».[30]

À la lumière de ces principes, nous sommes appelés à nous demander : que faut-il changer dans la gestion des biens dans les communautés, les entités et les instituts mêmes de vie consacrée, pour qu'ils répondent à une ecclésiologie de communion ? Il est clair qu'il est demandé à tous les consacrés de parcourir un chemin en *synergie solidaire*, également dans la gestion des biens, pour manifester avec des gestes concrets l'amour et le service aux pauvres, signe du Royaume de Dieu que Jésus est venu apporter,[31] et de mettre ses propres talents et ses mains au service du « programme du bon Samaritain, le programme de Jésus ».[32]

Pour conclure : quelques urgences, attentions et critères dans la gestion des biens de la part des consacrés

Je ne prétends pas donner le dernier mot sur le sujet qui nous concerne. Les interventions qui suivront feront certainement abondamment la lumière sur ce sujet indubitablement d'importance capitale en ce moment. Pour le moment, ce qui me semble impor-

[30] AMBROSIO DI MILÁN, La viña de Nabot, in *El buen uso del dinero*, Bilbao 1995, 96-97 (notre traduction).

[31] Cf. FRANÇOIS, Exh. ap. *Evangelii gaudium*, 48.

[32] Cf. BENOÎT XVI, Lett. enc. *Deus Caritas est*, 31b.

tant, c'est de présenter quelques urgences, attentions et critères à prendre en considération dans la gestion des biens de la part des religieux, au regard de ce que nous avons dit. Voici donc quelques exigences parmi d'autres qui émergent de ce que nous avons énoncé :

- Il est urgent que tous les consacrés, et en particulier ceux qui ont la responsabilité de gérer les biens de leur propre Institut, soient conscients de la nécessité de chercher une réponse à la question fondamentale de l'économie et de l'éthique qu'implique une telle gestion. Cette réponse doit prendre racine dans l'Évangile, dans une ecclésiologie de communion et dans son propre charisme.
- Il est tout aussi urgent que les consacrés soient bien conscients que leur façon de procéder dans la gestion des biens peut donner une grande portée évangélique à leur mission ou sérieusement compromettre leur témoignage et leur importance dans la société.
- Il est également urgent que, dans la gestion des biens, l'on regarde avec les yeux du cœur la thématique de la pauvreté et des pauvres, puisque l'on voit bien seulement avec le cœur (Saint-Exupéry). Cela implique une rupture avec les regards désespérés sur la question de la pauvreté et des pauvres. Cela implique une réflexion sur les causes de la pauvreté, même si cela comporte des jugements et des peines : « Si je donne du pain aux pauvres, ils m'appellent un saint. Si je demande pourquoi ils n'ont pas de pain, ils m'appellent communiste » (Helder Camara). Ce qui comporte des regards qui donnent la priorité à la tragédie de la pauvreté et des pauvres, sans reléguer ce drame à un deuxième ou troisième acte. Si nous regardons avec les yeux de nos cœurs, nous nous rendons compte que, partant de l'Évangile, la grande question n'est pas ce que sera l'avenir de notre présence, mais ce que moi, je peux faire pour toi. Telle est en effet la grande question de Jésus face au monde de la pauvreté (cf. *Mc* 10,51). Donner une réelle priorité au monde de la pauvreté amènerait la vie consacrée non

pas tant à actualiser ses comportements économiques, mais plutôt à se mettre au service de la demande de miséricorde, compassion, solidarité avec les pauvres et ceux qui sont dans le besoin. Cela porterait à aller aux périphéries de la pauvreté. C'est en cela que réside une grande partie du sens du vœu de pauvreté. Regarder avec les yeux du cœur consiste à avoir un regard qui transforme la question: « Que peut-on faire ou que puis-je faire ? » en: « Que suis-je prêt à faire ? ».

• La gestion des biens ne peut se faire en marge de certains défis que le monde des pauvres présente à la vie consacrée: que la douleur et la pauvreté de tant de frères et sœurs ne nous laissent pas indifférents, que le fort désir de vivre d'une autre manière ne vienne pas à manquer, que nous ne perdions pas la capacité de rêver à un monde différent où règne la justice (cf. *Lc* 12,49).

• Pour répondre à ces urgences, il est fondamental que la question de la gestion des biens, avec toutes ses implications, fasse partie des programmes de formation permanente et initiale. Ces programmes doivent mettre la personne dans son développement complet au cœur de la question de la gestion des biens, et plus particulièrement de l'économie, ainsi que l'attention à ne pas gérer les biens seulement en fonction de la croissance quantitative. Cela implique de nous dissocier de l'*homo oeconomicus*, insatiable dans son désir de biens et dont les choix sont déterminés surtout par la maximisation de l'intérêt personnel. Il s'agit plutôt d'embrasser l'*homo fraternus*, l'homme relationnel. Le défi est de construire une forme de vie au sein de laquelle le développement humain et la qualité des relations puissent croître.

Voici quelques autres principes pour ne pas compromettre sérieusement la gestion évangélique des biens et protéger celle que nous avons appelée « gestion spirituelle »:

• Avant toute décision en la matière, évaluer avec lucidité et grande responsabilité les conséquences possibles pour la vie et la mission des membres d'un Institut ainsi que pour le contexte social dans lequel ils œuvrent, sans ne jamais oublier le « sort » des pauvres.

- En aucune façon, on ne peut faire abstraction de la rectitude, de l'honnêteté et du sens de la justice. Orienter la gestion des biens en conformité avec ces valeurs est déjà une façon de prêcher l'Évangile et de réaliser un modèle de vie alternatif dans la société.
- L'austérité est un critère à garder à l'esprit dans la gestion des biens de la part des consacrés et dans le choix des moyens d'apostolat. La suite du Christ l'exige, il faut éviter tout ce qui est superflu et peut être vu comme une ostentation.

✠ JOSÉ RODRÍGUEZ CARBALLO, OFM
Secrétaire CIVCSVA

LE CHARISME ET LES BIENS D'UN INSTITUT ET LEUR RELATION AVEC L'ÉGLISE LOCALE

✠ JOSEPH W. TOBIN, CSSR

Introduction

Si l'on me demandait ce que je peux offrir au riche contenu de cet important Symposium, je devrais confesser qu'aujourd'hui je n'ai pas été invité à parler de mes prouesses académiques ou pour ma remarquable expérience d'une extraordinaire administration. Au contraire, les supérieurs de la Congrégation pour les Instituts de vie consacrée et les Sociétés de vie apostolique (CIVCSVA) m'ont fait cette aimable invitation simplement parce que j'ai eu le privilège de servir l'Église de différentes manières : d'abord dans la direction de ma famille religieuse et, plus récemment, en tant qu'évêque diocésain.

Ces expériences m'ont donné une certaine connaissance du sujet, à savoir une réflexion sur la façon dont les membres de la vie consacrée administrent les biens temporels dans le contexte d'une Église particulière. Il y a un certain nombre de situations dans lesquelles le gouvernement pastoral du diocèse et l'administration économique d'un institut religieux se rencontrent, par exemple, pour la collecte des fonds de la part des instituts religieux ou la juste rétribution de leurs membres. Je suis également conscient de la façon dont l'apparent pouvoir économique d'une communauté religieuse internationale peut générer la confusion ou l'animosité, en particulier dans les jeunes Églises des pays en voie de développement. Cependant, aussi bien en raison de la brièveté du temps à disposition que pour ne pas abuser de la patience des participants au Symposium, cette modeste contribution se centrera sur la question de l'aliénation des biens temporels dans le cadre d'une communauté religieuse et sur la considération qui est due à l'Église locale.

Pourquoi est-il important de prendre en considération ce sujet? Quand un institut religieux décide d'abandonner une œuvre en particulier, souvent la décision suscite une incompréhension, voire une active opposition de la part de l'Évêque local. Une telle réaction peut être accrue par la façon dont les religieux disposent des biens temporels qu'ils ont acquis pendant la période où leur communauté était présente dans le diocèse. Les circonstances peuvent obscurcir ou compliquer la question de l'aliénation, et les actions de l'évêque et du supérieur religieux peuvent désorienter, voire même scandaliser les fidèles, endommageant ainsi la communion qui doit caractériser l'Église. Par conséquent, leur *modus operandi* n'est pas simplement une revendication des droits, mais aussi une expression éloquente de la qualité de la vie ecclésiale.

En fait, déjà depuis le début de cette discussion, nous pouvons nous demander si la connaissance d'une doctrine ou le respect des normes suffisent pour atteindre l'harmonie souhaitée dans une Église locale. Il n'y a pas de doute que la théologie aussi bien que la loi éclairent et indiquent des canaux de relation entre les évêques et les supérieurs religieux. Cependant, même lorsque les règles sont suivies attentivement, nous pouvons toujours être submergés par la réalité, dépassés par les événements ou les circonstances qui font obstacle aux relations qui devraient être claires d'un point de vue théologique ou canonique. L'observation de quelques exemples de ces situations peut nous indiquer, même indirectement, des solutions.

Exemples de conflits causés par la décision d'aliéner

Puisque de nombreux participants à ce Symposium sont des supérieurs ou économes de leurs Instituts, je pense que vous avez l'habitude de ce qui peut potentiellement donner lieu à un conflit dans la décision de se séparer d'une école, d'une église ou d'un autre établissement. Je vous demande un peu de patience si je cite quelques exemples que je connais directement dans mon expérience au fil des années où j'ai été Supérieur général des Rédemptoristes, ou indirectement, par le témoignage d'autres évêques ou supérieurs religieux pendant mon service dans le Dicastère qui accompagne les membres de la vie consacrée.

1. Une congrégation religieuse avait construit une école et l'avait administrée avec succès pendant des décennies. À la fin, une baisse des vocations eut pour conséquence de créer un manque de religieux pour administrer l'école, rendant trop onéreux le recrutement d'un personnel laïque. La propriété fut offerte au diocèse du lieu afin qu'il puisse l'acquérir. N'ayant reçu aucune réponse de l'évêque, la fermeture de l'école fut annoncée et la propriété fut vendue à un supermarché.

Par une décision téméraire, l'Évêque local séquestra la propriété et, avec le soutien des parents des étudiants et d'autres bienfaiteurs, il rouvrit l'école. Au début, les autorités civiles ont soutenu le mouvement en invoquant l'expropriation. Bien sûr, l'Évêque n'avait aucun titre de propriété. Les religieux n'avaient pas demandé le permis canonique pour la vente. Tout ceci eut pour conséquence de créer une vraie confusion, mais à la fin, le diocèse dut remettre le bien au propriétaire du supermarché.

2. Une congrégation féminine avait administré une école pendant de nombreuses années, mais le manque de vocations l'avait amenée à décider de fermer l'école, qu'elles avaient l'intention de vendre pour affecter les recettes à l'exercice de leur mission dans d'autres nations. L'Évêque local ne donna pas un avis favorable à la proposition de l'aliénation, car la propriété qui fournissait les résultats d'exploitation pour l'école avait été donnée par un bienfaiteur qui, des années auparavant, avait établi que ce don soit utilisé pour l'éducation des enfants dans les zones environnantes. À la fin, le Dicastère se déclara d'accord avec l'Évêque et demanda que l'on respecte l'intention du donateur.

3. Une congrégation religieuse avait créé une personne morale de droit public (PJP = personne juridique publique, can. 301) pour poursuivre sa mission d'assistance dans le domaine de la santé. La personne morale de droit public décida de vendre un

petit hôpital à une structure de santé séculière à but lucratif : cela aurait voulu dire qu'une petite ville et le district rural environnant n'auraient plus eu d'hôpital catholique. L'Évêque en fut informé peu avant que la décision ne soit annoncée. Il protesta en disant que la décision comportait une discrimination contre les pauvres de la région, qui n'avaient pas les moyens de couvrir une distance considérable pour atteindre un autre hôpital catholique. L'Évêque demanda également si la personne morale de droit public ne pouvait pas trouver une autre structure catholique disposée à acheter l'hôpital.

En raison de la protestation de l'Évêque, la vente de l'hôpital fut retardée. Pour finir, la personne morale de droit public trouva une structure de santé catholique disposée à acheter l'hôpital.

Dans mon expérience, une question particulièrement problématique concerne les cas dans lesquels les institutions religieuses de fait possèdent une église paroissiale ou le terrain sur lequel une église a été construite. Dans la pratique, il semble y avoir peu d'uniformité en ce qui concerne la question de la propriété et du droit d'être indemnisé. La même ambiguïté se pose dans les cas où le diocèse détient le titre de la terre sur laquelle une institution religieuse a investi beaucoup de capital pour construire une école, une église ou un orphelinat. À quel type de rémunération ont-ils droit s'ils quittent l'œuvre ou si l'Évêque les invite à partir ?

Les normes appropriées sont utiles, mais ne suffisent pas

Il est clair que les situations de conflits mentionnées ci-dessus auraient pu être évitées si l'Évêque et le supérieur majeur avaient suivi les règles qui régissent le processus d'aliénation de la part des religieux,[1] ainsi que les normes générales du Livre V du Code.[2] En outre, puisque les biens de l'Église proviennent souvent de la

[1] En particulier can. 638 §§ 3 et 4.

[2] Cf. cann. 1290, 1291, 1292 § 3 et 1293 § 1, 2°.

générosité des fidèles, qui souhaitent exprimer de cette façon leur relation avec Dieu – en soi un but religieux –, la volonté des fidèles est sacrée et doit être respectée de toute personne qui accepte leur soutien matériel.[3]

Dans plusieurs pays, la vente des hôpitaux catholiques est un sujet particulièrement délicat. On s'attend à ce que les Instituts religieux qui cherchent à vendre une institution à une structure catholique présentent des preuves documentées de leurs actions. Une telle vente n'est toutefois pas toujours possible en raison du grand investissement de capital qui est demandé pour garantir la durabilité de l'hôpital. Alors que l'incident précédemment cité a eu un dénouement heureux, il y a beaucoup d'exemples du contraire. Si un Évêque refuse d'émettre son avis pour renforcer son opposition ou qu'il écrit une lettre particulièrement négative, en faisant comprendre qu'il est possible d'opérer une vente différente, les retards et l'éventuelle publicité peuvent avoir des retombées très négatives pour l'assistance de santé disponible dans la région, pour l'emploi et la bonne réputation de l'Église.

On ne peut pas nier qu'une cause du conflit concernant la question de l'aliénation est que, souvent, ni les supérieurs majeurs ni les Évêques n'ont la connaissance des normes canoniques qui régulent le processus. Par conséquent, la propriété est vendue par les religieux avant de suivre les procédures correctes ou alors il peut se passer que l'Ordinaire du lieu fasse une intervention inopportune, voire injuste. Toutefois, bien que les règles existantes soient utiles pour orienter le processus d'aliénation, leur simple

[3] V. DE PAOLIS, *La Vita Consacrata nella Chiesa*, édition revue et complétée par V. Mosca, Venezia 2010, 405. L'intention du donateur doit toujours être respectée. Pour certains Évêques des États-Unis, cela concerne, en particulier, la vente ou la donation d'une propriété détenue précédemment par des religieux, en particulier quand elle va finir entre les mains de non-catholiques. Souvent, la propriété acquise par des instituts religieux (un édifice pour hôpitaux, écoles, cliniques, couvents, etc.) provient de la charité des clercs et des laïcs d'un diocèse, au nom de l'Église locale. Donner ou vendre une telle propriété d'une manière qui ne peut plus soutenir la mission de l'Église est extrêmement problématique et souvent source de scandale.

observation ne suffit pas à éliminer toute ambiguïté qui peut se générer autour de la décision de vendre et à garantir que le processus ne se traduise pas par un contre-témoignage pour la communion à l'intérieur du Corps du Christ.

Un élément crucial dans tout effort visant à faire en sorte que la décision de vendre ne devienne pas un obstacle à une Église particulière est la relation entre l'Évêque local et les religieux concernés, et en particulier leur supérieur majeur. Le Code n'oblige pas les Instituts de vie consacrée de droit pontifical à obtenir la permission de l'Ordinaire local avant d'aliéner la propriété. La pratique de la CIVCSVA demande néanmoins que les religieux obtiennent l'avis de l'évêque du lieu où se trouve la propriété. Parfois, les religieux ne sollicitent pas l'opinion de l'évêque avant de conclure la transaction ; il arrive aussi que l'évêque ne réponde pas à une telle demande, ou ne parvienne pas à comprendre ou à accepter les raisons que les religieux évoquent.

Dans la prochaine section, nous tenterons d'exposer la raison pour laquelle cette communication est intrinsèquement difficile, étant donné le développement théologique et canonique dérivé du Concile Vatican II, en particulier au sujet de l'importance ecclésiale de l'Église locale et de son Évêque.

L'autorité renforcée de l'Évêque diocésain

L'une des caractéristiques du nouveau Code de droit canonique est le renforcement du rôle donné à l'Évêque diocésain. D'un point de vue canonique, il est le chef pasteur et la figure clé de l'autorité du diocèse.[4] L'Évêque diocésain possède toute l'autorité dont il a besoin pour accomplir la mission qui lui a été confiée.[5] Son pouvoir est *ordinaire*, c'est-à-dire lié à sa charge ; *propre*, c'est-à-dire exercé en son nom ; et *immédiat*, c'est-à-dire exercé directement sur tous les fidèles du diocèse sans le besoin d'un intermédiaire.

[4] Cf. can. 369.

[5] CONSEIL ŒCUMÉNIQUE VATICAN II, Const. dogm. *Lumen Gentium* [par la suite *LG*], 27 ; can. 381 § 1.

L'Évêque diocésain administre le diocèse en son nom propre : non comme un représentant du Pontife Romain, mais comme un vicaire ou délégué du Christ. Comme le pouvoir de l'évêque diocésain peut être réglé par le Pape et limité dans certains aspects, tels que les exigences de consultation et de consensus dans les domaines administratifs, son pouvoir n'est pas absolu.[6] En vertu de ce pouvoir, les Évêques ont le droit et le devoir de faire des lois pour les fidèles, de porter des jugements et de régler tout ce qui est pertinent pour le bon ordre du culte et de l'apostolat.[7] Il existe une interconnexion des *munera* d'enseignement, de sanctification et de gouvernement qui focalise tout le ministère de l'Évêque sur le service à Dieu et aux fidèles chrétiens.

L'un des principaux services de l'Évêque est d'assurer le bon ordre de l'apostolat dans tout le diocèse. Ceci est un domaine où les religieux et leurs œuvres apostoliques interagissent plus directement avec l'Évêque diocésain pour le bien pastoral du peuple de Dieu. Le can. 394 demande à l'Évêque diocésain de promouvoir diverses formes d'apostolat dans le diocèse et de coordonner tous les travaux apostoliques du diocèse. Le droit canonique l'exhorte à solliciter tous les fidèles à prendre part aux œuvres de l'apostolat selon leur vocation et à s'assurer que tous les différents besoins du diocèse sont satisfaits.

Le Code traite également de l'autorité de l'Évêque, spécifiquement en référence aux apostolats, tant des siens que de ceux confiés aux soins des instituts religieux. En tant que sponsor des institutions catholiques, les leaders institutionnels et ceux qui collaborent avec eux dans le ministère sont soumis à l'autorité de l'évêque diocésain dans trois domaines : la *cura animarum*, le culte public et toutes les autres œuvres de l'apostolat.[8]

Il n'est pas difficile de voir que la consultation, la coordination et la coopération entre les supérieurs majeurs, les leaders des ins-

[6] Cf. cann. 131 § 1 et 381 § 1.

[7] *LG* 27 ; can. 391 § 1.

[8] Cf. cann. 678 et 681-682.

titutions religieuses et l'Évêque diocésain sont essentiels pour le bien de la mission de l'Église locale. En pratique, cela signifie, par exemple, qu'un institut religieux ne décide pas de fermer ou de résilier le parrainage d'une école, d'un collège ou d'une autre œuvre apostolique sans communication avec l'évêque diocésain et sans l'avoir consulté. Cela signifie que l'Évêque diocésain exerce la responsabilité de l'enseignement de la foi et de la morale dans les œuvres apostoliques des instituts religieux. Cela signifie également que l'Évêque diocésain devrait impliquer le leadership des instituts religieux et de leurs œuvres apostoliques dans la planification pastorale du diocèse. En d'autres termes, plus les canaux de communication et de coordination sont ouverts entre les supérieurs majeurs et les responsables des apostolats qui ont été confiés aux religieux et à l'Évêque diocésain, plus le dynamisme missionnaire du diocèse sera efficace.

La tâche de coordination est dirigée vers la réalisation du bon ordre, afin de sauvegarder l'unité de l'apostolat. Dans la pratique, cette coordination nécessite généralement le développement des structures ou des canaux de communication et de collaboration pour faciliter et encourager un échange sain d'informations et d'expériences.

La coordination des travaux apostoliques de la part de l'Évêque diocésain et des supérieurs majeurs nécessite la reconnaissance des droits et des devoirs des fidèles dans l'édification du Corps du Christ. Cela inclut le droit des religieux concernant les biens ecclésiastiques.

Les Instituts Religieux

Avec l'approbation de leurs constitutions, les instituts religieux[9] sont érigés comme entités publiques collégiales, avec des droits et des obligations canoniques similaires à celles des personnes physi-

[9] Ceux de droit diocésain comme ceux de droit pontifical.

ques.[10] Un de ces droits est d'acquérir, d'administrer et d'aliéner les biens ecclésiastiques. Les biens sont des biens ecclésiastiques soumis aux règles du Livre V du Code du Droit Canonique.[11] En tant qu'administrateurs canoniques de la propriété appartenant à l'institut, les supérieurs sont responsables de remplir leurs fonctions avec la diligence du bon père de famille.[12]

Quand un institut religieux détermine, selon son propre droit et les règles de droit canonique du Livre V, de vouloir céder un ou plusieurs biens, comme l'immeuble et la propriété d'une école, la maison mère ou un hôpital, le supérieur majeur devrait consulter l'Évêque diocésain, conformément à l'exhortation du canon 678 §3, qui prévoit la consultation mutuelle entre les Évêques et les supérieurs au sujet de l'apostolat, à plus forte raison si l'apostolat du diocèse (que l'Évêque a la responsabilité de coordonner) en sera influencé. S'il faut aliéner la propriété ou dans le cas d'une transaction qui pourrait compromettre le bilan patrimonial de l'institut,[13] le supérieur majeur doit obtenir le consentement écrit du conseil et de tout autre organisme déterminé par sa propre loi.[14] D'autres exigences en matière de juste cause, estimations ou avis d'experts écrits sont répertoriés dans le can. 1293. Si la transaction dépasse la limite établie par le Saint-Siège pour les instituts religieux d'un territoire en particulier, il faut aussi demander l'autorisation au Siège-Saint. Cela vaut non seulement pour les bâtiments ou les terrains, mais aussi pour les objets précieux à cause de leur valeur artistique ou historique et les objets offerts à l'institut comme ex-voto. Pour les instituts diocésains et les monastères autonomes, l'Évêque doit approuver la demande.

Il est fondamental pour les religieux d'établir et de maintenir un lien avec l'Évêque diocésain, de sorte que le premier contact ne soit

[10] Cf. can 634.

[11] Cf. can 1257 §1.

[12] Cf. can. 1284.

[13] Cf. can. 578.

[14] Cf. can. 638 §3.

pas motivé par un problème ou le besoin de son avis sur une proposition d'aliénation. Il devrait être impliqué dans les discussions préalablement à la demande à envoyer au Saint-Siège. Toutes les transactions résultant de la vente de propriétés appartenant aux instituts religieux ne nécessitent pas l'approbation du Saint-Siège. C'est souvent dans ces situations que la communication entre les Évêques et les supérieurs fait défaut.

Le nouveau nom de la Charité

Je voudrais tenter de résumer les parties principales du sujet traité jusqu'ici. Premièrement, il existe des règles claires qui régissent le processus d'aliénation des biens par un institut religieux, même si ces règles pourraient ne pas être connues de l'Évêque ou du supérieur majeur. Cependant, la connaissance et le respect des normes en soi ne garantissent pas que l'Évêque et les religieux expriment la communion qui doit caractériser l'Église. Au contraire, la mission qui est confiée aussi bien aux évêques qu'aux religieux nécessite qu'ils établissent une relation sincère de collaboration à travers un dialogue efficace.

Dans son exhortation apostolique, *Vita Consecrata*, Jean-Paul II souligne l'importance de cette coopération, afin qu'il puisse y avoir un « développement harmonieux de la pastorale diocésaine ».[15] Il recommande un « dialogue constant » entre les évêques et les supérieurs qu'il considère être « le plus précieux » pour promouvoir la compréhension réciproque qui est une « condition nécessaire d'une coopération efficace ».[16] Le can. 678 §3 exhorte vivement les Évêques et les supérieurs afin qu'ils « agissent de concert » pour organiser l'apostolat, ce qui implique qu'un accord significatif ne peut se produire que si la confiance mutuelle, la transparence et l'honnêteté caractérisent le dialogue et la collaboration qui a lieu entre évêques et supérieurs.

[15] Jean-Paul II, Exhort. ap. *Vita Consecrata*, 48.
[16] *Ibid.*, 50.

Le fait que le dialogue et la coopération ne caractérisent pas toujours une Église locale n'est pas simplement imputable à des affrontements de personnalités ou au cléricalisme. Il se pourrait plutôt qu'un Évêque diocésain et un institut religieux pensent à l'Église d'une manière différente. Comme nous l'avons déjà vu, un développement théologique de Vatican II a été le renforcement de l'autorité donnée à l'évêque diocésain. Le Concile exprime ainsi une appréciation renouvelée de l'Église particulière et voit l'évêque comme celui qui a la tâche d'assurer le bon ordre de l'apostolat dans tout le diocèse.

Le service de coordination de la part de l'Évêque devient problématique s'il conçoit le rôle des religieux surtout en termes d'utilité et de fonctionnalité plutôt que comme « signe ». Une appréciation fonctionnelle des religieux peut conduire à l'espoir qu'à la fin, leurs biens soient considérés comme des fonds pour le diocèse, rendant ainsi plus difficile d'accepter le fait que les religieux puissent avoir des obligations au-delà de l'Église locale, comme la formation des candidats et la prise en charge des personnes âgées dans d'autres pays.

Pour leur part, les religieux, et en particulier les membres des instituts exemptés, pensent généralement en termes d'expression de leur charisme dans l'Église universelle. Cette façon de penser est louable, mais peut conduire à une intégration inadaptée des religieux dans l'Église locale. La pratique de leur autonomie ou exemption devient problématique quand elle est caractérisée par l'indépendance excessive sur le plan pastoral (là où il en existe un) ou par l'abandon des apostolats importants sans aucune consultation préalable avec l'Évêque.

C'est seulement dans une perspective théologique – plutôt que juridique – que nous serons en mesure de comprendre l'autonomie et l'exemption, d'une part, et la dépendance, de l'autre, des religieux et leur plus grande ouverture à l'Église universelle, leur nécessité et le devoir de collaborer avec le plan pastoral du diocèse.

Ni l'autonomie ni l'exemption ne peuvent justifier un manque de solidarité ou l'indépendance absolue. De même, la collaboration avec la hiérarchie ne peut réduire les religieux à des instruments inertes dans les mains de l'Évêque. Ainsi, les deux parties – Évêques et religieux – doivent encourager la connaissance de la doctrine concernant l'épiscopat et la vie religieuse, la théologie de l'Église locale et leurs relations mutuelles.[17]

Moyens pour renforcer la relation entre les Évêques et les religieux

Qu'est-ce que cela signifie en termes pratiques ?

- Tout d'abord, il y a la nécessité d'un respect mutuel et d'une communication efficace entre l'Évêque diocésain et les supérieurs majeurs des religieux qui prêtent leur service dans le diocèse. Un Évêque devrait traiter des sujets sérieux avec le Supérieur majeur plutôt que se limiter à communiquer avec le supérieur local, tel que le curé de la paroisse, le directeur de l'école, etc.
- L'Évêque diocésain devrait créer avec les supérieurs majeurs différentes occasions pour une communication régulière et promouvoir les célébrations extraordinaires, telles la célébration annuelle de la Vie consacrée (2 février). Les visites réciproques se sont aussi avérées utiles pour promouvoir la communion entre l'Évêque diocésain et les religieux.
- L'évêque devrait apprécier les personnes et les structures permettant d'améliorer son soin pastoral pour les religieux, comme la nomination d'un vicaire diocésain ou un délégué pour la vie consacrée.

La CIVCSVA peut offrir un service précieux au moment de la visite *ad limina* en encourageant les Évêques à créer un forum pour réguler le dialogue avec les religieux dans leurs Églises respectives.

[17] SACRÉE CONGRÉGATION POUR LES RELIGIEUX ET LES INSTITUTS SÉCULIERS - SACRÉE CONGRÉGATION POUR LES ÉVÊQUES, Directives de base sur les rapports entre les Évêques et les religieux dans l'Église, *Mutuae Relationes*, 29.

La Congrégation peut profiter de ses contacts fréquents avec les supérieurs généraux pour exhorter les religieux à établir et maintenir une communication respectueuse et ouverte avec les Ordinaires des diocèses où travaillent leurs membres.

L'histoire du College Simon Bruté, Indianapolis

J'attire votre attention sur l'exemple de la décision d'un ordre religieux d'aliéner un important bien temporel, qui a apporté un grand avantage tant pour l'Église locale que pour les religieux impliqués. En 1932, un monastère de Carmélites déchaussées fut construit dans la ville d'Indianapolis. Pendant plus de cinquante ans, le monastère prospéra, en maintenant une communauté de vingt moniales et fonda, en même temps, deux monastères affiliés.

Au cours des dernières décennies, les vocations ont diminué, et, en 2008, la communauté a été réduite à neuf moniales âgées. La prieure se tourna vers mon prédécesseur, l'Archevêque Daniel Buechlein, OSB, pour discuter de la possibilité de vendre le monastère. Les religieuses ont décidé de déménager dans un bâtiment vacant sur la propriété de la Maison Mère de la Congrégation des Sœurs du Tiers Ordre franciscain, situé dans une petite ville à environ 150 kilomètres au sud-est d'Indianapolis. Les sœurs Franciscaines ont accueilli la communauté monastique en mettant aussi à leur disposition l'infirmerie, si nécessaire.

Entre-temps, l'Archevêque Buechlein était à la recherche d'une résidence pour accueillir le nombre croissant de séminaristes qui étudiaient à l'Université catholique administrée par les Sœurs Franciscaines. Le monastère d'origine des Carmélites, à quelques pas de l'université, était l'endroit idéal pour le séminaire. Les moniales Carmélites demandèrent plusieurs devis de la valeur de la propriété à divers professionnels et décidèrent ensuite de la vendre à l'Archidiocèse d'Indianapolis.

Récemment, l'Archidiocèse a élargi l'ancien monastère et aujourd'hui le séminaire accueille 46 séminaristes d'Indianapolis et des diocèses environnants. Les moniales Carmélites sont très satisfaites de leur nouvelle maison et, après avoir reçu un prix équitable pour leur ancien monastère, elles disposent de fonds suffisants pour subvenir à leur vie monastique et aux soins des malades. En outre, en raison de l'inscription des séminaristes diocésains, les sœurs Franciscaines ont eu dans leurs facultés de philosophie un plus grand nombre d'étudiants. Les avantages mutuels pour les religieuses et le diocèse sont évidents.

Il faut aussi dire que la décision a suscité une grande admiration et bienveillance parmi les fidèles, qui y ont vu et reconnu une collaboration fructueuse. Cette solution a été possible parce que les divers instituts religieux impliqués et l'Évêque diocésain avaient déjà des relations respectueuses et transparentes qui ont rendu possible cette collaboration concrète. Je suis heureux d'être l'héritier de cet exemple de communion entre les différentes vocations qui enrichissent notre Église locale.

Conclusion : « relations mutuelles » entre les disciples

Selon l'Évangile de Mathieu, peu de temps avant sa Passion, Jésus parle à ses disciples de la façon dont ils doivent se rapporter les uns aux autres. Il leur conseille de ne pas adopter la modèle de « relations mutuelles » qui régnait dans leur société : « Vous le savez : les chefs des nations les commandent en maîtres, et les grands font sentir leur pouvoir. Parmi vous, il ne devra pas en être ainsi » (*Mt* 20,25-26).

Sans un système de relations mutuelles basé sur le principe de la communion, d'autres formes de relations peuvent concrètement entrer dans l'Église : celle de la corporation commerciale, d'un parlement d'intérêts opposés ou de la loi de la jungle, où seul survit le plus fort.

La force de l'Église est la communion, qui est la véritable source pour concevoir les relations mutuelles entre les disciples de Jésus-Christ. Le Magistère et les dispositions canoniques peuvent promouvoir une coopération harmonieuse et fructueuse entre les Évêques et les supérieurs majeurs, mais tous les problèmes de la vie ne peuvent pas être résolus avec l'application des règles. La recherche du bien commun de l'Église, l'amour et la sincérité, avec un sens aigu de la communion et de l'appréciation du dialogue créatif offriront toujours la meilleure aide.[18]

✠ JOSEPH W. TOBIN, CSSR
Archevêque Métropolite d'Indianapolis (USA)

[18] Cf. T. BAHÍLLO RUIZ, Las relaciones entre obispos y religiosos en la Iglesia: realidad y perspectivas a los XXX años de la Mutuae Relationes, in *Estudios Eclesiásticos* 83 (2008) 565.

LES BIENS ECCLÉSIASTIQUES ET LEURS FINALITÉS DANS LE CODE DE DROIT CANONIQUE

YUJI SUGAWARA, SJ

Introduction

Le Livre V du Code de droit canonique, intitulé *Les biens temporels de l'Église* (cann. 1254-1310), indique clairement que l'Église catholique a le droit inné de posséder et d'utiliser les biens pour réaliser ses propres fins ecclésiales à travers les nombreuses personnes morales placées sous l'autorité suprême du Pontife Romain. Comme le manifeste le premier canon du Livre, le droit de l'Église aux biens est lié au fait que celle-ci possède des fins propres à atteindre (can. 1254 § 1), pour lesquelles les biens matériels sont également nécessaires. De la même manière quand le can. 1260 parle du droit inné de l'Église d'exiger de la part des fidèles ce dont elle a besoin, la règle stipule qu'elle exerce ce pouvoir uniquement quand cela est nécessaire à ses fins propres.

L'expression « fins propres » peut être remplacée quelques fois par celle analogue de « mission ». Le droit de propriété de l'Église découle de la mission qu'elle doit remplir dans le monde, à savoir la mission salvifique reçue du Seigneur Lui-même. La légalité de la possession des biens temporels de l'Église est directement liée à la réalisation de ses fins propres, et si les biens ne servent pas ces fins, leur possession ne se justifie pas. Comme le manifeste le Concile Vatican II, l'Église fait usage « d'instruments temporels dans la mesure où sa propre mission le demande », et au contraire « elle renoncera à l'exercice de certains droits légitimement acquis, s'il est reconnu que leur usage peut faire douter de la pureté de son témoignage ou si des circonstances nouvelles exigent d'autres dispositions ».[1]

Le can. 1254 § 2 met en évidence les fins des biens possédés par l'Église, en particulier celles qui lui sont *propres*. Il s'agit essentiellement d'organiser le culte divin, de pourvoir à la subsistance honnête du clergé et des autres ministres, d'exercer les œuvres d'apostolat sacré et de charité, en particulier dans le service pour les pauvres.[2] La finalité spécifiée au § 2, la charité, en particulier pour les pauvres, occupait historiquement et occupe aujourd'hui encore la place principale parmi les fins mentionnées. L'option préférentielle pour les pauvres est l'un des sujets brûlants qui occupent une place importante dans le magistère conciliaire[3] et post-conciliaire, tant pour l'Église entière que pour les personnes consacrées. Le Code ne se réfère pas seulement au droit de l'Église d'exiger des fidèles les biens nécessaires, mais aussi clairement aux fins pour lesquelles ces biens sont destinés.

Le Code de droit canonique indique quels sont les différents principes qui gouvernent une administration correcte des biens. Du point de vue pratique, sans la capacité économique de chaque organe dans l'Église, il ne serait pas possible de maintenir en vie les différentes institutions ni leurs activités apostoliques. En même temps, dans le monde d'aujourd'hui, sans une administration correcte et appropriée des biens, il est impossible d'apporter un message de crédibilité de l'Église et les erreurs dans ce domaine peuvent causer (ou plutôt réellement ont causé) de graves inconvénients dans les Églises locales et les Instituts de Vie Consacrée.

[1] CONCILE ŒCUMENIQUE VATICAN II, Const past. *Gaudium et spes*, 76.

[2] Dans le Livre II du Code en vigueur, le can 222 § 1 parle explicitement de « l'obligation de subvenir aux besoins de l'Église » et il énumère les éléments suivants : « [...] culte divin, [...] œuvres d'apostolat et de charité et [...] honnête subsistance de ses ministres ». Le canon parle non seulement du clergé, mais aussi des autres ministres, y compris les personnes consacrées et les laïcs qui offrent leur service à l'Église.

[3] Par exemple, CONCILE ŒCUMENIQUE VATICAN II, Decr. *Apostolicam actuositatem*, 8 ; Const. past. *Gaudium et spes*, 42.

1. Les biens des Instituts de vie consacrée

Dans l'Église, ne sont considérés « ecclésiastiques » que les biens appartenant à des personnes juridiques publiques (can. 1257 § 1) qui sont ordonnées « à une fin qui s'accorde avec la mission de l'Église et dépasse les intérêts des individus » (can. 114 § 1) « afin de remplir au nom de l'Église [...] la charge propre qui leur [les personnes juridiques publiques] a été confiée en vue du bien public » (can. 116 § 1). Selon le can. 634 § 1, sont définies comme personnes juridiques publiques *ipso iure* non seulement les instituts religieux en tant que tels, mais également leurs provinces et leurs maisons, de sorte que les biens temporels possédés par toutes ces institutions sont considérés comme « biens ecclésiastiques » et régis par les dispositions des canons sur les biens temporels de l'Église, sauf disposition contraire expresse (can. 635 § 1).

Bien que les biens temporels d'un institut soient définis « ecclésiastiques », comme il est dit dans le can. 1256, ceux-ci appartiennent à l'institut même en tant que personne juridique qui en est le propriétaire légitime et pas à une autre autorité supérieure dans l'Église, par exemple, l'Église locale dans le cas de l'Institut de droit diocésain. Ils sont administrés et aliénés avec leur propre capacité et sous leur direction et responsabilité, avec la liberté de juger de la qualité et de la quantité de biens qui sont nécessaires à leurs propres fins, comme une manifestation du gouvernement interne des instituts qui jouissent d'une juste autonomie de vie (can. 586 § 1). Comme l'enseigne Vatican II, la vie consacrée est unie de manière indissociable au mystère de l'Église et elle appartient à sa vie et à sa sainteté,[4] et le décret conciliaire reconnaît que les Instituts ont droit de posséder tous les biens nécessaires à la vie temporelle et aux œuvres à accomplir.[5] En suivant cette logique du Concile, les Instituts ont le droit de posséder et d'administrer les

[4] Concile Œcumenique Vatican II, Const. dogm. *Lumen Gentium*, 44 ; cf. can. 574 § 1.

[5] Concile Œcumenique Vatican II, Decr. *Perfectae caritatis*, 13.

biens temporels étant donné qu'ils participent à la mission de l'Église. Les biens des Instituts et leur utilisation devraient être pour cela inclus dans les objectifs et les besoins de l'Église qui se contente de posséder et d'utiliser tous les moyens nécessaires et de faire usage « d'instruments temporels dans la mesure où sa propre mission le demande ».[6]

Tout en respectant la forte orientation de Vatican II, chaque Institut doit réaliser ses propres objectifs en se basant fidèlement sur le projet et les intentions des fondateurs.[7] La juste autonomie de gouvernement reconnue dans le can. 586 § 1 comprend l'administration des biens temporels comme partie du gouvernement. La nécessité ou non nécessité de biens temporels pour atteindre ses propres fins doit être évaluée de façon concrète et, bien que beaucoup dépende de la sensibilité des différents supérieurs et officiers dans les décisions concrètes, il ne peut y avoir aucun autre critère pour les Instituts de vie consacrée au-delà du charisme de la fondation de chaque Institut. Cette orientation exige que chaque Institut établisse des règles pour l'administration des biens, y compris la pratique collective de la pauvreté évangélique, qui reflètent leur charisme de fondation. Le can. 635 § 2 affirme que la pauvreté propre à l'Institut doit être « privilégiée, protégée et rendue manifeste » par les règles de l'usage et de l'administration. Le droit de chaque institut doit donc exprimer non seulement la limite de l'usage et de l'administration des biens, mais aussi le droit à la pauvreté selon l'idéal des fondateurs. Le critère essentiel pour établir les règles de l'administration des biens dans le droit devrait être la compréhension de la pauvreté évangélique par l'Institut comme fin propre, et non en premier lieu l'efficacité d'une administration rigoureuse des biens ou de l'efficacité de l'apostolat.

Le document *Repartir du Christ* indique que les textes constitutionnels de chaque Institut sont « toujours ouverts à de nouvelles

[6] CONCILE ŒCUMENIQUE VATICAN II, Const. past. *Gaudium et spes*, 76.

[7] CONCILE ŒCUMENIQUE VATICAN II, Decr. *Perfectae caritatis*, 2.

interprétations plus exigeantes» et que le sens dynamique de la spiritualité offre l'occasion d'approfondir une spiritualité plus ecclésiale et communautaire, et également plus généreuse dans les choix apostoliques.[8] Quand on approfondit la compréhension du charisme, on découvre toujours de nouvelles possibilités de le mettre en œuvre.[9]

2. Difficultés rencontrées

L'Église, dès les premiers temps, a reçu de nombreux biens temporels de la part des fidèles, pour répondre aux nombreux besoins qu'elle rencontre à la fois à l'intérieur et à l'extérieur. Ce qui compte est l'intention dans laquelle les biens ont été offerts à l'Église et pourquoi elle les possède, c'est-à-dire la finalité surnaturelle: le salut de l'âme (can. 1752). La difficulté dans l'administration découle de l'existence d'une norme canonique qui se base sur des facteurs proprement ecclésiaux, tels que les besoins spirituels et pastoraux de l'Église, lesquels exigent un style particulier de vie et d'apostolat. Alors que les normes canoniques doivent s'occuper, comme nous l'avons vu ci-dessus, de sauvegarder les finalités des biens offerts, les administrateurs eux, en réalité, sont contraints de s'occuper des normes techniques face aux différentes parties impliquées dans la gestion des biens.

Même au sein de la vie consacrée, une question principale concerne la relation entre l'idéal de la pauvreté évangélique professée et la difficulté à renoncer aux biens matériels pour poursuivre la vie et les œuvres. Les Instituts peuvent posséder et administrer les biens, étant donné qu'ils participent aux fins propres à l'Église. Mais quand la quantité de biens de l'Institut commence à augmenter, le problème de la façon de les maintenir et de les protéger se pose souvent sérieusement, tant pour la subsistance des membres

[8] Cf. CONGRÉGATION POUR LES INSTITUTS DE VIE CONSACRÉE ET LES SOCIÉTÉS DE VIE APOSTOLIQUE, *Repartir du Christ*, 20.

[9] Cf. *Ibid.*, 31.

que pour l'efficacité de leur mission. La question spirituelle peut donc facilement se transformer en une question technique et l'équilibre vient à manquer.

Le Code de droit canonique ne fournit pas une définition quantitative pour l'administration et l'aliénation, mais se limite simplement à en réglementer la pratique par un critère de finalité. Pour résoudre certains problèmes, on pourrait souhaiter la création d'une liste d'actions concrètes qui nécessitent une attention particulière et les procédures nécessaires, tels que les actes d'administration extraordinaire. Cependant l'économie moderne ne permettrait pas une telle attitude aussi détaillée en raison de la complexité des tâches à accomplir aujourd'hui par rapport à celles du passé. Il ne serait pas non plus possible de faire la liste de toutes les catégories d'actes extraordinaires, au niveau du droit universel, alors que l'on rencontre dans les actes économiques des changements de natures et de modalités jusqu'ici inimaginables.

Pour finir, la gestion économique, même si elle n'est pas l'unique domaine de l'organisation dans l'Église, demande une attention particulière car, dans différents lieux et à différents niveaux elle souffre du manque d'experts. Dans le monde économique d'aujourd'hui, l'Église a besoin d'experts pour la gestion matérielle et de pasteurs qui en comprennent l'urgence. L'Église, en effet, n'est plus une exception dans les affaires économiques du monde et elle ne peut pas demander davantage d'indulgence ou de tolérance vis-à-vis de la loi civile. Au contraire, la transparence dans l'administration des biens matériels est une partie importante pour garantir la crédibilité du message évangélique au monde souffrant de diverses injustices et de nouvelles formes de pauvreté.

3. La réponse du Code

Dans le but de préserver le patrimoine ecclésiastique en vue de ses propres fins, le Code impose quelques formalités pour accomplir les procédures sollicitées et s'adresser aux organes d'assistance afin de trouver les meilleures solutions et éviter erreurs et abus dans les actes d'administration et d'aliénation. Le Code a prévu, en toute situation, la présence d'un gouvernement qui peut destiner les biens à la réalisation des fins propres, à chaque niveau et catégorie, prévoyant un Supérieur pour les personnes et un administrateur pour les biens.

Bien sûr, il faut reconnaître que les règles du Code sur les biens temporels ne sont pas nombreuses et sont générales, étant donné qu'elles sont promulguées pour l'ensemble de l'Église. La législation ecclésiale se limite à réglementer les aspects les plus pertinents et à édicter une série de principes et, pour le reste, elle renvoie au droit civil ou canonise le traitement des affaires économiques. En outre, dans le Code de 1983, presque tous les canons du livre V correspondent à ceux du Code de 1917, ce qui signifie que nous avons une tradition sûre et séculaire de l'Église sur le sujet en question et, en même temps, nous vivons sur des principes valides depuis au moins cent ans (certainement même plus) pour répondre aux exigences du monde économique d'aujourd'hui.

Par conséquent, nous avons besoin de deux éléments qui probablement exigent une innovation dans la structure juridique et dans la mentalité des personnes impliquées : premièrement, bien utiliser le peu qui existe dans l'ordre canonique concernant l'administration des biens, et deuxièmement, former des membres capables au sein de l'Institut et apprendre à collaborer avec les fidèles compétents dans l'enseignement social de l'Église et des lois civiles. Bien sûr, une norme ne construit pas la réalité spirituelle ; cependant, sans une structure juridique, l'esprit de l'Institut et de ses saines traditions est menacé de disparition.

a) *Les canons pour préserver les fins*

Divers canons du Livre V font référence à la protection des biens. Le can. 1281, traitant des actes d'administration extraordinaire, édicte que les administrateurs, pour émettre des actes qui dépassent les finalités et les mesures de l'administration ordinaire

(§ 1), doivent d'abord obtenir l'autorisation écrite de l'Ordinaire.[10] Ces actes doivent, en outre, être établis dans les statuts (§ 2). De cette façon, lorsque l'acte répond aux finalités et au service que la personne juridique doit remplir conformément à ses statuts, l'administration est considérée comme ordinaire. Pour les Instituts religieux, tenant compte du droit propre à déterminer quels sont les actes qui dépassent l'administration ordinaire selon le can. 638 § 1, il leur incombe de prévoir concrètement qui est le Supérieur compétent pour donner l'autorisation demandée.[11]

Toute personne juridique, comme un Institut religieux ou une maison religieuse avec son oeuvre propre, a un patrimoine ou capital stable. Certains biens sont considérés indispensables par nature, dans le sens qu'en absence de tels biens, la personne juridique n'aurait pas les moyens nécessaires pour atteindre ses propres fins, par exemple l'édifice d'une école ou une bibliothèque dans une université. Le can. 1291 parle de « patrimoine stable » pour l'acte d'aliénation et indique la nécessité d'une affectation positive de ces biens. Ces biens font partie du *patrimoine stable* ou à conserver, ou encore à ne pas aliéner, selon la nature et les finalités de la personne juridique et ils demandent une procédure particulière pour leur aliénation.

Le Code n'interdit pas l'aliénation, mais il définit comment aliéner les biens qui avaient servi pour un témoignage religieux. Il demande de décider à qui transférer la propriété ou de démon-

[10] Il y existe des actes qui appartiennent à une catégorie différente du point de vue de la finalité et à un niveau de mesure différent, et qui sont considérés d'administration extraordinaire et l'acte exige alors une procédure spéciale dans l'ordre canonique. Le Cardinal De Paolis, lisant prudemment la lettre des canons qui utilisent l'expression « *finem (ides), et modum* », note que l'administration peut être extraordinaire en référence aussi bien aux finalités qu'à la mesure. Selon l'auteur, lorsque l'acte répond aux finalités et au service que l'Institut doit remplir en fonction de son droit propre, l'administration est considérée comme ordinaire. Cf. V. De Paolis, *I beni temporali della Chiesa*, Bologne 1996, 146-148.

[11] En outre, le can. 1284 § 2, 6°, déclare que l'un des devoirs principaux des administrateurs est celui d'employer l'argent excédant les dépenses pour les finalités de l'Église ou de l'Institut.

trer pour quelle raison l'Institut quitte l'administration des biens ecclésiastiques. Le can. 1292 confie, en outre, à la Conférence épiscopale de chaque nation ou région, le soin de déterminer les montants au-delà desquels il faut demander l'autorisation d'une autorité pour l'aliénation. Le montant maximal est reconnu par le Saint-Siège pour l'aliénation des biens possédés par les Instituts religieux. Selon le can. 638 §3, il revient en revanche à l'autorité interne de fixer le montant minimum au-delà duquel il faut demander l'autorisation de l'autorité interne de l'Institut. L'aliénation des biens de l'Église nécessite une juste cause et le Code énumère, outre l'urgente nécessité ou une évidente utilité, «la piété, la charité ou toute autre grave raison pastorale» et sont proposées des normes qui visent à assurer et protéger les finalités des actes d'aliénation des biens ecclésiastiques (cann. 1293-1294).[12]

Le respect de la volonté de ceux qui donnent des biens à l'Église ou des bienfaiteurs et des fondateurs a une importance particulière dans l'ordre canonique, par exemple, le can. 1300 sur les pieuses volontés.[13] Leurs volontés doivent être respectées avec le plus grand soin, parce qu'en donnant des biens à l'Église, les fidèles cherchent à remplir leurs devoirs : honorer Dieu, pratiquer la charité fraternelle et soutenir les ministres qui travaillent dans l'Église (can. 1254 §2). Cette obligation est, en effet, une norme qui a toujours été respectée dans l'histoire de l'Église. De même, dans les cas des «offrandes faites par les fidèles pour un but déterminé» (can. 1267 §3) et «des biens qui lui sont donnés ou confiés pour des causes pieuses» (cf. can. 325 §2), il faut que la volonté du fondateur ou donateur qui dispose de ses biens soit respectée, par exemple, pour les œuvres de piété, de charité et d'apostolat.

[12] À propos de l'administration et de l'aliénation, les Constitutions, telles que le Code fondamental, devraient donner des directives et des principes de caractère général, laissant les éléments modifiables pour les normes des codes secondaires de l'Institut (can. 587 §§ 1 et 4).

[13] Le Canon utilise le terme fort «*impleantur de diligentissime*» (elles doivent être scrupuleusement respectées), qui exige qu'avec l'acceptation des biens, le motif religieux du donneur soit respecté avec le plus grand soin.

b) *Organes de consultation nécessaires*

En ce qui concerne les organes de consultation, le can. 1280, un canon nouveau par rapport au Code de 1917, exige que chaque personne juridique dispose de son propre Conseil pour les affaires économiques ou au moins de deux conseillers qui aident le Supérieur dans l'accomplissement de sa tâche.[14] Étant donné que les Supérieurs ecclésiastiques ne sont souvent pas élus ou nommés selon le critère de leur capacité à administrer les biens temporels, le Conseil à établir ou à seconder est une aide importante et presqu'indispensable dans le monde d'aujourd'hui, où la gestion des biens exige une compétence technique spéciale. Selon les dispositions du canon, ce Conseil doit être institué pour chaque personne juridique. Dans le cas d'un diocèse, le groupe devrait être présidé par l'Évêque lui-même ou par son représentant et composé d'au moins trois fidèles compétents en économie et en droit civil et de grande intégrité (can. 492). Alors que le Conseil des affaires économiques sera chargé de mettre en évidence les aspects techniques et financiers de l'acte que le Supérieur doit présenter, il appartient au Collège des consulteurs, qui est de constitution post-conciliaire (can. 502), de s'occuper des aspects pastoraux. Selon les normes du Livre V, l'Évêque doit obtenir au préalable l'avis de ces organismes pour les actes d'importance majeure, ou leur consentement dans le cas des actes d'administration extraordinaire (can. 1277), avec les conséquences prévues par le can. 127, requête exigée pour la validité de l'acte.

Pour les Instituts religieux, le consentement exigé dans le Livre V s'obtient auprès du Conseil du Supérieur compétent (cf. can. 638 §3). Rien n'empêche cependant que, pour son gouvernement, le Supérieur dispose d'un autre organisme pour les

[14] Le canon vise «*quaevis persona iuridica*», donc la règle s'applique à toute personne juridique de droit public ou privé. Leur éventuel avis ou approbation doit, selon le can. 127 §1, être demandée sur convocation pour la validité de l'acte. Dans le cas de la nomination de deux conseillers, ils sont considérés comme personnes prises individuellement, pour lesquelles s'applique le can. 127 §2.

affaires économiques qui soit déterminé par le droit propre. Le can. 636 §1 prescrit que, pour chaque institut et province gouvernée par un Supérieur majeur, il y ait un économe, distinct du Supérieur majeur et constitué conformément au droit propre pour administrer les biens sous la direction de leur Supérieur respectif. Alors que l'économe sera responsable de mettre en évidence les aspects techniques et juridiques de l'acte que le Supérieur doit présenter, il revient au Conseil (can. 627) d'assister le Supérieur dans certains aspects particuliers : le discernement des décisions pastorales, la façon d'atteindre sa propre finalité et la relation avec l'Église locale. Pour une bonne administration du patrimoine temporel de l'Institut, il est nécessaire, avant tout, que le Supérieur soit informé de manière adaptée et suffisante sur la situation économique réelle de chaque organisme, aussi bien de leur disponibilité que de leurs besoins, afin qu'il soit dans les conditions d'agir, ce qui est nécessaire dans l'intérêt de la personne juridique.

On attire l'attention sur le fait que, dans le Code actuel, outre les actes d'administration ordinaire, il existe ceux d'administration extraordinaire énoncés dans le Livre V sous le titre de l'administration (Titre II ; cann. 1273-1289). Il existe ensuite une autre catégorie d'actes que la législation de l'Église régit de manière spécifique sous le titre des actes d'aliénation (Titre III ; cann. 1291-1298) et ceux-ci sont distincts des actes d'administration.[15] Cette distinction des facteurs économiques est également présente dans le domaine des biens des Instituts religieux dans le can. 638 §§ 1-3. Dans le domaine de la gestion des activités économiques, il existe, en outre, diverses législations des lois civiles et concordataires.

Les Supérieurs et leurs Conseils, les administrateurs et économes dans les Instituts doivent connaître la distinction entre ces types d'actes ainsi que leurs exigences respectives de procédure en

[15] Par exemple, dans le Livre V, le can. 1277 prévoit la détermination des actes d'extraordinaire administration pour les diocèses et le can. 1281 pour les autres personnes juridiques, alors que le can. 1292 s'intéresse aux actes d'aliénation.

matière de structure canonique et civile pour la bonne administration des Instituts. Mais comment est-ce sérieusement réalisable sans l'aide et l'intervention des experts, et en particulier des laïcs ? Et les laïcs, comment peuvent-ils vérifier si la gestion qu'ils ont réalisée était juste, sans connaître l'esprit et le caractère fondamental de l'Institut ? Un expert dans le domaine canonique devrait connaître l'application de la législation civile et les économes ne devraient pas ignorer les normes du droit canonique. Une seule intervention d'assistance ou une certaine instrumentalisation des experts laïcs ne suffit pas, il faut une collaboration réelle entre les consacrés et les laïcs, basée sur la compréhension correcte de la mission des Instituts. On observe l'exigence de faire participer les personnes intéressées au charisme propre à l'Institut dans le but d'une meilleure collaboration et service.

Conclusion

Comme nous l'avons dit jusqu'ici, le Code cherche un équilibre dans les questions délicates concernant la centralité des finalités dans l'achat, l'administration et l'aliénation. De fait, tous les Supérieurs disposent des compétences nécessaires pour gérer correctement les biens, et de nombreux administrateurs de biens sont occupés surtout par les procédures assez complexes et détaillées en ce qui concerne l'achat, les réserves et l'amélioration des biens, et l'entretien de la situation patrimoniale de chaque organisme. Le respect de la part du Code de droit canonique est constant à l'égard des fins propres des biens possédés par les organismes ecclésiastiques. Face à la réalité particulièrement complexe du monde économique en rapide mutation, les dispositions du Livre V semblent inutiles et impuissantes. Cependant, par quelques canons à caractère général, le Code tente de montrer le principe de la protection juridique des biens de l'Église, en soulignant toujours que la question principale concerne la finalité de l'Église, à savoir le service à l'humanité.

Il faut admettre que ces fins ne sont pas toujours évidentes en ce qui concerne les aspects techniques et juridiques des biens temporels dans les situations concrètes. En ce cas, la conviction que les biens sont des moyens et non des fins est indispensable. Ce qui prévaut avant tout n'est pas le bien en soi, mais la personne juridique qui, à travers les biens, peut réaliser les fins ecclésiastiques. Il est important de se demander si les biens possédés sont vraiment utiles pour atteindre les finalités, spécifiques et spirituelles, pour lesquelles l'Institut est né et existe : le service aux personnes, aux œuvres de charité et d'apostolat pour honorer Dieu, afin qu'une manière correcte d'acquérir, de conserver, d'administrer et d'aliéner des biens puisse porter aussi bien l'Église entière que les Instituts à démontrer leur cohérence évangélique, et que les normes sur les biens temporels puissent permettre d'atteindre cet objectif.

YUJI SUGAWARA, SJ
Professeur de Droit canonique
Doyen de la Faculté de Droit canonique
de l'Université Pontificale Grégorienne – Rome

CHARITÉ, JUSTICE ET LÉGALITÉ

LES BIENS DES INSTITUTS ET L'ORDRE JURIDIQUE NATIONAL

MIROSLAV KONŠTANC ADAM, OP

1. Introduction

La contribution que j'ai l'intention d'apporter se propose d'analyser le rapport entre la charité, la justice et la légalité des biens des Instituts religieux qui se base sur les susdites valeurs en relation avec le système juridique national, question particulièrement complexe.

2. Le rapport entre la justice et la charité

Le célèbre Père dominicain Reginald M. Pizzorni, qui fut tout au long de sa vie un professeur de philosophie du droit de l'Université pontificale romaine de Saint Thomas d'Aquin, du Latran et urbanienne, écrivit en 1995 dans son œuvre *Justice et charité*: «La question des rapports entre la justice et la charité est très ancienne. C'est une question qui marque profondément depuis les origines tout le développement de la pensée occidentale, et qui revient comme un problème de fond à chaque fois, au cours de l'histoire, que la spéculation philosophique se heurte aux problèmes les plus importants des fondements de la vie en commun, des bases des relations sociales, et donc plus spécifiquement, de la nature du droit et de sa fonction dans le consortium humain [...] nous devons admettre qu'aujourd'hui nous vivons dans un monde qui a été de moins en moins gouverné par la raison et par l'amour. La mentalité contemporaine privilégie la justice et considère la charité d'une manière paternaliste. Nous vivons dans une période où la charité est en crise et rejetée au nom d'une présumée justice sociale, et de cette manière on court le risque de perdre l'une et l'autre. Notre monde meurt ainsi pour son égoïsme, pour la frénésie effrénée du profit : il meurt pour avoir trahi la justice et surtout la charité, le don de soi. Mais est-ce qu'une justice est possible si à l'intérieur et au-dessus de la justice même il y n'a pas la charité ? ».[1]

Depuis le XVIIIe siècle, une objection contre l'activité caritative de l'Église a été soulevée et formulée par le célèbre encyclopédiste français Montesquieu : « Quelques aumônes que l'on fait à un homme nu dans les rues ne remplissent point les obligations de l'État qui doit à tous les citoyens une subsistance assurée, la nourriture, un vêtement convenable et un genre de vie qui ne soit point contraire à la santé [...] ».[2]

En ce sens les pauvres n'auraient pas besoin d'œuvres de charité, mais de justice. Il faudrait créer un ordre juste où tous recevraient leur partie des biens du monde et n'auraient donc plus besoin des œuvres de charité. Donc du point de vue mondain, « 'la valeur laïque suprême, comme alternative à la charité, c'est la justice. S'il y avait plus de justice, il y n'aurait pas besoin de la charité'. Ainsi s'exprime Norberto Bobbio, un des plus grands spécialistes italiens du droit de la deuxième moitié du XIXe. En réalité, la justice n'est pas, comme le croit Bobbio et de nombreux autres avec lui, une *alternative* à la charité. Elle en représente plutôt la première (et la plus pauvre) des conditions de possibilité ».[3] « Pour le christianisme, donc, la justice et la charité sont intimement entrelacées, tout en restant distinctes l'une de l'autre : distinction dans l'unité. Cette doctrine revient avec insistance dans les discours et les documents des derniers Pontifes et elle a eu une ample reconnaissance dans la doctrine du Concile Vatican II ».[4] Le dernier point décisif de la question sociale sera la charité qui

[1] R.M. PIZZORNI, *Giustizia e carità*, Bologne 1995, 5 (notre traduction).

[2] MONTESQUIEU, *De l'esprit des loix*, tome troisième, XXIII, 29, à Amsterdam et à Leipzig 1763, 43-44, cit. in F. D'AGOSTINO, *Diritto e giustizia. Per una introduzione allo studio del diritto*, Turin 2000, 87-88.

[3] F. D'AGOSTINO, *Diritto e giustizia*, cit., 38-39 (notre traduction).

[4] R.M. PIZZORNI, *Giustizia e carità*, cit., 7 (notre traduction).

ne doit cependant pas remplacer la justice mais la supposer, comme le remarquait Pie XI dans son encyclique *Divini Redemptoris*: « Mais pour être authentiquement vraie, la charité doit toujours tenir compte de la justice ».[5]

Le Père Pizzorni nous explique: « Il ne peut y avoir une vraie charité sans justice: *la charité suppose la justice*, parce que la première charité, la première preuve d'amour vers le prochain est vraiment celle de lui appliquer la justice, d'accomplir avant tout et complètement notre devoir de justice stricte, et d'en respecter intégralement les droits, c'est-à-dire de lui donner ce qui lui appartient; autrement ce serait une hypocrisie, un masque de l'injustice. Nous ne pouvons pas donner à titre d'aumône ce qui appartient de droit à l'ouvrier: avant de parler de charité, il faut satisfaire la justice: donner à chacun ce qui est le *sien*, si on veut arriver à donner *plus que le sien*, c'est-à-dire le *nôtre* et, si nécessaire, aussi *nous-mêmes*. La vraie charité est au-delà mais *pas en dessous* de la justice; elle commence là où la justice finit. Avant de donner ce qui est sien et nous-mêmes comme *don*, nous devrions avoir donné *le dû*, c'est-à-dire le sien qui est de l'autre, on ne pourra pas non plus faire passer ce qui est dû comme un don, au contraire nous devrons croire, peut-être, que tout soit dû ».[6]

De l'autre côté, « il ne peut y avoir une vraie justice sans charité: *la justice suppose la charité*, dans la mesure où la justice est, à sa manière, une forme d'amour orientée comme elle est au service de l'homme, et c'est l'amour qui pousse à la connaissance toujours plus adaptée et profonde des droits du prochain. Ce n'est pas sans fondement, donc, qu'il fut dit que « la charité d'aujourd'hui est la justice de demain comme la justice d'aujourd'hui fut la charité d'hier » ».[7] Nous pouvons alors affirmer avec Pie XII que c'est

[5] PIE XI, Lett. enc. *Divini Redemptoris*, 19 mars 1937, n. 49, in *Enchiridion delle Encicliche*, 5, éd. bilingue, Bologne 1995, n. 1246.

[6] R.M. PIZZORNI, *Umanesimo sociale cristiano. La Chiesa come permeazione cristiana nel mondo. Ad uso privato*, Roma 1973-1974, 381 (notre traduction).

[7] Cf. V.G. SÉAILLES, *La philosophie du travail*, Paris 1923, 117.

toujours l'amour qui règle les rapports humains et informe la socialité, parce que « si à l'inflexible et rigoureuse justice ne s'unit pas, dans une fraternelle alliance, la charité, très facilement les yeux de l'esprit sont empêchés, comme par l'écran d'un nuage, de voir les droits d'autrui ; les oreilles deviennent sourdes à la voix de cette équité qui, dans une sage et bienveillante application, peut débrouiller et résoudre avec ordre et selon la droite raison les controverses les plus âpres et les plus compliquées ».[8] La vraie charité doit être le complément et le perfectionnement de cette justice et équité que mentionnait Jean XXIII, en invitant, avec un engagement solennel, les chrétiens à la « recomposition des rapports de vie en commun dans la vérité, dans la justice et dans l'amour ».[9] Aussi Francesco D'Agostino, philosophe contemporain du droit explique : « Ni la justice ne peut se duper de rendre la charité superflue, ni la charité ne peut prétendre remplacer la justice. Sans charité, la justice est pharisianisme, mais sans justice, la charité est une forme purement vide ».[10]

Nous devons rappeler que le Christ nous a révélé que Dieu, origine de chaque créature, est charité (cf. *1Jn* 4,8). Le christianisme va encore plus loin et lance un nouveau message : *le message de l'amour, de la charité* ; et l'Église jusque dans son nom fut définie aux premiers siècles : charité (*agápe*). Donc si dans le droit positif et dans la conception des anciens, la charité tend vers la justice, la vertu, la paix et plus haut encore à l'amitié, dans la conception chrétienne, au droit s'associe l'amour : la charité doit compléter le

[8] « *Qua propter, si rigidae destrictaeque iustitiae caritas fraterno foedere non coniungitur, facilius mentis oculi quadam praepediuntur caligine, ne aliena iura cernant ; auresque obsurdescunt, ne vocem illius aequitatis audiant, quae, si volenti sapientique studio edisseratur, asperrimas etiam ac salebrosas causas, quae in controversiam cadunt, ordine rationeque enodare atque explanare potest* » (PIE XII, *Homélie pascale pour la paix*, 9 avril 1939, in *Discorsi e radiomessaggi di Sua Santità Pio XII*, I, Milan 1941, 39).

[9] Cf. JEAN XXIII, Lett. enc. *Mater et Magistra*, 15 mai 1961, IV, 1, in *Enchiridion delle Encicliche*, 7, éd. bilingue, Bologne 1994, n. 434.

[10] F. D'AGOSTINO, *Diritto e giustizia*, cit., 89 (notre traduction).

droit. Ainsi le droit a besoin de la charité pour la réalisation parfaite de ses objectifs juridiques. La doctrine chrétienne thomiste du droit établit ainsi une communion harmonieuse ou une circularité entre le droit divin, le droit naturel et le droit positif, entre justice et charité, parce que, comme l'affirme savamment Saint Thomas d'Aquin, «l'amour est cause de tout ce que nous faisons».[11]

Le Concile Vatican II a également rappelé que l'on doit tout faire avec la justice accompagnée de la charité: «*Iustitia duce, caritate comite*» (*GS* 69), à savoir que l'on doit réaliser les œuvres de la justice sous l'inspiration de la charité: «*Ad opus iustitiae, inspirante caritate, perficiendum*» (*GS* 72). Donc, selon la constitution conciliaire *Gaudium et spes*, la loi fondamentale de la charité est la loi fondamentale de la perfection humaine et donc aussi de la transformation du monde. En effet en Lui l'homme vrai se montra comme un homme qui s'engage généreusement et se prodigue pour le frère, en nous révélant l'homme véritable, et avec cela la loi fondamentale du progrès humain (cf. *GS* 38).[12]

Cette doctrine du droit ne dit donc pas aux hommes: ou droit ou amour, ou justice ou charité; mais droit et amour, justice et charité. Dans l'Allocution de la messe pour la *Journée du développement*, qui s'est tenue à Bogotá, le Pape Paul VI a dit le 23 août 1968: «Que la promotion de la justice et la tutelle de la dignité humaine soit votre charité», et il rappelle que «la justice est la moindre mesure de la charité».[13] Jean-Paul II, aussi, dans son Encyclique *Dives in misericordia*, en 1980, rappelait «que la justice ne suffit pas à elle seule, et même qu'elle peut conduire à sa propre négation et à sa propre ruine, si on ne permet pas *à cette force plus*

[11] «*Quodlibet agens ex amore agit quodcumque agit*» (SAINT THOMAS D'AQUIN, *Summa Theologiæ*, I-II, q. 29, a. 6) (notre traduction).

[12] Cf. R.M. PIZZORNI, *Umanesimo sociale cristiano*, cit., 383-385.

[13] «*La promoción de la justicia y la tutela de la dignidad humana sean vuestra caridad*» (PAUL VI, Allocution de la messe pour *La «Journée du développement»*, Bogotá, 23 août 1968, in *Insegnamenti di Paolo VI*, 1968, Cité du Vatican 1969, vol. VI, 394).

profonde qu'est l'amour de façonner la vie humaine dans ses diverses dimensions ».[14]

Le Pape Benoît XVI s'occupa de la question dans son Encyclique *Deus caritas est*, en 2005, en expliquant que « nous pouvons maintenant déterminer avec plus de précision, dans la vie de l'Église, la relation entre l'engagement pour un ordre juste de l'État et de la société, d'une part, et l'activité caritative organisée, d'autre part. On a vu que la formation de structures justes n'est pas immédiatement du ressort de l'Église [...]. Le devoir immédiat d'agir pour un ordre juste dans la société est au contraire le propre des fidèles laïques. En tant que citoyens de l'État, ils sont appelés à participer personnellement à la vie publique. [...] Même si les expressions spécifiques de la charité ecclésiale ne peuvent jamais se confondre avec l'activité de l'État, il reste cependant vrai que la charité doit animer l'existence entière des fidèles laïques et donc aussi leur activité politique, vécue comme 'charité sociale' ».[15] À l'occasion de la première année du pontificat du Saint-Père François, on pourrait exprimer comme un engagement de mettre en pratique « une parole déjà incarnée et qui cherche toujours à s'incarner » et donc de « réaliser des œuvres de justice et de charité dans lesquelles cette Parole soit féconde ».[16]

« Dans la situation actuelle, et en rapport étroit avec l'engagement de la nouvelle évangélisation, le témoignage de la charité doit être aussi 'pensé en grand' et articulé dans ses dimensions multiples et connexes. En réalité, la charité authentique contient en soi l'exigence de la justice : elle se traduit donc dans la défense passionnée des droits de chacun. Mais elle ne se limite pas à cela, car elle est appelée à vivifier la justice, en introduisant une empreinte de gratuité et de rapport interpersonnel dans les différentes relations

[14] Jean-Paul II, Lett. enc. *Dives in misericordia*, 30 novembre 1980, n. 12, in *Enchiridion delle Encicliche*, 8, éd. bilingue, Bologne 1998, n. 175.

[15] Benoît XVI, Lett. enc. *Deus caritas est*, 25 décembre 2005, n. 29, in *Enchiridion Vaticanum* 23, Bologne 2008, n. 1585.

[16] François, Exhort. ap. *Evangelii gaudium*, 24 novembre 2013, n. 233.

défendues par le droit. La bureaucratie, l'anonymat, le légalisme sont des dangers qui s'insinuent dans nos sociétés : souvent on oublie que ce sont à des personnes que s'adressent les multiples services sociaux. Plus encore, la charité sait déterminer et donner une réponse aux besoins toujours nouveaux que l'évolution rapide de la société fait émerger. Avec son œuvre prévoyante et prophétique la charité s'applique – soit en sollicitant les consciences, soit en bénéficiant des instruments politiques et institutionnels destinés à cela – à faire en sorte que les besoins, quand ils sont authentiques et quand la matière et la situation le permettent, soient reconnus comme des droits et défendus par l'organisation sociale ».[17]

3. Quelques définitions

La *justice* est le respect de la dignité, des droits d'autrui ; elle respecte dans l'autre ce qui est sien, elle donne à chacun ce qui lui appartient : *unicuique suum.*[18] La justice, en effet, a pour matière les « *exteriores actiones et res* ».[19] Nous avons ainsi les rapports de justice sociale fondés sur les exigences nécessaires de la personne humaine, pour lesquelles la justice sociale exige que l'on procure à tous les moyens nécessaires pour vivre, et pour vivre d'une manière digne pour l'*homme.*

La *charité-amitié*, comme vertu naturelle, est la bienveillance, l'amour, qui voit dans l'autre un « *alter ego* », pour qui on désire tout le bien que l'on voudrait pour soi même ; elle tend cependant à la singularité et à l'unicité du rapport d'intimité personnelle...

[17] CONFERENZA EPISCOPALE ITALIANA - COMMISSIONE « GIUSTIZIA E PACE », *Evangelizzazione e testimonianza della carità. Orientamenti pastorali dell'Episcopato italiano per gli anni Novanta*, n. 38, in SEGRETERIA GENERALE CEI, *Notiziario della CEI*, n. 12, 8 décembre 1990, 348-349 (notre traduction).

[18] La définition ancienne et inégalée de la justice, inscrite aussi dans le *Digeste*, provient de Ulpien (IIIe siècle ap. J.-C.), selon laquelle la *justice* consiste à *donner à chacun le sien* (*justitia est constans et perpetua voluntas jus suum cuique tribuendi*). Cf. F. D'AGOSTINO, *Giustizia. Elementi per una teoria*, Cinisello Balsamo 2006, 12.

[19] SAINT THOMAS D'AQUIN, *Summa Theologiæ*, I-II, q. 58, a. 8.

Nous avons ainsi les rapports de charité sociale qui portent la volonté du bien intégral, dans la mesure du possible, de toutes les personnes constituant la communauté sociale ; le bien dû, et aussi celui qui n'est pas strictement dû. La charité veut donc veut que, pour chaque membre dans le besoin de la communauté, les frères subviennent, autant qu'ils peuvent, afin qu'il devienne *plus homme*, qu'il réalise en soi complètement cette dignité et ces dons dont il est porteur. Il s'agit ici de la *philanthropie*, de l'amour de « *amicus humani generis* ».

Mais la *charité chrétienne* (*agápe*), comme vertu surnaturelle, veut quelque chose de plus... La charité, au contraire de l'amitié, tend à l'universalisation du rapport personnel, pour que chacun, chaque individu possible devienne mon « prochain » à aimer comme moi-même.[20]

Puisque la vertu de la justice est ordonnée au bien commun, elle prépare et soutient l'exercice de la charité solidaire, après avoir été le véhicule de la réalisation des exigences moindres de la charité même : donc la reconnaissance des droits d'autrui est le premier pas exigé par la charité.[21]

Le dernier terme à clarifier reste la *légalité.* « Bien que chaque associé soit légitimé à évaluer comme *injuste* une loi, il reste de fait qu'en principe chacun doit reconnaître existante une présomption en faveur de son caractère *obligatoire*, surtout si la loi a été édictée par un législateur démocratiquement légitimé par le corps social. Dans cette perspective, la *légalité* apparaît comme une valeur fondamentale dans tout système juridique. Même dans les cas, de toute façon, où le caractère injuste d'une loi apparaît hors de discussion, la valeur du principe de légalité demeure. En cas de désobéissance ou, pire encore, de résistance à la loi injuste, il s'en suit comme effet paradoxal et objectivement prévisible, celui d'augmenter l'injustice sociale dans son ensemble, plutôt que de

[20] Cf. R. PIZZORNI, *Giustizia e carità*, cit., 11-12.

[21] Cf. R. CAMBARERI, *Il cristiano in politica. La domanda di giustizia nel mondo contemporaneo*, Bologne 1995, 76-77.

l'annuler ou de l'atténuer. Reste valable de toute façon, pour chaque associé, le droit de *critiquer les lois injustes*, qui s'unit au devoir d'opérer, dans les limites de la possibilité d'action de chacun, afin qu'elles soient abrogées ou modifiées ».[22]

4. Le rapport entre justice, charité et légalité

Observer les lois justes est une question de justice. L'avertissement du Concile Vatican II est de grande actualité : « Que tous prennent très à cœur de compter les solidarités sociales parmi les principaux devoirs de l'homme d'aujourd'hui, et de les respecter » (*GS*, 30). Les chrétiens savent qu'« il n'y a pas d'autorité sinon de Dieu » (*Rm* 13,1) et que, donc, chaque commandement juste et chaque vraie loi doivent voir les disciples du Christ prêts à l'obéissance pour la construction du bien commun. Pour cela, l'obéissance aux lois civiles apparaît sensée : le bien de l'individu ou des groupes intermédiaires, d'un côté, et le bien de la société, de l'autre, sont étroitement unis. En un mot, le bien commun est l'âme et la justification du principe de légalité.[23] « La légalité, entendue comme respect et observance des lois, est une forme spéciale de la justice. C'est pourquoi la justice et la légalité, saisies dans leurs racines profondes, jaillissent de la moralité et se représentent comme amour – et pour les croyants comme charité ou amour évangélique – vers chaque personne et vers la communauté ».[24] C'est grâce au don de la charité qu'il est demandé aux croyants d'avoir, à l'intérieur de la société actuelle, une conscience critique et d'être le témoignage concret du vrai sens de la légalité.

[22] F. D'AGOSTINO, *Giustizia*, cit., 49-50 (notre traduction).

[23] Cf. L. LORENZETTI, *Educare alla legalità : « Obbedire alle leggi giuste »*, in www.chiesadimilano.it/polopoly_fs/1.43717.1310480954!/menu/standard/file/foglio_145bis.pdf

[24] G. FOIS, *Synthèse du document de la Commission Justice et Paix de la CEI "Educare alla legalità"*, 4 avril 1991, 8, in www.chiesadimilano.it/polopoly_fs/1.43717.1310480954!/menu/standard/file/foglio_145bis.pdf (notre traduction).

5. Le code de l'action caritative de l'Église

Le sens des *œuvres de charité* dérive de la « charité-agápe », de l'amour que Dieu a eu pour nous en Jésus Christ et qui s'est révélé complètement dans le mystère de Pâques. Dans cette perspective, les œuvres de charité n'ont pas un sens simplement philanthropique, mais elles sont une partie essentielle de l'annonce évangélique de l'Église. Les œuvres de charité sont en étroite relation avec l'évangélisation dont parle le décret conciliaire *Apostolicam actuositatem* (n. 8). Du texte de ce décret a été extrait un code de l'action caritative de l'Église qui a été proposé dans les points suivants :

a) voir dans le prochain l'image de Dieu par qui il a été créé, et du Christ Seigneur auquel il est vraiment donné quand il se consacre à celui qui est dans le besoin ;

b) avoir soin, avec extrême délicatesse, de la liberté et de la dignité de la personne qui reçoit l'aide ;

c) ne pas tacher la pureté de l'intention par la recherche de l'utilité propre ou la volonté de domination ;

d) satisfaire d'abord aux exigences de la justice, afin d'éviter que ce qui s'offre comme don de l'action caritative soit déjà dû à titre de justice ;

e) éliminer non seulement les effets mais aussi les causes du mal ;

f) préparer les institutions et les activités caritatives qui ont comme règle fondamentale celle d'accompagner les assistés, peu à peu, à se libérer de la dépendance d'autrui et à devenir suffisants par eux-mêmes.[25]

À propos de ce texte, un des meilleurs canonistes contemporains, le Cardinal Velasio De Paolis propose d'ultérieures réflexions :

[25] Cf. L. BOGLIOLO (a cura di), *Il decreto sull'apostolato dei laici : genesi storico-dottrinale*, texte en latin et traduction italienne : exposé et commentaire, Turin-Leumann 1966, 209.

1. chaque exercice d'apostolat prend origine et force de la charité;[26]

2. certaines œuvres sont aptes par nature à devenir une vive expression de la charité même. Il s'agit indubitablement des œuvres de miséricorde, aussi bien spirituelles que corporelles; des œuvres caritatives. Parmi les finalités des biens ecclésiastiques, le Concile Vatican II retient la nécessité de «soutenir les œuvres d'apostolat sacré et de charité, spécialement en faveur des indigents» (*PO* 17);

3. on devrait rappeler toute l'histoire de l'Église: celle-ci a été définie comme «canal de la charité»; ses biens ont été appelés «patrimoine des pauvres». Les malades, les enfants, les veuves, les handicapés, les différentes catégories de pauvres de chaque époque, etc., sont les classes privilégiées dans l'attention et la pastorale de l'Église. La construction d'hôpitaux, d'orphelinats, de léproseries, etc., fait partie de l'histoire de l'Église. Les saints se sont distingués en particulier dans les œuvres de charité. L'histoire de l'Église est l'histoire de la charité. «La charité est le cœur de l'Église».[27]

6. Les lois qui règlent les biens ecclésiastiques

Les biens ecclésiastiques, justement parce qu'étant de l'Église et au service de ses finalités, sont sous le gouvernement de l'Église et régis par ses lois. Le can. 1254 § 1 rappelle que le droit aux biens tout comme à leur administration ne dérive pas pour l'Église du pouvoir civil mais de son fondateur. Donc la propriété et l'administration de ceux-ci sont réglées par le droit canonique (cf. cann. 1255-1256) sous l'autorité suprême du Pontife Romain (cf. can. 1256). Le point de référence pour l'administration des

[26] Saint Thomas affirme que la charité est la racine et la mère de toutes les vertus (cf. SAINT THOMAS D'AQUIN, *Summa Theologiæ*, I-II, q. 62, a. 4).

[27] Cf. V. DE PAOLIS, *I beni temporali della Chiesa*, Bologne 1995, 262-263 et 265-266.

biens est le droit de l'Église, aussi bien le droit universel général du Livre V du *CIC*, que le droit universel spécial pour les religieux (cf. cann. 634-640), ainsi que le droit propre (cf. cann. 635 §2 et 687).[28]

Le can. 1257 §1 précise quels sont les biens ecclésiastiques: «Tous les biens temporels qui appartiennent à l'Église tout entière, au Siège Apostolique et aux autres personnes juridiques publiques dans l'Église, sont des biens ecclésiastiques [...]». De fait, les instituts religieux, comme aussi les parties dans lesquelles ils se divisent, c'est-à-dire les provinces et les maisons religieuses érigées, ont, en raison de l'ordre canonique même, la nature de personnes juridiques publiques. C'est justement pour cela que le can. 634 §1 nous dit, en appliquant simplement les cann. 1255 et 1256 que «les instituts, provinces et maisons, en tant que personnes juridiques de plein droit, sont capables d'acquérir, de posséder, d'administrer et d'aliéner des biens temporels, à moins que cette capacité ne soit exclue ou restreinte dans les constitutions». D'où la nécessité que les administrateurs des biens ecclésiastiques connaissent bien la législation et l'esprit tant de l'Église que de leur Institut religieux, afin de les incarner dans leur comportement.

On ne peut cependant pas oublier que l'Église vit dans le temps et a des relations continues avec les sociétés politiques contemporaines: entre elles, il y a une osmose réciproque et continue. Les sociétés civiles peuvent offrir beaucoup à l'Église, spécialement du point de vue technique et culturel, tout comme l'Église peut aussi leur donner beaucoup, en leur présentant le message et les valeurs évangéliques. Une telle osmose, tout long de l'histoire, a été particulièrement forte dans le domaine du droit. Nous ne pouvons pas

[28] Le développement devrait être aussi complété par la législation civile auquel le Code renvoie (cf. can. 1290) et, en Italie, avec le droit concordataire, en particulier lorsqu'il se réfère à la reconnaissance de la personnalité civile juridique, aux actes d'acquisition et à l'exemption des taxes. À ceci il faut ajouter l'étude du Concordat révisé (18 février 1984) et des *Normes concernant les institutions et les biens ecclésiastiques en Italie* (15 novembre 1984). Cf. E. GAMBARI, *I religiosi nel Codice. Commento ai singoli canoni*, Milan 1986, 196, nota 106.

oublier que l'Église s'est développée dans une culture où le droit romain était en vigueur et prédominait. Ce droit, s'il offrit des supports valides à l'organisation et à la structuration de l'Église, subit aussi de grandes influences bénéfiques de la part du message évangélique. Cette influence a été particulièrement accentuée dans le domaine du droit patrimonial. Dans le Code de 1917, nous trouvons le principe du renvoi au droit civil des nations, en particulier dans le can. 1529. Les raisons sont multiples. Nous ne pouvons pas les regarder en détail. Mais il est suffisant de dire que la majorité des États modernes ne reconnaît pas le droit canonique comme une source autonome de droit. Si l'Église voulait l'imposer à tout prix, les disputes seraient fréquentes.

Nous savons aussi que le droit est très diversifié selon les différentes nations : si l'Église prétendait régir avec un seul ordonnancement universel tout le domaine des biens temporels, un minimum d'uniformité serait difficile, voire impossible. Enfin, la réglementation complète sur les biens temporels exigerait une telle masse de lois qu'elles alourdiraient énormément la vie ecclésiale jusqu'à la rendre presque impossible. L'Église, toutefois, dans sa prudence a choisi une voie sage, en ligne, du reste, avec la tradition : elle a édicté une législation très limitée, qui régit les principes et les problèmes essentiels des biens ecclésiastiques.

Le Livre V est le plus bref du Code. Pour le reste, il a accueilli – « canonisé » – la législation civile. Par le mécanisme de la canonisation, d'un côté, l'Église sauve le principe de sa compétence exclusive en ce qui concerne sa propre vie, et de l'autre, elle s'adapte aux situations locales : ces lois formellement sont des lois ecclésiastiques, de sorte que les lois civiles obligent les croyants à l'intérieur de l'Église, par disposition de l'autorité ecclésiastique même : il s'agit de véritables lois ecclésiastiques. Par contre, matériellement, c'est-à-dire dans leur contenu, ce sont des lois émanant des nations dans laquelle l'Église vit. Le can. 22 nous donne le principe général sur la canonisation des lois civiles : « Les lois civiles auxquelles renvoie le droit de l'Église doivent être observées en droit canonique avec les mêmes effets, dans la mesure où elles ne sont pas contraires au droit divin et sauf disposition autre du droit canonique». Pour cette raison, dans les contrats de tout genre, il faudra observer les règles du droit civil, selon la norme du can. 1290.

De la canonisation, cependant, il faut distinguer les règles qui renvoient au droit civil, ou pour motif de prudence ou parce qu'il s'agit de dispositions de la législation civile. En voici quelques exemples: le can. 668 §4 recommande dans la mesure du possible, que le renoncement aux biens soit fait aussi dans la forme civile pour ne se pas trouver en difficulté devant la loi civile et pour bénéficier des avantages qui viennent du fait qu'ils ont aussi des effets civils. Cela vaut également pour la norme du can. 1274 §5, qui veut que les instituts mentionnés dans le même canon aient aussi une efficacité dans le droit civil. Font également partie des mesures de prudence, la norme du can. 1284 §2, 2°, qui veut que les titres de propriété des biens ecclésiastiques soient assurés devant la loi civile et celle du même canon, §2, 3°, qui recommande que l'inobservance de la loi civile ne cause pas de dommages à l'Église. Le can. 1293 §2, à propos des aliénations, impose que «les autres précautions prescrites par l'autorité légitime seront aussi observées pour éviter tout dommage à l'Église». Le can. 1299 §2 recommande que «dans les dispositions pour cause de mort en faveur de l'Église, les formalités juridiques du droit civil seront observées autant que possible»; mais précise que, si celles-ci furent omises, «les héritiers doivent être avertis de l'obligation à laquelle ils sont tenus d'accomplir la volonté du testateur»; et le can. 1296 fait l'hypothèse d'aliénations invalides pour la loi canonique, mais valides pour la loi civile. En revanche, la norme du can. 1286, au sujet des lois civiles à propos des travaux et de la rétribution est simplement un rappel à une obligation et s'impose déjà en soi par force de la loi civile même.[29]

[29] V. De Paolis, *La vita consacrata nella Chiesa*, Édition revue et augmentée par V. Mosca, Venise 2010, 409-412.

7. La « *sana cooperatio* »[30]

Les systèmes juridiques nationaux ne sont pas égaux ; surtout en Europe ils très sont divers.[31] À propos des œuvres d'éducation et de charité réalisées de la part de l'Église Catholique, en particulier de la part des instituts religieux, la situation hostile des gouvernements libéraux passés, anticléricaux et socialistes, avait changé considérablement. Différents gouvernements laïques, surtout dans les ex-pays socialistes, gouvernés pendant quarante ans par les communistes, dans l'ex-Union Soviétique pendant plus de soixante-dix ans, étaient convaincus de résoudre la question de la justice sociale une fois pour toutes. Sans aucun doute, dans le champ social, beaucoup a été fait. Il est vrai que la règle fondamen-

[30] « Vatican II revient avec insistance, en souhaitant une *sana cooperatio* entre l'Église et communauté politique, qui sera d'autant plus efficace qu'elle correspond au fondement et aux finalités que le Concile lui assigne. Une collaboration qui se justifie dans la mesure où toutes deux, 'quoique à des titres divers, sont au service de la vocation personnelle et sociale des mêmes hommes' (*GS* 76). La constitution conciliaire observe que l'homme 'n'est pas limité aux seuls horizons terrestres, mais, vivant dans l'histoire humaine, il conserve intégralement sa vocation éternelle', et que, d'autre part, l'Église, 'en prêchant la vérité de l'Évangile, en éclairant tous les secteurs de l'activité humaine par sa doctrine et par le témoignage que rendent des chrétiens, [...] respecte et promeut aussi la liberté politique et la responsabilité des citoyens' (*GS* 76) » (G. DALLA TORRE, *La città sul monte. Contributo ad una teoria canonistica sulle relazioni fra Chiesa e Comunità politica*, Roma 1996, 111-112). Sur le régime des institutions religieuses quant à la juridiction de l'État italien, voir C. CARDIA, *Ordinamenti religiosi e ordinamenti dello Stato. Profili giurisdizionali*, Bologne 2003, 148-158.

[31] Cf. W. LOSKAND, *Církevní majetek ve Spolkové republice Německo*, in *Revue církevního práva* 1 (1995) 101-112 ; J. LISTL, *Vztah mezi státem a církvemi v Německu*, in *Revue církevního práva* 2 (1996) 1-10 ; H. KALB, *Rakouské konfesní právo v současné politické diskusi*, in *Revue církevního práva* 2 (1996) 19-28 ; R. SOBAŃSKI, *Teoretické základy a praktické uskutečňování vztahu stáu a církve v některých evropských zemích*, in *Revue církevního práva* 2 (1996) 83-94 ; J. LISTL, *Základy současných vztáhu mezi státem a církví v moderních západních demokraciích*, in *Revue církevního práva* 2 (1996) 95-103 ; N. MICHEL, *Církev a stát ve výcarsku*, in *Revue církevního práva* 2 (1996) 105-122 ; H.C. VERYSER, *Financování činnosti církvi ve Spojených státech amerických*, in *Revue církevního práva* 2 (1996) 169-178 ; H. MARRÉ, *Systémy financování církví v zemích Evropské unie a v USA*, in *Revue církevního práva* 4 (1998) 65-79.

tale de l'État doit être la poursuite de la justice et que le but d'un ordre social juste est de garantir à chacun, dans le respect du principe de subsidiarité, sa partie des biens communs. Avec le changement du système politique et le rétablissement de la démocratie et de la liberté religieuse, on a dû constater cependant que la pauvreté aussi bien spirituelle que matérielle, n'avait pas disparu mais qu'au contraire, s'est manifesté le besoin des œuvres de charité, précédemment non permises, voire interdites.

Dans ces Pays, l'État, habitué à s'occuper totalement du domaine social, continue à accomplir cette obligation de justice. En même temps, il a permis aux Églises actives sur le territoire de chaque État d'introduire et d'accomplir les œuvres d'éducation et de charité, lesquelles sont en effet accomplies par les différents Instituts religieux, tant masculins que féminins. Benoît XVI l'affirme dans son Encyclique *Deus caritas est*, publiée en 2005 : « L'amour – *caritas* – sera toujours nécessaire, même dans la société la plus juste. Il n'y a aucun ordre juste de l'État qui puisse rendre superflu le service de l'amour. Celui qui veut s'affranchir de l'amour se prépare à s'affranchir de l'homme en tant qu'homme. Il y aura toujours de la souffrance, qui réclame consolation et aide. Il y aura toujours de la solitude. De même, il y aura toujours des situations de nécessité matérielle, pour lesquelles une aide est indispensable, dans le sens d'un amour concret pour le prochain. L'État qui veut pourvoir à tout, qui absorbe tout en lui, devient en définitive une instance bureaucratique qui ne peut assurer l'essentiel dont l'homme souffrant – tout homme – a besoin : le dévouement personnel plein d'amour. Nous n'avons pas besoin d'un État qui régente et domine tout, mais au contraire d'un État qui reconnaisse généreusement et qui soutienne, dans la ligne du principe de subsidiarité, les initiatives qui naissent des différentes forces sociales et qui associent spontanéité et proximité avec les hommes ayant besoin d'aide. L'Église est une de ces forces vives [...]. L'affirmation selon laquelle les structures justes rendraient superflues les œuvres de charité cache en réalité une conception matérialiste de l'homme : le préjugé selon lequel l'homme vivrait 'seulement de pain' (*Mt* 4,4 ; cf. *Dt* 8,3) est une conviction qui humilie l'homme et qui méconnaît précisément ce qui est le plus spécifiquement humain ».[32]

Il est intéressant remarquer que, dans nombreux de ces Pays (République Tchèque,[33] Slovaquie,[34] Hongrie, Roumanie, Lituanie,[35] Lettonie[36]), l'État non seulement permet les œuvres d'éducation et de charité, mais qu'il s'engage aussi à offrir les moyens nécessaires comme les bâtiments, appareils, outils et aides financières à 50% et au-delà, dans certains cas à plus de 80%, en demandant à l'Église d'offrir le personnel comme les prêtres, les moines, les sœurs, les laïcs préparés et spécialisés, payés, ou mieux employés par l'État, pour déployer toutes les activités mentionnées, à la condition d'observer les lois de l'État. L'État, dans ces Pays, le permet et le fait, en faisant appel à la justice, en disant qu'il serait injuste de demander aux citoyens qui paient les impôts de payer encore une fois pour les services offerts de la part des institutions éducatives, sociales et charitables de l'Église; ils seraient en effet discriminés par rapport aux autres citoyens qui s'adressent uniquement aux institutions de l'État. Il y a un autre motif pour lequel les États mentionnés le font: les gouvernements se sont rendu compte que les services éducatifs, sanitaires, sociaux et charitables offerts de la part des sœurs et des fidèles laïcs convaincus dans leur foi, sont différents de ceux offerts par les employés de l'État.

[32] BENOÎT XVI, Lett. enc. *Deus caritas est*, n. 28, in *Enchiridion Vaticanum* 23, n. 1584.

[33] Cf. J. PALLA, *Daňově zvýhodněné dary církvím*, in *Revue církevního práva* 1 (1995) 35-36; J.R. TRETERA, *Stát a církve v České republice*, Kostelní Vydří 2002, 92-107, 131-132 et 145.

[34] Cf. M. NEMEC, *Právne postavenie a činnosť cirkví v Slovenskej republike*, in *Revue církevního práva* 2 (1996) 151-168; J. MARČIN, *Sytuacja ekonomiczna Kościoła Rzymskokatolickiego na Słowacji w świetle prawa kanonicznego i prawnego porządku Republiki Słowacji*, Košice 2013, 160-169 et 176-186.

[35] Cf. G. PENEMOTE, *Fundamento antropológico do princípio de "sana cooperatio" – Justificação das relações jurídicas actuais entre a Igreja e a Comunidade Política*, Thesis ad Doct. in Utroque Iure apud Pont. Univ. Lateranensis, Rome 2004, 181-183.

[36] Cf. G. PENEMOTE, *Fundamento antropológico*, cit., 180-181.

Enfin, pour certains services urgents et nécessaires, il manque de personnes disponibles, donc les gouvernements laïcs demandent l'aide personnelle de la part de l'Église et ils sont prêts à financer les projets gérés par les religieux seuls, par exemple le Centre National Antidrogue à Bratislava, en Slovaquie, confié aux Pères Salésiens ou les œuvres d'éducation des Tziganes dans diverses localités de Slovaquie confiées aux différentes congrégations religieuses masculines mais aussi féminines. Tout ceci est garanti par un type de concordat, « Accord-base entre le Saint-Siège et la République Slovaque », du 24 novembre 2000.[37]

Pour illustrer ceci, voici le texte des articles 16 et 17 de l'« Accord-base entre le Saint-Siège et la République Slovaque » :

> « Art. 16, 1. L'Église Catholique a le droit d'accomplir l'activité pastorale, spirituelle, formative et éducative dans toutes les institutions nationales de formation, éducatives et de santé, dans les institutions nationales de services sociaux, y compris celles destinées à l'éducation institutionnelle obligatoire, au soin et à la réinsertion sociale des toxicomanes, conformément aux conditions fixées entre l'Église Catholique et l'institution respective. La République Slovaque assurera les conditions adaptées pour l'exécution de ce droit. Les personnes prises en charge par ces institutions ont le droit de participer à la Messe du dimanche et durant les fêtes de précepte et la liberté d'accomplir tous les actes religieux.
>
> 2. Les Hautes Parties collaboreront à la réalisation des projets communs dans les secteurs des soins de santé, de la formation et de l'éducation, et dans celui de l'assistance aux personnes âgées et aux malades. Ces projets concerneront les écoles, les institutions éducatives et de santé, les institutions de services sociaux, de thérapie et de réinsertion des toxicomanes. Le Saint-Siège garantit que l'Église Catholique promouvra ces projets surtout avec le personnel ; la République Slovaque y pourvoira, en mesure proportionnelle, surtout matériellement et financièrement ».[38]

[37] Cf. Konferencia Biskupov Slovenska, *Základná zmluva medzi Svätou stolicou a Slovenskou republikou s komentárom*, Bratislava 2001, 18-27.

[38] Konferencia Biskupov Slovenska, *Základná zmluva...*, cit., 24 (notre traduction).

« Art. 17, 1. L'Église Catholique a le droit d'accomplir les activités de formation, éducatives, scientifique-expérimentales, missionnaires, caritatives, de santé et sociales. Ce droit comprend aussi la constitution, la propriété et la gestion d'institutions de ce genre conformément aux conditions établies dans l'ordonnancement juridique de la République Slovaque.

2. En ce qui concerne les remboursements pour les prestations de santé, de la part de l'organisme de l'assurance obligatoire, les institutions mentionnées au paragraphe 1 ont les mêmes droits et devoirs que les institutions nationales de même catégorie.

3. Le Saint-Siège garantit que l'Église Catholique participera à l'assurance financière de ces institutions. La contribution financière pour les institutions ecclésiastiques de la part du bilan national de la République Slovaque sera établie avec une Entente spéciale selon l'article 20 du présent Accord ».[39]

8. Conclusion

Il est fondamental que les Instituts religieux appliquent, dans la gestion de leurs biens temporels, les valeurs de la charité, de la justice et de la légalité, et que les actes patrimoniaux obtiennent leur efficacité aussi sur le plan civil, en étant réalisés en conformité à la législation civile de la nation où ils sont soumis. Dans ce cas, se vérifie la situation singulière de deux autorités distinctes – religieuse et civile – lesquelles opèrent sur le même peuple et sur le même territoire. D'où une raison ultérieure de collaboration entre les deux autorités, religieuse et civile, chacune ayant des finalités bien différenciées mais avec l'intention de réglementer les questions d'intérêt commun.

MIROSLAV KONŠTANC ADAM, OP
Professeur de Droit canonique
Recteur de l'Université Pontificale « Angelicum » – Rome

[39] KONFERENCIA BISKUPOV SLOVENSKA, *Základná zmluva...*, cit., 25 (notre traduction).

SECONDE SESSION

Modérateur

SŒUR NICLA SPEZZATI, ASC

Sous-Secrétaire CIVCSVA

LA COMPLEXITÉ DANS LA GESTION DES BIENS DE L'INSTITUT : RELATION ENTRE AUTORITÉ DE GOUVERNEMENT ET SERVICE DES ÉCONOMES

ÁLVARO RODRÍGUEZ ECHEVERRÍA, FSC

Introduction

Comme l'indique le titre, j'expose dans ces lignes la relation qui doit exister entre l'autorité du Gouvernement général et le service de l'Économe d'une Congrégation ou Institut. Je pense que, dans un premier temps, nous pouvons éclairer cette relation avec l'Évangile, et pour le faire il convient de contempler la manière d'agir de la communauté de Jésus. Dans un deuxième temps, nous plaçons cette relation dans le monde globalisé dans lequel nous vivons. Il me semble important d'éclairer la réalité économique actuelle complexe avec la Parole de Dieu. L'économie est une dimension essentielle de la vie et Jésus la reconnaît comme telle dans le Nouveau Testament, en particulier dans l'Évangile de Saint Mathieu, ancien percepteur d'impôts :

- « Le royaume des Cieux est comparable à un trésor caché dans un champ » ou à « une perle de grande valeur » (*Mt* 13,44-46).
- « Quel est celui d'entre vous qui, voulant bâtir une tour, ne commence par s'asseoir pour calculer la dépense et voir s'il a de quoi aller jusqu'au bout ? », demande Jésus (*Lc* 14,28).
- D'autres paraboles nous parlent du patron qui vient et de la nécessité de savoir placer les talents de façon à les faire fructifier (*Mt* 25,14-30 ; *Ac* 22,12) ; du contrat et du salaire dû aux vignerons

(*Mt* 20, 1-16) ; du roi qui avait décidé de faire les comptes avec ses serviteurs (*Mt* 18,23-35).

• Jésus décrit les caractéristiques du bon administrateur et en fait l'éloge : « Que dire du serviteur fidèle et sensé à qui le maître a confié la charge des gens de sa maison, pour leur donner la nourriture en temps voulu ? » (*Mt* 24,45). Ces mots définissent bien, selon moi, comment doivent être nos Économes généraux.

• Saint Paul met en garde à son tour ceux qui aspirent à être évêques et « ne savent pas diriger leur propre maison » (*1 Tm* 3,5).

• Certes, nous voyons que Jésus relativise la valeur de l'argent quand il dit à ses disciples : « Ne vous procurez ni or ni argent, ni monnaie de cuivre à mettre dans vos ceintures, ni sac pour la route, ni tunique de rechange, ni sandales, ni bâton ». Mais nous ne devons pas oublier qu'il ajoute immédiatement après : « L'ouvrier mérite sa nourriture » (*Mt* 10,9-10).

Mathieu avait de l'expérience dans le domaine économique, mais malgré cela et les citations qu'il nous a laissées en la matière, il n'a pas été l'Économe de la communauté apostolique. Nous savons que ce fut Judas, et sûrement le dit-il pour nous indiquer ce que les économes ne doivent pas faire et pour nous aider à vivre cette responsabilité sans peur et tremblement, mais au contraire avec transparence et honnêteté.

Je crois qu'il est clair pour nous tous que nous nous trouvons, qu'on le veuille ou non, dans un monde globalisé, et que notre référence doit être l'Évangile. En 2002, à l'Assemblée du mois de mai, l'Union des Supérieurs Généraux a réfléchi en profondeur sur l'Économie et la Mission dans la vie consacrée dans le monde actuel. Au cours de cette Assemblée, on constatait qu'aujourd'hui le monde économique se trouve dans un processus de globalisation dû à l'intégration, l'interdépendance et la mondialisation du marché et des ressources disponibles. Pour certains, il s'agit d'une « fausse aurore » qui favorise l'individualisme, l'isolement et la fragmentation sociale. D'autres croient possible d'humaniser la globalisation économique, en favorisant une éthique économique attentive à la protection de l'environnement et aux droits des exclus. Confrontés à cela, nous pouvons nous demander si humaniser la globalisation économique et l'économie mise au service de la personne, en commençant par nos Instituts et par nos gouvernements centraux, ne serait pas une manière concrète de vivre nos charismes dans le monde d'aujourd'hui et une des meilleures manières de servir l'Église et sa mission de salut, comme du reste le Pape François nous le demande à plusieurs reprises.

Par chance, nous pouvons compter sur les normes institutionnelles qui nous aident à exercer notre fonction de Supérieur général ou d'Économe général. À ce sujet, je rappelle les canons suivants :

- Can. 635 § 1 : « Les biens temporels des instituts religieux, en tant que biens ecclésiastiques, sont régis par les dispositions du livre V [...] Les biens temporels de l'Église ».
- Can. 635 § 2 : « Cependant, chaque institut fixera pour l'usage et l'administration des biens des règles appropriées qui favorisent, défendent et expriment la pauvreté qui lui est propre ».
- Can. 636 § 1 : « Dans chaque institut et pareillement dans chaque province gouvernée par un Supérieur majeur, il y aura un économe distinct du Supérieur majeur et constitué selon le droit propre, qui administrera les biens sous la direction du Supérieur respectif. Même dans les communautés locales, un économe distinct du Supérieur local sera établi autant que possible ».
- Can. 636 § 2 : « À l'époque et de la manière déterminée par le droit propre, les économes et les autres administrateurs rendront compte de leur administration à l'autorité compétente ».

1. Vision

Le grand défi que nous avons devant nous, accentué par la crise économique et financière, est celui de démontrer, en termes d'idées et de comportements, qu'on ne peut pas négliger ou atténuer les principes traditionnels de l'éthique sociale, tels que la transparence, l'honnêteté et la responsabilité.[1]

Vision : en tenant compte des valeurs évangéliques, comment voulons-nous être vus par les autres – autorité civile, société, Église, etc. ? Selon moi, nous voulons tous que les autres voient en nous – animateurs et administrateurs – des personnes aptes à exercer notre fonction avec éthique, transparence, honnêteté et sens de la responsabilité. Il y a quelque temps, le *Wall Street Journal* a présenté une étude approfondie sur les finances de l'Église catholique aux États-Unis. Les auteurs de l'étude assurent, d'un côté, que l'argent de l'Église est administré honnêtement et, de l'autre, que les décisions sont prises plus par compassion envers le requérant que selon des critères objectifs et techniques qui répondent à une bonne administration. On court le risque d'agir selon des raisonnements dictés par la confiance, encouragés par la bonté envers les autres, dans le désir de respecter la conscience d'autrui, etc. Et non d'agir selon des objectifs précédemment fixés.

La presse et la télévision ont avili – ou du moins ont tenté d'avilir – l'image des administrateurs d'institutions d'orientation chrétienne. Et plus que jamais nous devons agir avec vérité et transparence devant la société. Le moment est arrivé de devoir soutenir et/ou récupérer notre image et notre crédibilité. Et nous réussirons si nous administrons dans un esprit évangélique et, en même temps, avec compétence et professionnalisme.

2. Complémentarité dans le service

Je m'en remets à l'expérience de notre Institut. Le gouvernement central de l'institut est au service des Frères et de la mission qu'ils accomplissent dans les Provinces ou unités administratives. Les provinces jouissent de leur autonomie administrative qui leur est due dans les limites établies par le Droit Canonique et nos normes juridiques recueillies dans un Directoire Administratif,

[1] Cf. Benoît XVI, Lett. enc. *Caritas en veritate*, 36.

dont la dernière version a été publiée par le Supérieur général et son Conseil en 1998.

Dans le cadre administratif, il est aussi prudent et opportun de maintenir le principe de subsidiarité. Concrètement, le Supérieur général ne gère pas les biens de l'Institut, mais garantit que cette administration se déroule dans le respect du Droit Canonique et du Droit propre de l'Institut. L'autonomie administrative et financière des Provinces est un bien essentiel car elle permet de maintenir un niveau de culture financière et de responsabilité économique locale, mais elle doit être encadrée par un Directoire Administratif général qui indique les limites auxquelles se conformer.

Il s'agit d'une responsabilité partagée, tant de la part du Supérieur général que de l'Économe général, et chacun d'eux détient aussi une responsabilité morale dans le déroulement des fonctions respectives. De manière claire et simple, nous pouvons dire que l'*administration* est du ressort de l'Économe général et la *direction* revient au Supérieur, seul ou avec son Conseil. Naturellement, dans le déroulement de la tâche administrative, l'Économe doit avoir une vision charismatique de l'institut, car nous ne parlons pas d'une entreprise, mais d'une mission évangélique, et c'est celle-ci qui doit guider ses décisions administratives toujours en faveur de la mission de l'Institut. Il est donc nécessaire qu'entre les deux s'établisse une collaboration charismatique-ecclésiologique, vécue avec fidélité et rigueur éthique. L'Économe général ne peut de toute façon, jamais être réduit à être un simple délégué chargé par le Supérieur.

Dans cette mission partagée, l'Économe se place dans une relation de dépendance responsable et mature du Supérieur auquel il doit rendre compte de l'administration. Mais sa mission ne se réduit pas à celle d'un simple comptable. De fait, il doit assurer la gestion des biens pour tout ce qui concerne la conservation, l'usage correct et les investissements. Comme il a déjà été dit, l'Économe jouit d'une marge de liberté et d'initiative personnelle, indiquée dans le Droit propre de chaque Institut, dans notre cas dans le Directoire Administratif. Il peut aussi compter sur l'aide précieuse d'un Conseil économique, qui dans notre cas, est un conseil au niveau international. Pour sa part, le Supérieur maintient la direction de l'administration selon la ligne marquée par la pensée charismatique et par les choix fondamentaux concernant la destination et l'usage des biens, toujours dans le respect de l'identité ecclésiale des biens mêmes.

Dans notre Institut, il est de tradition que le Supérieur général accomplisse sa responsabilité dans le domaine de l'administration financière avec le Conseil général, ce qui veut dire que tous les Conseillers généraux sont impliqués dans le processus pour garantir que l'administration avance en respectant la loi externe et interne. Ce n'est pas seulement une gestion partagée, mais aussi suivie, évaluée et assumée par tout le Conseil général, en collaboration avec le Supérieur. Par conséquent, l'Économe général administre les biens de l'institut sous l'autorité du Supérieur général et du Conseil général.

Cette complémentarité dans le service administratif de l'Institut se reflète de manière explicite dans notre Directoire Administratif, en particulier par rapport aux fonctions du Conseil général. Il est logique que l'Économe général soit responsable devant le Supérieur général et le Conseil général, en rendant compte de son travail. Le rapport de l'Économe général avec le Supérieur et avec son Conseil ne doit pas nous faire oublier que le gouvernement d'un Institut religieux n'est pas collégial, mais personnel et qu'en conséquence, en matière économique et dans les décisions économiques, la responsabilité finale incombe au Supérieur général.

3. Fonctions du l'Économe général

Avant d'indiquer quelles sont les fonctions de l'Économe général, il est opportun de rappeler que le can. 636 précédemment mentionné, exige que l'Économe de l'Institut ou d'une Province soit distinct du Supérieur général ou provincial. Cette obligation sage permet au Supérieur de se sentir plus libre dans sa mission d'animation et de direction de l'Institut, en évitant la concentration toujours négative de charges et, par conséquent, de pouvoir dans les mains de la même personne. Les fonctions de l'Économe général incluent les aspects suivants: gestion, contrôle, aide et conseil, formation et information. Je me limite à quelques exemples parce qu'il n'est pas possible, compte tenu du temps à disposition, d'offrir une vision complète présente dans notre Directoire Administratif.

1. Gestion
   a) Il administre les biens du Gouvernement central.
   b) Il prépare le devis annuel du Gouvernement central et le présente au Frère Supérieur et à son Conseil pour étude, discussion et approbation.
   c) Il gère les différents fonds du Centre de l'Institut, les investissements..., etc.
2. Contrôle
   a) Il contrôle la réalisation du devis au cours de l'année avec l'aide du Conseil Économique International.
   b) Il contrôle périodiquement les résultats obtenus par les «opérateurs» chargés de gérer nos investissements.
   c) Il contrôle les états financiers que les Provinces envoient au terme de l'exercice.
3. Aide/Conseil
   a) Il agit comme conseiller principal du Frère Supérieur général pour toutes les affaires économiques et financières.
   b) Il étudie les demandes présentées par les Provinces, relatives aux autorisations de dépenses pour les constructions, à l'acquisition de terrains, à la vente de terrains ou d'immeubles, et donne son avis avant le vote du Conseil général.
   c) Il peut être envoyé par le Frère Supérieur ou par son Conseil en mission d'étude ou pour conseiller les Provinces en difficulté; avec l'accord du Frère Supérieur il peut déléguer une autre personne pour s'occuper de cette mission.

4. Formation
   a) Il se préoccupe de la formation des futurs économes des Provinces.
   b) Il organise des sessions de formation comptable, en cas de besoin, pour les jeunes Provinces et fait en sorte que l'on établisse des systèmes de travail et de comptabilité homogènes.
   c) Il organise les réunions régionales des Économes provinciaux et, éventuellement, les rencontres des Économes provinciaux de tout l'Institut.
   d) Les rapides changements en cours dans le monde des finances exigent une formation permanente de l'Économe général.
5. Information
   a) Il informe régulièrement le Frère Supérieur général et son Conseil sur la situation financière du Gouvernement central.
   b) Il prépare un rapport financier pour le Chapitre général, qui couvre toute la période passée depuis le dernier Chapitre.
   c) Il envoie annuellement aux Frères Provinciaux et à leurs Économes les informations sur la situation financière du Gouvernement central et le rapport des vérifications.

4. Rapports Institutionnels

Les rapports de dépendance de l'Économe sont des rapports institutionnels réglés, c'est-à-dire qu'ils sont encadrés soit par le Droit Canonique, soit le Droit propre et, en particulier, celui du Directoire Administratif de l'Institut. La figure de l'administrateur comme « un mandaté » qui exécute les décisions prises par d'autres n'est plus acceptée par la société et ni même par la loi : l'administrateur doit être fiduciaire. L'Économe général, donc, en qualité d'administrateur fiduciaire, est par norme responsable devant le Conseil général et devant la loi de la gestion des biens de l'Institut de manière professionnelle, éthique et juridique.

L'Économe doit assumer la responsabilité d'une comptabilité fidèle, c'est-à-dire, une comptabilité qui reflète exactement tout l'actif et le passif de l'institution; une comptabilité où toutes les transactions financières doivent être correctement enregistrées, et une comptabilité en règle avec les normes comptables du pays. L'Économe général disposera de délais et de modalités suggérés par le Supérieur général au moins à chaque trimestre pour pouvoir rendre compte au Conseil général en s'assurant ainsi que dans l'administration de l'Institut la transparence est la norme. La transparence se réfère au devoir de l'Économe ou de l'administrateur d'exposer et soumettre à l'examen de l'autorité et du Conseil l'information relative à sa gestion, à l'utilisation des ressources que l'institution lui a confiées, aux critères suivis dans les décisions.

5. Importance du Conseil général

Le Conseil général, qui est le corps institutionnel légitimement élu par le Chapitre général, doit être conscient de l'ultime responsabilité qu'il a vis-à-vis des biens de l'Institut. Aujourd'hui, les faits invitent à se rendre compte de la responsabilité – aussi juridique – que comporte la non-action, le non-accomplissement des obligations institutionnelles.

Cette responsabilité doit être active, c'est-à-dire:

- Le Conseil général doit nommer le Conseil économique qui accompagnera l'Économe général dans la gestion des biens de l'Institution.
- Au-delà des fonctions que le Droit interne assigne au Conseil Économique, le Conseil général peut demander au susdit Conseil d'autres fonctions ou d'autres services.
- En outre, il appartient au Conseil général d'établir la limite de dépenses de l'Économe général.
- Il est important que le Conseil général étudie et, si c'est le cas, approuve les rapports financiers présentés par l'Économe général.

• Il a l'obligation de ratifier le manuel des fonctions du personnel préposé à l'administration.

• Un de ses devoirs est de fixer les critères d'administration institutionnelle.

• En accord avec le règlement intérieur, le Conseil général doit sanctionner les actes d'administration extraordinaire.

• Une des obligations du Conseil général est d'approuver le devis ordinaire annuel de l'Institut, après une étude soignée.

• La nomination des réviseurs externes appartient au Conseil général.

6. L'administration ordinaire

L'administration ordinaire de l'Institut est réglée par le budget ordinaire annuel préparé par l'Économe général, en collaboration avec le Conseil économique, avant l'approbation définitive de la part du Conseil général. Le devis doit être promoteur des objectifs du gouvernement de l'Institut, c'est-à-dire, manifester les priorités pour l'année en cours. Les devis extraordinaires et pluriannuels et leur liquidation sont des documents indispensables pour l'évaluation de la réalisation de la part de l'Économe général et du Conseil économique.

Le Supérieur général fera en sorte que la transparence soit la norme tout au long du processus d'administration ordinaire. La transparence exige qu'il y n'ait ni transactions, ni comptes secrets. La transparence dans la gestion suppose d'avoir des archives bien organisées : conserver la documentation comptable pour tout le temps établi par la loi. La transparence demande de mettre l'information à disposition de l'autorité et du Conseil général :

• Nous ne sommes pas propriétaires des biens que nous administrons, ni de l'information qui les protège.

• Conserver de manière exclusive l'information des sujets administratifs engendre de sérieux problèmes à l'institution.

7. L'administration extraordinaire

Pour les acquisitions, les opérations d'entretien, les constructions, etc. qui dépassent un plafond monétaire préalablement fixé par le Conseil général, et qui ne font pas partie du bilan annuel régulier de l'Institut, la transparence demande de recourir à différentes offres libres (compétitions d'adjudication).

L'Économe général, avec l'avis positif du Conseil Économique, présente au Conseil général le devis extraordinaire correspondant aux opérations d'administration extraordinaire. Pour pouvoir procéder, il est nécessaire d'avoir l'approbation écrite du Conseil général.

Le Conseil général exercera sa vigilance afin d'éviter de possibles conflits d'intérêts dans l'administration de l'Institut. Dans une gestion qui se veut éthique et transparente, les transactions subtilement conditionnées par des cadeaux personnels ne sont pas acceptables, et les faveurs personnelles ne doivent pas non plus influencer les décisions administratives.

8. La gestion du patrimoine

Le Conseil Économique pour l'Institut contrôle, avec l'Économe général, l'investissement du patrimoine. Le Supérieur général veille à ce que soient appliqués la responsabilité sociale et les principes éthiques catholiques.

Étant donné que l'Institut est une congrégation religieuse, ne sont pas acceptables dans son portefeuille les activités à haut risque, ou dépourvues de transparence interne comme les fonds spéculatifs – hedge funds –, les actions qui n'ont pas été publiquement négociées, le capital-risque, les produits structurés...

9. L'audit – révision externe

Pour des raisons de transparence, afin d'informer l'Institut que l'administration est en conformité avec ses normes administratives et qu'elle respecte la loi civile et les principes éthiques de responsabilité sociale, le Supérieur général s'assure du contrôle annuel de la gestion. La nomination de réviseurs des comptes appartient au Conseil général. En effet, la transparence et la légalité dans l'administration de l'Institut requièrent que cette révision soit effectuée par une entité indépendante.

Soit dit entre nous, la révision des comptes n'est pas un acte de méfiance envers les administrateurs, mais au contraire, la confirmation, de manière objective et impartiale qu'ils effectuent bien leur travail, et c'est une garantie d'impartialité à l'égard tout l'institut. De fait, la transparence et la légalité de leur gestion ne dépendent pas seulement de leurs critères ou de leur conscience, mais ils peuvent compter sur un avis technique et impartial qui les protège aussi bien à l'interne que surtout devant la loi.

La révision extérieure comporte, bien sûr, une dépense. Pour des raisons d'image, de transparence, de justice envers les administrateurs, il faut accepter qu'il s'agisse d'une somme d'argent bien dépensée, qui aide à avoir une bonne image en apportant de bons dividendes, car cela garantit que la gestion ait été faite de manière légale, en accomplissement des obligations inhérentes au travail, à la fiscalité et aux salaires.

En cas de discordance technique dans la préparation du rapport officiel, l'institution est protégée puisque la révision externe montre qu'il n'y a eu aucune intention de cacher, et que les recommandations des experts externes ont été suivies.

10. Solidarité internationale

Dans notre Institut, les problèmes pratiques connexes à l'administration des aides financières pour les projets solidaires ont toujours retenu notre attention. Et depuis l'origine, des initiatives et campagnes de solidarité de la part d'œuvres ou de secteurs disposant de moyens économiques ont eu lieu en faveur d'autres sphères de l'Institut qui ont de sérieuses difficultés économiques.

Jusqu'à il y a quelques années, la supervision de cet échange solidaire était confiée au bureau de l'Économe général. Mais à partir du Chapitre de 1986, le service de l'échange solidaire a été séparé des fonctions de l'Économe général. Depuis cette date a été créé un Secrétariat responsable global de l'échange solidaire ou d'interdépendance entre les secteurs.

Conclusion

En 2009, nous avons publié avec le Conseil général une circulaire intitulée: *Vers l'autosuffisance*, dans le but de faire prendre conscience du changement en cours dû à la diminution du nombre de religieux dans les Provinces avec plus de possibilités économiques et de la croissance des Provinces rencontrant plus de difficultés économiques. Devant cette situation, il est impossible de prolonger une politique qui se contente simplement de donner des aides de l'extérieur, sans se soucier de chercher des ressources au niveau local.

Je crois que nous pouvons appliquer l'invitation à vivre un réalisme prophétique qui nous a été adressée au sujet que nous sommes en train de traiter. « Sans réalisme, la vie devient source d'anxiété et stressante. Sans réalisme, les utopies et les visions perdent leur capacité de transformation et deviennent spectaculaires, mais peut-être pas dynamiques. En pratiquant ce principe, nous avons besoin de trouver le juste équilibre entre deux forces différentes qui exigent des politiques différentes. Est-ce que nous mettons une confiance absolue dans la Providence ou est-ce que nous chercherons argent et épargnes ? Est-ce que nous suivrons notre charisme ou les règles institutionnelles ? Nous concentrerons-nous dans l'inspiration ou dans le rendement ? Le principe 'du réalisme' nous demande d'une part de ne pas chercher de projets qui dépassent nos capacités, et de l'autre, il nous demande d'utiliser toutes nos capacités et d'épuiser toutes nos possibilités. Pour être conséquents avec notre rôle de 'prophètes réalistes', nous devons prendre en considération ces projets apparemment impossibles à nos yeux, et commencer à faire des pas simples et modestes. Ces pas nous apporteront enfin vers des objectifs plus complexes et ambitieux ».[2]

ÁLVARO RODRÍGUEZ ECHEVERRÍA, FSC
Supérieur Général Frères des Écoles Chrétiennes

[2] Circulaire 460, *Hacia l'autosuficiencia*, septembre 2009, Conseil général (notre traduction).

LA GESTION DES BIENS PAR RAPPORT AUX *SODALES* ET À LA MISSION

SANTIAGO Mª GONZÁLEZ SILVA, CMF

Nous pouvons peut-être commencer par dire que l'économie est une chose trop sérieuse pour qu'elle soit laissée seulement aux économes. En effet, à la première approche de la réalité que nous nous apprêtons à affronter, il apparaît une disposition du pouvoir qui s'associe mal avec l'inspiration évangélique de la Vie consacrée.

> «Jésus les appela et leur dit: 'Vous le savez: ceux que l'on regarde comme chefs des nations les commandent en maîtres; les grands leur font sentir leur pouvoir. Parmi vous, il ne doit pas en être ainsi. Celui qui veut devenir grand parmi vous sera votre serviteur. Celui qui veut être parmi vous le premier sera l'esclave de tous: car le Fils de l'homme n'est pas venu pour être servi, mais pour servir, et donner sa vie en rançon pour la multitude'» (*Mc* 10,42-45).

Basile le Grand voit dans ces mots une dynamique essentielle de la vie communautaire,[1] qui était vraiment au cœur de son expérience. Quand Benoît définira sa Règle après mûre réflexion, il s'orientera, par un choix définitif, sur la ligne «de notre saint père Basile».[2] Si nous voulons comprendre en profondeur la correspondance, le regard qui doit établir la gestion des biens avec les mem-

[1] BASILIO DI CESAREA, *Regole brevi*, Introduction, traduction et notes par L. CREMASCHI, Bose 1993, n. 115, 306.

[2] *Sancti Benedicti Regula*, Introduction, texte, présentation, traduction et commentaire par G. PENCO, Firenze 1970, cc. 71-73. Dès à présent, *RB*. Indispensable pour approfondir la connaissance du sujet, A. DE VOGÜÉ, *La Regola di San Benedetto, commento dottrinale e spirituale*, Praglia 1998 (notre traduction).

bres de l'institut, nous trouvons ici une référence déterminante. Quelque soit le schéma d'organisation, il est nécessaire de l'évaluer à partir de la réciprocité spirituelle qui nous lie dans la participation à une grâce consacrante identique. Étant donné que nous souhaitons parler de cette vie, notre raisonnement puisera volontiers dans l'histoire et, à l'intérieur de celle-ci, des témoins, c'est-à-dire des saints.

Du partage joyeux

Nous avons déjà cité le premier : Benoît. Trois raisons justifient ce choix : Fondateur, Père du monachisme dans l'Église occidentale, Législateur prudent. La force originaire de son charisme s'explique par sa sagesse. Le motif premier est suggéré par le choix du nom : cellérier. La personne qui est chargée de l'approvisionnement du cellier, dont le vin. Sur cette base réaliste, cependant, la règle cherche des qualités solides : « Sage, mûr, sobre ». Cette dernière qualité consiste à éloigner les excès possibles : « Qu'il n'excède pas dans l'alimentation et qu'il n'ait pas un caractère hautain, turbulent, aux mauvais mots faciles, indolent et prodigue ».[3] Il y a une logique dégénérative qu'il faut contrecarrer, car elle aboutit à l'abandon et la négation du devoir. Nous vous lisons ici un condensé d'expérience, très utile pour l'analyse.

Cependant nous n'avons pas l'intention de faire de la psychologie simplifiée. Formulé de manière adversative, voilà le critère principal : « Mais qu'il craigne Dieu ».[4] « Il est intéressant que Benoît désire que le responsable économique craigne Dieu, tout en considérant que le rapport avec les choses du monde suppose une profondeur spirituelle ».[5] Une profondeur authentique car disponible pour communiquer : « Un vrai père pour la communauté.

[3] *RB* 31.1.

[4] *RB* 31.2.

[5] A. GRÜN, *Benedetto da Norcia*, Brescia 2006, 94. Dès à présent : A. GRÜN (notre traduction).

Qu'il prenne soin de tout et de tous».[6] Cette sollicitude peut déborder jusqu'à engendrer une prééminence. Il doit par contre rester fidèle à sa place: «Qu'il ne fasse rien sans la permission de l'abbé et qu'il exécute fidèlement les ordres reçus».[7]

Aujourd'hui cette leçon est encore valable. Peut-être plus encore, étant donné que l'économie s'est affirmée dans la société comme un pouvoir de fait. Lorsqu'il s'adresse à d'autres confrères, l'économe peut intervenir en tant qu'autorité. Certes, les règles de la vie consacrée s'avèrent être incroyablement variées. Pourtant, la constante veut que cette charge soit considérée à niveau administratif plutôt que d'autorité. L'économe est officiel, mais pas supérieur. Il revient à l'économe un rôle subordonné. Plus que de disposer, il doit exécuter. Quand les rôles s'inversent, la vie de la communauté et de chacun est gravement altérée dans sa nature. L'autorité, qualifiée avant tout comme spirituelle,[8] déchoit comme simple exercice administratif. Tout l'environnement est conditionné par des calculs et intérêts sans valeur.

Apparaît alors le risque des abus: «Ne donne pas aux frères une raison de s'énerver, et si quelqu'un parmi eux avait des prétentions absurdes, ne le mortifie pas dédaigneusement, mais sache repousser les demandes inopportunes avec bon sens et humilité».[9] Il ne sert à rien de provoquer les frères, ou d'humilier volontairement les consœurs. Même devant les instances inopportunes, les économes doivent parler en tenant un discours humble, sans se laisser aller à des phrases tranchantes qui renforcent le manque de sensibilité à l'égard de la consœur. La crainte de Dieu se démontre surtout dans le respect de chacun. Benoît connaît le danger qu'avec l'argent, on achète le pouvoir et que l'on fasse sentir aux confrères leur dépendance économique. Et ceci se vérifie, malheureusement, de mille

[6] *RB* 31.2-3.

[7] *RB* 31.4-5.

[8] Congrégation pour les Instituts de vie consacrée et les Sociétés de vie apostolique, *Faciem tuam*, 13a.

[9] *RB* 31.6-7.

manières. En se faisant par exemple supplier plusieurs fois, en affichant un dédain vis-à-vis d'un besoin exprimé. La crainte de Dieu conduit, par contre, à la crainte des hommes. Chacun mérite le respect, même celui qui est difficile et a des besoins démesurés. L'économe ne peut se comporter en moraliste, ni juger ou réprimander une personne qui lui exprime un désir. Il doit prendre tout le monde au sérieux, tout en tenant compte de ses propres limites, comme des possibilités économiques à sa portée.[10]

Benoît intime un avertissement transcendantal: « Garde ton âme ».[11] Cette attitude méditative est, avant tout, libératoire. Préoccupé par mille affaires et détails, l'économe doit revenir à l'origine de son appel. Sans entraves, il s'écoute lui-même. Il répand l'aspiration personnelle au-delà des formulaires répétitifs du calcul. S'il devient acide et dur, il répandra autour de lui agressivité et insatisfaction. Au contraire, pendant qu'il prend soin de son âme, son devoir reste spirituel et il ne deviendra une simple activité administrative.[12] Il faut, cependant, s'octroyer un moment adapté, en le situant parmi les périodes moins conditionnées par les échéances. Il faut le faire avant que la situation ne soit précipitée. Nous apprenons du doux François de Sales: « Quand j'ai voulu revoir mon âme à mon retour, j'ai éprouvé une grande compassion, parce que je l'ai trouvée si amaigrie et défaite qu'elle semblait être la mort. Je le crois volontiers, elle n'avait pas presque pas eu un moment pour respirer. Je resterai à ses côtés pendant tout l'hiver prochain et je tâcherai de bien la traiter ».[13] Dans cette optique personnelle, il s'approche du prochain. « Intéressez-vous aux malades, aux jeunes, aux hôtes et aux pauvres avec la meilleure diligence, tout en sachant que le jour du jugement vous devrez rendre

[10] A. GRÜN, 94-95.

[11] *RB* 31.8.

[12] A. GRÜN, 96.

[13] FRANÇOIS DE SALES, Lettre à la Baronne de Chantal, octobre fin 1606, en *Toutes les lettres*, par L. ROLFO, Rome 1967, 816. Pour la correction, *Œuvres de Saint François de Sales*, Annecy 1904, XIII, 222 s. (notre traduction).

compte de tous ceux qui ont été confiés à vos soins».[14] Le cellérier a le devoir de réveiller la vie. Cette orientation est également la stratégie la plus importante pour le gouvernement économique d'un monastère.[15]

Viennent ensuite les choses: «Traitez les objets et les biens du monastère avec le respect qui est dû aux vases sacrés de l'autel et ne considérez rien sans valeur».[16] Ce qui appartient au monde est aussi sacré. La crainte de Dieu signifie prendre au sérieux la réalité de ce monde. Certaines communautés s'appauvrissent parce qu'elles se réfugient dans un monde d'illusions qui ne tient pas compte de la réalité concrète.[17] Une spiritualité réaliste est une garantie excellente d'équilibre et de justice: «Ne vous faites pas prendre par l'avarice et ne vous abandonnez pas à la prodigalité, mais agissez toujours avec discernement et selon les directives de l'abbé».[18] Nous connaissons tous des administrations qui lésinent sur ce qui est nécessaire, où des consultations sont grassement payées, voire avec une odeur de corruption.

Ce que Benoît exige de la manière la plus forte est l'humilité: «Surtout soyez humble et si vous ne pouvez pas accorder ce qui a été demandé, donnez au moins une réponse charitable».[19] En véritable docteur sur le sujet qu'il scande en 12 degrés tout au long de l'admirable chapitre VII de son code, il recommande le tout avec cette phrase culminante dans la charité. La même coïncidence, personnalisée dans le Christ, scelle le chapitre sur l'humilité, comme une aide pour accomplir la volonté divine.[20] Jusqu'à l'observation du psychologue le confirme: l'humilité nous protège

[14] *RB* 31.9.

[15] A. GRÜN, 95.

[16] *RB* 31.10-11.

[17] A. GRÜN, 94.

[18] *RB* 31.12.

[19] *RB* 31.13.

[20] A. DE VOGÜÉ, *La comunità, ordinamento e spiritualità*, Praglia 1991, 182-183 (notre traduction).

des projections qui nous sont reversées de l'extérieur. Cela nous ramène à nous-mêmes, à notre propre vérité et permet de rester sereins.[21]

Cette prémisse éloigne l'économe des interventions illégales: « Intéressez-vous seulement aux tâches que l'abbé vous a confiées, sans vous occuper de celles qu'il a exclues ».[22] Parce que les interférences s'accompagnent souvent de défauts dans la réalisation des fonctions administratives. Benoît tient à ce que soit distribuée « la part de nourriture préétablie sans altération ou retard, pour ne pas donner motif de scandale, en se rappelant de ce qu'il adviendra, selon la promesse divine, à 'qui aura scandalisé un de ces petits' ».[23] La gravité de l'appel porte l'attention sur l'arrogance et la négligence du répondant, montrées comme intolérables. Benoît exhorte continuellement à traiter chaque frère amicalement, et non de manière hautaine.[24]

Considérant le nombre des confrères, il est prévu une gestion élargie: « Que des aides vous soient accordées, afin qu'avec cette collaboration puisse se dérouler sereinement le devoir qui vous a été assigné ».[25] En effet, ce travail, s'il était conçu comme exclusif et personnalisé, apporterait très aisément de la déception. Celui qui en porte le poids ne sera pas reconnu pour son effort et il souffrira pour les limites de ses collaborateurs. L'équanimité est le fondement d'une gestion fructifère et pacifique.[26] Ce dernier objectif, dans les temps comme dans l'échange, est celui que Benoît se fixe: « De manière à ce que dans la maison de Dieu il n'y n'ait aucun motif de trouble ou de mécontentement ».[27] La tristesse attire l'homme vers le bas, elle crée une atmosphère de pesanteur et de

[21] A. Grün, 97.
[22] *RB* 31.15.
[23] *RB* 31.16.
[24] A. Grün, 95-96.
[25] *RB* 31.17.
[26] A. Grün, 96-97.
[27] *RB* 31.19.

dépression, l'obstacle le plus grand qui puisse s'opposer à la vie.[28] Et en particulier à la vie communautaire.

En effet, nous oublions souvent en ce qui concerne les économes la racine authentique de la pauvreté consacrée. Celle-ci ne s'appuie pas sur la privation ascétique, mais elle naît plutôt du partage entre confrères et consœurs dans la joie de l'Évangile. Si nous raisonnons à partir du détachement, de la souffrance, nous restons pris au piège par la mesquinerie et l'avarice qui caractérisent de nombreuses administrations religieuses. Nous obtenons ainsi la parcimonie d'une économie obsessivement domestique, incapable de dépasser l'horizon paysan dans lequel elle est née, quand l'Institut se meut désormais à échelle mondiale. Ainsi prennent racine tant de pratiques asphyxiantes et répressives qui affaiblissent l'élan et la jeunesse, pratiques préoccupées uniquement par conserver les « carcasses décrépites ». Sous une apparence de conformité, le peu de personnes utiles sont exploitées, pour maintenir les aises révolues d'un cercle de privilégiés. Les visites canoniques devraient se concentrer à identifier ces abus pour les démolir de toutes pièces. Cela n'a rien à voir avec l'Évangile, mais il s'agit de tout un esprit contraire qui se reconnaît par sa marque d'arrogance. Cependant, nous sommes avertis des conséquences, claires aux yeux de tous : « Si la mentalité du monde prend le dessus, surgissent les rivalités, les jalousies, les factions... ».[29] Tout ce qu'il y a de plus contraire à la communauté.

La pauvreté évangélique, par contre, respire la vie nouvelle : « Racheté par le Christ et devenu une nouvelle créature dans l'Esprit Saint, l'homme peut et doit, en effet, aimer ces choses que Dieu lui-même a créées. Car c'est de Dieu qu'il les reçoit : il les voit comme jaillissant de sa main et les respecte. Pour elles, il remercie son divin bienfaiteur, il en use et il en jouit dans un esprit de pauvreté et de liberté ; il est alors introduit dans la possession

[28] A. GRÜN, 96.

[29] FRANÇOIS, *Homélie, Consistoire ordinaire public pour la création de nouveaux cardinaux*, 22 février 2014.

véritable du monde, comme quelqu'un qui n'a rien et qui possède tout (*2 Co* 6,10). "Car tout est à vous, mais vous êtes au Christ et le Christ est à Dieu" (*1 Co* 3,22-23) ».[30]

Jusqu'à toucher les derniers

Maintenant, nous avons un trinôme (Évangile, pauvreté, liberté) qui guide inexorablement jusqu'à Saint François.

Dans la Première Règle, le thème de la pauvreté apparaît, de suite et par vocation, lié à la mission. Un candidat rencontre les frères au cours de l'itinérance. Nous lisons deux indications : bienveillance et pauvreté. Si « quelqu'un vient auprès de nos frères, qu'il soit accueilli bénévolement par eux » ; « que les frères se gardent bien de se mêler de ses affaires temporelles, mais, dès que possible, qu'ils le présentent à leur ministre ». Que ce dernier « l'accueille avec bonté et le réconforte, et lui expose diligemment la teneur de notre vie ». Une approche encore basée sur la fraternité et la franchise. Puis on verra : « S'il le veut et peut le faire selon l'Esprit sans empêchement, qu'il vende toutes ses affaires et fasse en sorte de les distribuer toutes aux pauvres ». Le choix est pleinement fait dans la liberté spirituelle. Sans interférences : « Que les frères et le ministre des frères se gardent bien de se mêler de quelque manière de ses affaires ». La raison de cette double insistance est expliquée : « Et qu'ils n'acceptent pas d'argent, ni directement ni par personne interposée ». Cette interdiction est confirmée bien qu'une seule exception soit admise : « Si cependant ils sont dans le besoin, les frères, à cause de leur nécessité, peuvent recevoir comme les autres pauvres toute chose nécessaire au corps, sauf l'argent ».[31]

Toujours au deuxième chapitre, la seconde Règle réaffirme le concept de l'abstention : que les frères et leurs ministres se gardent

[30] Concile Œcuménique Vatican II, Const. past. *Gaudium et spes*, 37.

[31] E. Caroli (dir.), *Fonti Francescane*, Padova 2004, 5-6, p. 62. Dès à présent, *FF* (notre traduction).

bien d'être sollicités par les affaires temporelles, afin qu'ils agissent librement selon l'inspiration du Seigneur. « Si toutefois il leur fût demandé un conseil, les ministres ont la faculté de les orienter auprès de personnes craignant Dieu, afin qu'avec leur conseil, leurs biens soient distribués aux pauvres ».[32] La seule variante consiste à privilégier une aide faite avec détachement et discernement, afin de rester en marge de toute spéculation intéressée.

Par conséquent, François ne conçoit pas non plus, dans la Première Règle, qu'un frère se charge de l'économie. Chaque décision doit être rapportée aux ministres. Ceux-ci voient leurs propres compétences immédiatement définies : ministres constitués et serviteurs des autres frères, « souvent ils leur rendent visite, et spirituellement ils les exhortent et les réconfortent. Quant à tous les autres de mes frères bénis, qu'ils leur obéissent diligemment ». Il s'agit d'un devoir spirituel, comme on le voit, centré sur la stimulation et la persévérance. L'accent est mis sans équivoque sur l'Évangile : « Que les ministres et les serviteurs se souviennent que le Seigneur dit : 'Je ne suis pas venu pour être servi, mais pour servir' » (*Mt* 20,28).[33]

Une participation à la vie économique est reconnue, pour autant qu'elle maintienne toujours son propre style : « Tous les frères, où qu'ils se trouvent auprès d'autres pour servir ou pour travailler, qu'ils ne fassent ni les administrateurs ni les chanceliers, et qu'ils ne président pas dans les maisons dans lesquelles ils prêtent service ; mais qu'ils soient inférieurs et soumis à tous ceux qui sont dans cette même maison ».[34] Pour le frère, la minorité est une garantie de fidélité. La seconde Règle intègre des éléments considérables. Tout d'abord une position significative : « Ces frères à qui le Seigneur a donné la grâce de travailler ». Il y a une évaluation fondamentale du travail accompli. À cela s'ajoute l'invitation à le réaliser

[32] *FF* 78, 90.

[33] *FF* 13-14, 65. Il n'existe pas de chapitre équivalent dans la Règle pour les ermitages.

[34] *FF* 24, 67-68.

avec fidélité et dévotion pour fuir l'oisiveté. Il n'est pas accepté que les frères éteignent « l'esprit de la sainte oraison auquel doivent servir toutes les autres choses temporelles ». Seulement à ce point on accepte : « Comme récompense du travail, qu'ils reçoivent les choses nécessaires au corps, pour eux et pour leurs frères, sauf de l'argent ou du pécule et ceci humblement, comme il convient aux serviteurs de Dieu et aux disciples de la très sainte pauvreté ».[35] L'exclusion détaillée de toute compensation monétaire fixe une limite aux moyens pratiques, clairement perçus comme une perte de l'inspiration.

La menace était pressante. François, en bon commerçant, l'a deviné avec une lucidité extraordinaire. Dans la Première Règle, il énonce et justifie l'interdiction de manière large : que les frères ne reçoivent pas d'argent. En particulier : « Le Seigneur commande dans l'Évangile : 'Gardez-vous bien de toute avidité' et 'Tenez-vous sur vos gardes, de crainte que votre cœur ne s'alourdisse dans les beuveries, l'ivresse et les soucis de la vie [...]' » (*Lc* 12,15 ; 21,34). Le rapprochement des textes renforce le dilemme. C'est un choix, dans l'antithèse, entre le Seigneur et la convoitise économique. Il en déduit : « Pour cela, aucun frère, où qu'il soit et où qu'il aille, ne doit prendre ou recevoir en aucune manière du pécule ou de l'argent ». Il va au-delà d'une logique rationnelle. Il identifie, et ce n'était que le début, l'argent avec la domination économique. Il ne l'accepte « en somme, pour aucune raison, sinon pour une nécessité manifeste des frères infirmes ; car nous ne devons pas considérer ni attribuer au pécule et à l'argent plus d'utilité qu'aux pierres ». François refuse de manière drastique la valeur de l'échange. Il fuit l'entrée dans cette chaîne de production. Il tient à nous dire qu'il s'agit d'une option alternative : « Gardons-nous, donc, nous qui avons tout laissé (cf. *Mt* 19,27) de ne pas perdre, pour si peu de chose, le royaume des cieux. Et si par hasard il devait arriver qu'un frère recueille ou ait du pécule ou de l'argent, excepté seulement pour la nécessité des malades, nous tous frères

[35] *FF* 88, 93.

considérons-le comme un faux frère, un voleur et un brigand, et un receleur de sacs, à moins qu'il ne le regrette sincèrement». Il réitère l'usage du subjonctif imparfait pour exprimer combien il considère absurde, voire à la limite de l'impossible, une telle supposition. L'interdiction ne permet pas non plus de le faire par l'intermédiaire des tiers. «En qu'en aucune façon les frères n'acceptent ni permettent d'accepter, ni ne cherchent, ni ne fassent chercher du pécule comme aumône». À l'exception des exclus, précise-t-il: «Cependant, en raison d'évidente nécessité des lépreux, les frères peuvent demander pour eux l'aumône». Il termine en réitérant encore: «Qu'ils prennent toutefois particulièrement garde du pécule». Il met en garde enfin sur l'éventualité d'être entraîné par cette puissance maligne: «De la même manière, que tous les frères se gardent de se déplacer dans le monde dans un but de gain infâme».[36]

La pensée est la même au sein de la seconde Règle. Nous en avons une rédaction plus concise, renforcée aussi du fait qu'elle précède le chapitre dans lequel on accepte comment les frères peuvent travailler. Il exhorte avec un ton personnel impératif: «J'ordonne fermement à tous les frères qu'ils ne reçoivent en aucune manière de l'argent ou du pécule directement ou par personne interposée». Il ajoute à la nécessité des malades, celle d'habiller les frères: «Pour les nécessités des malades et pour habiller les autres frères, que les ministres et les gardiens, et seulement eux, prennent diligemment soin d'eux par l'intermédiaire d'amis spirituels», selon les circonstances. Une telle responsabilité est limitée et appartient aux ministres et gardiens, et ils doivent l'exercer par l'intermédiaire de tiers. Il tient pour cela à réaffirmer: «Sauf comme le principe le veut toujours, et comme cela a été dit, qu'ils ne reçoivent pas de l'argent ou du pécule».[37]

Beaucoup d'administrateurs déplorèrent, heureux, un manque d'applicabilité de cette considération spirituelle élevée. Toutefois

[36] *FF* 28, 69-70.

[37] *FF* 87, 92.

ils se trompent. Elle est saine et plus que jamais actuelle. Il serait intéressant de connaître les désastres produits par la crise dans les finances des religieux. Bien plus importants, assurément, que ce que nous pouvons lire dans les journaux. Et certainement pas parce qu'ils s'engagèrent avides dans la spéculation, mais parce qu'ils mirent leur propre confiance dans le capital, l'argent, plutôt qu'en Dieu. Il était fréquent, avant l'effondrement de l'économie, d'entendre des économes dire : « Sans négliger la Providence, nous avons désormais assuré le meilleur rendement au patrimoine ». Il ne fallait plus demander au Paradis d'y penser. Ils y avaient pensé eux-mêmes.

Les tentations de l'Église dans la mission se voient dans celles vaincues par le Christ : « Le diable l'emmena plus haut et lui montra en un instant tous les royaumes de la terre. Il lui dit : 'Je te donnerai tout ce pouvoir et la gloire de ces royaumes, car cela m'a été remis et je le donne à qui je veux. Toi donc, si tu te prosternes devant moi, tu auras tout cela'. Jésus lui répondit : 'Il est écrit : C'est devant le Seigneur ton Dieu que tu te prosterneras, à lui seul tu rendras un culte' » (*Lc* 4,5-8). Malheureusement, la communauté succombe souvent. Il semble vraiment plus que raisonnable d'accumuler chaque ressource et puissance pour servir le Royaume. Pourtant, les saints de l'Évangile ne voient pas les choses ainsi. François-Xavier navigue vers les missions de l'Asie. Antonio de Ataide, Comte de Castanheira, considère inconvenant qu'un Légat Pontifical lave son linge et aille en cuisine pour faire à manger. François-Xavier pensa à la manière d'initier l'évangélisation. Il répond : « Monsieur le comte, c'est le fait d'avoir acquis une estime publique et l'autorité avec les moyens que vous dites, qui porta l'Église dans l'état qu'elle connait, ainsi que ses prélats. La voie à suivre pour être crédible est de faire sa lessive tout seul et d'assaisonner la marmite sans avoir besoin de quelqu'un et, aussi, de se dédier au service des âmes des prochains ».[38] L'année même de sa

[38] *Monumenta Xaveriana*, II, 387. Citato in J.M. Recondo, *San Francisco Javier*, Madrid 1988, 294.

mort, quand il s'engagea dans son dernier voyage, il laissa au vice-provincial qui devait le remplacer la recommandation suivante: «Et tenez bien à l'esprit que l'honneur de la Compagnie ne consiste pas à avoir de l'importance et les honneurs dans le monde, mais seulement de rester en paix avec Dieu».[39]

En communion ouverte

Nous savons que l'Esprit souffle loin et même, depuis l'année passée, qu'il souffle fort. Le temps est venu pour une nouvelle évangélisation. Le Pape François, dans l'exhortation *Evangelii gaudium*, dit: «Pour cette raison, je désire une Église pauvre pour les pauvres. Ils ont beaucoup à nous enseigner. En plus de participer au *sensus fidei*, par leurs propres souffrances ils connaissent le Christ souffrant. Il est nécessaire que tous nous nous laissions évangéliser par eux. La nouvelle évangélisation est une invitation à reconnaître la force salvifique de leurs existences et à les mettre au centre du cheminement de l'Église».[40] Cette formulation de l'option préférentielle pour les pauvres est définie. L'Église «peut être Église seulement si elle est Église pour les autres».[41] Comme reflet d'identité, l'emploi communautaire des biens et l'esprit avec lequel ils sont gérés dans la mission demandent à être changés.

Le premier regard s'adresse aux frères et sœurs. L'économe devra se rappeler qu'il est administrateur et non propriétaire. Un indice rapide et immédiat peut être déduit de la façon d'utiliser le pronom possessif. Si la première personne du singulier prédo-

[39] FRANCESCO SAVERIO, Lettre au Père Gaspare Barzeo, 6-14 avril 1552, in A. CARBONI (par), *Dalle terre dove sorge il sole. Lettere e documenti dall'Oriente 1535-1552*, Roma 2002, 452 (notre traduction).

[40] FRANÇOIS, Exhort. ap. *Evangelii gaudium*, 198.

[41] G. MÜLLER, *Povera per i poveri. La missione della Chiesa*, Cité du Vatican 2014, 21 (notre traduction).

mine, il y a un problème; peut-être également à un stade aigu.[42] De toute façon, le point à examiner est certainement en premier lieu le travail. Il doit se réaliser dans la communion des biens et dans une perspective qui dépasse le simple rendement économique. Beaucoup de religieux et religieuses sont surchargés de fardeaux pour maintenir des structures impossibles. Des horaires qui dépassent de loin des conditions normales de santé. Il existe toute une problématique vaste et étendue qui demande d'intervenir avec urgence, pour qu'elle devienne une normalité tolérable.

Un remède efficace serait, à tous les niveaux, la transparence et la co-responsabilité dans la gestion. Le Magistère du Pape Montini nous enseignait: « [...] une double aspiration plus vive au fur et à mesure que se développent son information et son éducation: aspiration à l'égalité, aspiration à la participation; deux formes de la dignité de l'homme et de sa liberté ».[43] Mais cela n'est pas non plus appliqué parmi les membres des Chapitres Généraux, où la mémoire économique est souvent enveloppée par l'opacité et la vérification empêchée par des manœuvres procédurales.

Dans le domaine économique, il faudrait une mise en œuvre particulière de la subsidiarité. En raison des exigences juridiques de la fiscalité, on s'oriente toujours plus vers la centralisation de l'économie. Ainsi s'amorce un mécanisme dangereux, fondé « sur l'énorme pouvoir que l'argent a acquis aujourd'hui, un pouvoir apparemment supérieur à tous les autres ».[44] Il se nourrit de la tendance qui pousse aux décisions prises de manière isolée entre experts, dont beaucoup n'appartiennent pas à l'institut. La gestion se fait progressivement de l'extérieur, au point de nécessiter l'insertion constitutionnelle qui demande des autorisations précises de la

[42] F. TORRES, La administración de los bienes en tiempos de crisis, in *Vida Religiosa* 111 (2011) 83.

[43] PAUL VI, Lett. ap. *Octogesima adveniens*, 22.

[44] FRANÇOIS, Préface, in G. MÜLLER, *Povera per i poveri*, cit., 5 (notre traduction).

part du Gouvernement général, afin d'éviter des actions insensées et ruineuses.

Le rôle idéal est incarné par l'administrateur identifié vocationnellement, qui ne pense jamais à s'arroger un droit de veto, qui ne bloque pas chaque nouveauté en répétant, sans même faire d'évaluation : « Ce n'est pas possible ». Au contraire, il sert avec l'élan de son charisme, au lieu de faire le comptable de la conservation. Ce sont d' authentiques procureurs, comme les appelait une tradition bien spécifique. Ils réussissent à rendre possible le ministère qu'il faut au moment et au lieu où l'on annonce l'Évangile. C'est le moment de rappeler que l'apostolat, s'il veut être évangélique, doit rester pauvre. Au moins, avec cette pauvreté de cœur qui sait reconnaître combien l'œuvre de l'Évangile est toujours supérieure aux moyens employés.[45]

Le Pape François nous explique : « Nous pourrions penser que cette 'voie' de la pauvreté s'est limitée à Jésus, et que nous, qui venons après Lui, pouvons sauver le monde avec des moyens humains plus adéquats. Il n'en est rien. À chaque époque et dans chaque lieu, Dieu continue à sauver les hommes et le monde *grâce à la pauvreté du Christ*, qui s'est fait pauvre dans les sacrements, dans la Parole, et dans son Église, qui est un peuple de pauvres. La richesse de Dieu ne peut nous rejoindre à travers notre richesse, mais toujours et seulement à travers notre pauvreté personnelle et communautaire, vivifiée par l'Esprit du Christ ».[46]

Une petite communauté est aussi pensée en référence aux autres. L'option en faveur des pauvres est « transversale à toutes les instances ».[47] Nous ne pouvons pas nous fermer dans notre coquille. Le partage dépasse les frontières domestiques : « Quand les biens dont on dispose sont utilisés non seulement pour ses propres besoins, ceux-ci en se répandant, se multiplient et apportent sou-

[45] R. VOILLAUME, *Lettres aux Fraternités*, Paris 1960, I, 364.

[46] FRANÇOIS, *Message pour le Carême 2014*, 6.

[47] G. GUTIÉRREZ, L'opzione preferenziale per i poveri ad Aparecida, in G. MÜLLER, *Povera per i poveri*, cit., 220 (notre traduction).

vent un fruit inattendu».[48] Nous apprenons d'une manière vitale que «tout seul, nous ne pouvons pas nous procurer tout ce dont nous avons besoin. La reconnaissance loyale de cette vérité nous invite à rester humbles et à pratiquer avec courage la solidarité comme une vertu indispensable de la vie même».[49] Votre générosité universelle dans la mission renforce une communion authentique entre les membres de la communauté même.

SANTIAGO Mª GONZÁLEZ SILVA, CMF
Professeur de Théologie de la vie apostolique
et Doctrine sociale de l'Église
Doyen ITVC «Claretianum»,
Université Pontificale du Latran – Rome

[48] FRANÇOIS, Prefazione, in G. MÜLLER, *Povera per i poveri*, cit., 8.
[49] *Ivi*, 9.

PROJET MISSIONNAIRE ET CHOIX ÉCONOMIQUES

YVONNE REUNGOAT, FMA

Introduction

Je suis heureuse de saluer le Préfet de la Congrégation pour les Instituts de vie consacrée et les Sociétés de vie apostolique, Son Éminence le Cardinal João Braz d'Aviz, les autres Supérieurs de ce Dicastère et tous les participants au Symposium qui nous invite à réfléchir sur un sujet important pour le témoignage prophétique de la vie consacrée actuelle. Dans un monde où les 85 personnes les plus riches détiennent les ressources de la moitié de la population mondiale, c'est-à-dire 3,5 milliards de personnes, selon des statistiques publiées à l'occasion du Forum de Davos, la vie consacrée a la responsabilité d'offrir un témoignage évangélique significatif.

Dans son message adressé au Professeur Klaus Schwab, président exécutif du *World Economic Forum*, le 17 janvier 2014, le Pape François a souligné: « Notre époque est caractérisée par des changements importants et des progrès significatifs en divers domaines qui ont d'importantes conséquences pour la vie des hommes [...]. Cependant, les succès obtenus, bien qu'ayant réduit la pauvreté d'un grand nombre de personnes, ont souvent aussi apporté une exclusion sociale généralisée. En effet, la plus grande partie des hommes et des femmes de notre temps vivent encore dans une précarité quotidienne, avec des conséquences souvent dramatiques [...]. Je vous demande de faire en sorte que la richesse soit au service de l'humanité au lieu de la gouverner ».

Les Congrégations religieuses et les Sociétés de vie apostolique ont reçu du Saint Esprit un charisme de fondation pour être un signe prophétique au moment historique où elles sont nées, mais aussi avec une potentialité énorme pour l'avenir. Chaque charisme renferme en soi un dynamisme puissant qui demande seulement d'être libéré pour être une force de transformation sociale dans les contextes où il est vécu et partagé sur la base d'une vie évangélique cohérente. Surtout, chaque charisme contient une grande poussée missionnaire. La vie consacrée est en soi une mission, « l'image de Jésus, que le Père a consacré et envoyé dans le monde » (*Jn* 17,19). Ce souffle apostolique puissant pousse beaucoup de consacrés aujourd'hui à risquer leur vie partout dans le monde, en particulier là où les nécessités sont les plus grandes, pour apporter la Bonne Nouvelle de l'Évangile et être le signe de l'amour de Dieu au milieu de son peuple. Chaque charisme est source de créativité inépuisable parce que le protagoniste principal est l'Esprit Saint, qui est Amour créateur !

Tous les Fondateurs ont écouté l'Esprit d'Amour dans le cri des pauvres, ils ont entendu leur clameur et ils ont inventé des voies inédites pour tenter d'humaniser leur vie. Ils ont fondé pour cela diverses œuvres apostoliques selon leur charisme propre. Le point de départ a été chaque fois la force créatrice du cœur, la compassion devant les nécessités urgentes d'une partie significative de l'humanité. De là sont nés tant de projets missionnaires, mûris dans la prière et dans une vie spirituelle profonde, expressions de la « passion pour le Christ et de la passion pour l'humanité ». Le feu qui brûlait dans les cœurs des Fondateurs a été partagé par les personnes et communautés qui ont accueilli de Dieu ce même appel. Presque partout, les débuts ont été pauvres concernant les personnes et les moyens économiques, mais riches de foi, de confiance illimitée dans le Seigneur, d'audace apostolique, d'une conviction forte que l'amour est plus fort que la vie. Aujourd'hui, la rapidité et la profondeur des changements culturels et sociaux exigent un discernement continu pour réaliser les adaptations nécessaires en vue de réponses adaptées aux exigences réelles des destinataires.

Nous avons souvent expérimenté que d'une petite graine, apparemment insignifiante, un grand arbre est né qui s'est étendu progressivement dans le monde entier. C'est le cas de notre Institut et de toute la Famille salésienne. Si notre cofondatrice, Sainte Maria Domenica Mazzarello, sur les traces de Saint Jean Bosco, ne s'était pas risquée, à seulement cinq années de la fondation de l'Institut, à envoyer en Amérique un groupe de très jeunes sœurs, sans expérience ni moyens économiques, nous ne serions pas actuellement présentes dans les cinq continents. Cette audace enracinée dans la foi est importante aujourd'hui également aussi parce que ce qui compte est la diffusion du Royaume de Dieu dans le monde entier ! Je suis convaincue que nous sommes appelées à partager avec les plus pauvres non pas le surplus, mais le nécessaire aussi bien en terme de moyens économiques, que de ressources humaines.

En tenant compte de ce fondement, il nous a été demandé de mettre en relation le projet missionnaire et les choix économiques. Je tenterai de partager quelques éléments qui peuvent nous aider à réfléchir. En effet, dans l'animation et le gouvernement de nos Instituts, nous nous trouvons continuellement à devoir prendre des décisions à ce sujet.

Projet missionnaire et dimension économique

La raison pour laquelle nous lançons un nouveau projet missionnaire, nous créons une nouvelle présence ou une nouvelle œuvre, est avant tout de répondre à un besoin, à une demande qui est considérée comme importante, après un discernement équilibré de la part du Conseil général ou provincial et, dans la mesure du possible, avec l'implication de toute la Congrégation. Comme Maria à Cana, nous nous apercevons que « l'humanité n'a plus de vin ». Ce ne sont jamais pour des raisons économiques que nous commençons une nouvelle œuvre ou que nous lançons un nouveau projet. De la même manière, pour clore une œuvre, la raison économique n'est pas l'élément déterminant, même s'il est important d'en tenir compte. Mais dans le processus de discernement pour commencer un projet missionnaire, il faut prendre en compte la dimension économique en plus des autres éléments.

Une évaluation préalable de la faisabilité, également économique, permet d'ouvrir un horizon d'espoir pour ceux qui seront les destinataires du projet. Cela est surtout important quand il s'agit d'une mission au service des plus pauvres pour ne pas décevoir leurs attentes et espérances après avoir suscité des perspectives d'un avenir meilleur. Le manque de moyens économiques au moment de la planification, plus qu'un obstacle pour démarrer, doit être une stimulation pour trouver les ressources nécessaires – personnes et fonds – pour garantir la viabilité du projet. Un projet missionnaire a pour objectif un processus de développement intégral qui promeut la croissance de la dignité des personnes et la transformation du contexte social selon le Projet de Dieu pour l'humanité. Il est donc toujours important de développer une vision globale qui prenne en considération tous les aspects de la vie humaine où l'on souhaite manifester concrètement l'amour de Dieu et le rendre visible, compréhensible. Dans la vie de nos Instituts, il semble parfois difficile de mettre en relation tous ces aspects et en particulier de donner une juste importance à la dimension économique par rapport aux autres dimensions. Nous sommes appelés à un changement de mentalité pour ne pas laisser à une seule personne, par exemple, à l'Économe, la préoccupation de cette dimension. Tout le Conseil et toute la communauté sont intéressés à adopter une vision holistique de la mission.

Le récent Magistère social de l'Église nous invite à dépasser l'apparente dichotomie entre mission et économie : « Le grand défi qui se présente à nous, qui ressort des problématiques du développement en cette période de mondialisation et qui est rendu encore plus pressant par la crise économique et financière, est celui de montrer, au niveau de la pensée comme des comportements, que non seulement les principes traditionnels de l'éthique sociale, tels que la transparence, l'honnêteté et la responsabilité ne peuvent être négligées ou sous-évaluées, mais aussi que dans les relations marchandes le principe de gratuité et la logique du don, comme expression de la fraternité, peuvent et doivent trouver leur place à l'intérieur de l'activité économique normale ».[1] Les choix économiques sont finalisés lors de la réalisation d'un projet missionnaire

[1] BENOÎT XVI, Lett. enc. *Caritas en veritate*, 36.

qui promeut une culture du développement comme passage de conditions moins humaines à des conditions plus humaines. L'humain est toujours mesuré sur la base de l'Évangile.[2] Mais quels doivent être les principes qui guident une planification économique saine pour un début du projet missionnaire ? J'en énumérerai quelques-uns.

Projet missionnaire et confiance dans la Providence

Dans l'histoire des Congrégations religieuses, les Fondateurs et les Fondatrices ont été animés par un grand élan apostolique, se laissant émouvoir et habiter par la compassion, comme Jésus, devant la douleur des personnes. Ils se sont aventurés sans grandes ressources économiques et avec un nombre réduit de personnes. Nous avons dans notre histoire une grande expérience de la Providence de notre Père. Effectivement, nous nous insérons dans le mystère de l'anéantissement de Jésus qui, en étant riche, s'est fait pauvre pour nous enrichir avec sa pauvreté. Avec Lui, nous nous rendons disponibles sans réserve pour la mission qui nous a été confiée par notre Père, nous nous abandonnons avec une attitude filiale à sa Providence.[3]

Dans un contexte social qui nous confronte à une mentalité de gestion de type entrepreneurial, il est important d'approfondir le concept de Providence, si cher à nos Fondateurs. L'expérience atteste que lorsque nous élaborons des projets pour les plus pauvres, la Providence ne fait jamais défaut. Telle est, du moins, mon expérience personnelle et celle de notre Institut. Il faut avoir le courage de risquer, convaincus que le Seigneur n'abandonne jamais son Peuple, tout spécialement les plus pauvres, ses privilégiés. Ce courage naît d'une passion qu'aucune difficulté ne peut arrêter.

Nos Fondateurs étaient convaincus que la Providence ne pouvait jamais les abandonner. Ils n'avaient pas l'image d'un « Dieu-

[2] ISTITUTO FIGLIE DI MARIA AUSILIATRICE, *Cooperazione allo sviluppo. Orientamenti per l'Istituto delle Figlie di Maria Ausiliatrice*, Bologna 2007, 17-18.

[3] ISTITUTO FIGLIE DI MARIA AUSILIATRICE, *Constitutions*, art. 18.

assistancialiste» mais d'un Père qui rend protagonistes ceux qu'il appelle à collaborer avec Lui à la construction du Royaume. «La Divine Providence – affirmait don Bosco – a des trésors inépuisables. Faisons tout ce que nous pouvons, et Dieu subviendra à ce qui manque. Alors que nous mettons notre confiance illimitée dans la bonté du Seigneur, ne récusons pas notre coopération».[4] Pour Don Bosco, le «*da mihi animas cetera tolle*» était un feu qui embrasait son cœur et le rendait prêt à tous les sacrifices pour chercher l'argent nécessaire de façon à réaliser son œuvre au service des jeunes pauvres de Turin. Sa passion touchait les cœurs des bienfaiteurs qui ne pouvaient résister à ses demandes.

La sagesse et le caractère concret de nos Fondateurs nous encouragent à avoir confiance en la Providence, non pas avec une attitude passive, mais mus par une grande audace créatrice. En ce sens, nous nous sommes efforcés dans l'Institut de développer la mentalité de coordination. Pour éduquer à une culture de la solidarité et former les nouvelles générations dans cette perspective, il est important d'alimenter en eux l'espoir et l'audace créative en vue de construire un monde plus juste et solidaire, de favoriser la création de réseaux pour unir les forces en vue de la réalisation d'un projet commun. Dans ce sens, nous avons promu la création de bureaux de développement dans les Provinces religieuses. Ils ont pour objectif la coordination des projets et la médiation avec différents organismes. Ils jouent aussi un rôle important de formation pour le développement et la planification par l'acquisition de techniques pour l'étude de la réalité et l'élaboration des projets en eux-mêmes. Ils ont aussi des répercussions importantes dans l'affranchissement d'une mentalité d'assistés en faveur d'une solidarité structurelle et de réseau. Les bureaux de développement sont une manière d'être actifs dans la recherche des voies de la Providence, répondant toujours présente au rendez-vous ! En même temps, ils permettent d'expérimenter que la création de syner-

[4] E. CERIA, *Memorie Biografiche di don Giovanni Bosco*, Torino 1933, XIV, 672 (notre traduction).

gies autour d'un objectif commun est une force irrésistible et contagieuse qui change la vie. En soi même, ce processus évangélise et humanise. Un élément indispensable est la qualité des relations dans les réseaux d'échange, canal privilégié à travers lequel passe Dieu.

La communion des biens au service de la mission

Les Instituts religieux ont choisi de vivre sur le modèle des premiers chrétiens en mettant tout en commun, comme une caractéristique du vœu de pauvreté. La communion des biens représente une force considérable: elle permet de réaliser de grandes choses avec les petites ressources de beaucoup de personnes qui mettent en commun tout ce qu'elles ont. Cela permet de partager les ressources avec ceux qui ont moins de possibilités, afin que les indigents soient moins nombreux et que les inégalités croissantes se réduisent, qui sont plus que jamais un scandale insupportable. La communion des biens est toutefois aussi un bien fragile, comme l'illustre l'épisode d'Ananie et Saphire relaté dans les Actes des Apôtres. Pour faire en sorte que la communion des biens soit effective, il est nécessaire de faire un parcours de conversion vers l'amour qui conduit à faire des choix libres et conscients dans cette direction.

Il ne s'agit pas seulement d'une adhésion formelle aux dispositions des Constitutions de chaque Institut, même si celles-ci peuvent soutenir des choix courageux, mais plutôt d'un engagement convaincu venant de la part de chaque personne et de la communauté, en vue d'une plus grande solidarité avec les pauvres. Sur l'importance de mettre en commun, les paroles de Don Bosco s'avèrent être presque prophétiques: «Il y a certaines choses pratiques et particulièrement efficaces [...] et parmi celles-ci nous relevons: *l'unité d'esprit et l'unité d'administration*».[5] Ces paroles ont été écrites pendant les années durant lesquelles Don Bosco

[5] A. AMADEI, *Mémoires Biographiques de don Jean Bosco*, Turin 1939, X, 1098.

était en train de travailler pour l'approbation des Constitutions et elles révèlent un de ses désirs les plus ardents. « Que tout reste en commun : plus tu donnes au foyer, plus la Divine Providence envoie ».

La communion des biens, non seulement renforce la fraternité, mais ouvre à la solidarité et rend disponible plus de fonds pour la mission au service des plus pauvres. Je me permets de citer un article de nos Constitutions. Chacun/chacune de nous pourra se référer à la Règle de vie de son propre Institut : « Sur le modèle des premiers chrétiens, que chacun de nous mette volontiers à disposition de la communauté, en plus des biens matériels et des fruits de son travail, également son propre temps, les dons et les capacités personnelles. Que ce partage et cette communion fraternelle s'étendent de la communauté locale à la provinciale par l'intermédiaire de l'Inspectrice, et à la mondiale par l'intermédiaire de la Supérieure générale, de façon à ce que tout puisse être mis au service des finalités apostoliques de l'Institut, selon les nécessités des différentes situations ».[6]

La réalité internationale de l'Institut est toujours pour nous une provocation : une famille unique est présente dans les pays les plus riches du monde et dans les pays les plus pauvres et nous sommes appelées à effectuer la même mission éducative, à apporter notre témoignage qu'il est possible de construire un monde plus solidaire, plus juste et plus humain à travers notre expérience de partage. Plusieurs expériences de solidarité mondiale dans les moments d'urgence sont un signe concret d'appartenance à cette grande famille qui vit les joies, les souffrances, les espoirs et les préoccupations de tous ses membres proches ou lointains. Le choix de susciter la création de micro-entreprises, de valoriser le micro-crédit a changé la vie de beaucoup de familles dans certaines parties du monde, en les rendant protagonistes de l'amélioration de leurs conditions de vie, avec un avantage pour toute la commu-

[6] ISTITUTO FIGLIE DI MARIA AUSILIATRICE, *Constitutions*, art. 25 (notre traduction).

nauté locale. À certains endroits, les autorités civiles se sont inspirées de ces modèles. Mais je veux souligner que la plus grande partie de ces initiatives sont nées dans la prière, inspirées par le Saint Esprit. Dans ce cas, il ne s'agit pas seulement de trouver les fonds nécessaires pour un projet missionnaire, mais de vivre l'expérience même comme expérience missionnaire !

Planification et choix économiques

Un projet missionnaire demande une vision en termes de projets pour que la décision d'un moment porte le germe d'un avenir à développer. Il me semble très important de développer dans nos Conseils, à différents niveaux, la mentalité de planification. En elle, se trouvent les signes d'espoir dans un monde dans lequel il est souvent difficile de projeter l'avenir, surtout pour les nouvelles générations, à cause de la situation de crise économique que nous sommes en train de vivre, mais aussi pour les problèmes connexes à la paix menacée dans différentes parties de la planète. Faire un projet veut dire croire dans l'avenir et créer les conditions objectives pour donner de l'espoir.

Pour la réalisation de tout projet missionnaire, il est important de miser sur une formation de qualité des personnes. En elles se trouve la ressource principale pour la réalisation des projets. Nous pouvons manquer de structures, comme en Haïti, où le tremblement de terre avait provoqué l'écroulement des bâtiments scolaires et hospitaliers, des églises. Mais ceux qui avaient la responsabilité des œuvres, ont avec l'implication de tous, continué la mission en s'adaptant aux circonstances pour ne pas laisser abandonnés les destinataires : enfants, jeunes etc. La formation charismatique solide et profesionnelle est l'élément de base à prendre en compte comme priorité. L'investissement économique indispensable trouvera sa fécondité dans l'avenir, pour autant que l'on accepte de sacrifier l'urgence du moment à la qualité du futur. Ce choix demande la capacité de faire des projets et une clairvoyance partagée non seulement au sein du Conseil mais aussi dans la communauté mondiale de la Congrégation pour assumer ensemble les choix courageux au service de la mission. Avant de commencer une nouvelle œuvre, il est nécessaire de prendre le temps de former les personnes qui la réaliseront. Souvent, nous sommes prises par l'urgence. Nous sommes cependant conscientes que ce qui ne se réalise pas avant, il est difficile de le réaliser avec succès ensuite.

Du point de vue de l'économie, il existe un instrument au service de la communion et de la planification dans la mission qui se trouve être celui des bilans préventifs et des budgets. Si ces derniers sont vécus comme des instruments de communion et de planification réaliste, et pas seulement dans leurs aspects techniques, ils aident la planification de nos œuvres et de notre mission. Ils sont comme une boussole qui oriente le chemin et nous permettent de comprendre si nous sommes fidèles au projet ou si nous nous éloignons de l'objectif que nous nous étions fixé. Ils aident à ne pas disperser les ressources en cours de route, ce qui nous porterait hors du chemin et nous empêcherait d'atteindre nos objectifs. Il est toujours important de garder ensemble le projet apostolique et les conditions économiques pour y parvenir, de mettre ces dimensions en dialogue dans tout discernement. Le fait de maintenir en vie le souffle apostolique permet de se mesurer avec les données réalistes de tous les aspects liés à la gestion. Même si nos œuvres ont des caractéristiques communes à toutes les entreprises, il me semble important que nous n'entrions pas simplement dans les dynamiques de gestion typiques des entreprises, tout en en tenant compte, mais que nous développions une dimension prophétique de la gestion qui puisse être un signe pour les autres dans la société. Même le langage que nous utilisons n'est pas neutre.

L'évaluation des coûts, vécue dans la communion des biens et dans la coordination en réseau, est la clé de la durabilité, non seulement économique, mais aussi relationnelle et spirituelle et elle nous permet d'orienter d'autres personnes, jeunes et adultes, dans la recherche d'un style de vie alternatif. L'évaluation des coûts demande une nouvelle culture, par exemple que l'économie soit considérée une dimension comme les autres (formation, pastorale...), apte à concourir à la réalisation des objectifs. Il ne s'agit pas d'une opposition, mais d'une alliance. Pour que cela advienne, il est nécessaire de travailler en réseau, de réfléchir ensemble dans la transparence et la communion des objectifs. Nous ne devons jamais oublier que les projets missionnaires auxquels nous nous consacrons ne sont pas les nôtres, mais qu'ils sont de l'Église et la mission est avant tout un cadeau de Dieu. Elle est toujours empreinte de sa présence active et mystérieuse. Le Seigneur nous demande de collaborer à la réalisation de son projet, mais il choisit de passer à travers les chemins que nous ouvrons avec Lui.

En tant qu'éducatrices par vocation, nous sommes conscientes que nous éduquons à travers ce que nous vivons et si nous voulons former les nouvelles générations à une culture de la solidarité, il est nécessaire que nous entreprenions, nous les premières, un chemin de conversion. Toute la vie consacrée est appelée à donner une contribution à l'élaboration d'une culture de la solidarité pour la construction d'un monde selon le Projet de Dieu. En conséquence, nos choix économiques doivent être l'expression d'une nouvelle manière de vivre. Lorsque nous faisons le choix d'être avec les plus pauvres, comme signe d'une Église qui a une prédilection pour eux, nous sommes appelées à une créativité permanente pour rester fidèles à nos charismes. Aujourd'hui, c'est un moment favorable pour cette prophétie !

Avec l'Église en sortie missionnaire

L'élaboration de projets demande de parier sur l'avenir à partir d'un présent animé par le feu de l'Esprit. Pour utiliser l'expression du Pape François, cela exige que nous soyons une *Église en sortie missionnaire*, une Église qui n'agit pas en dirigeante du monde, mais qui est proche dans les joies, les douleurs et les espoirs des hommes, riche de foi en son Seigneur. Une Église pauvre avec les pauvres et pour cela capable de partager, de susciter la passion, de créer une mentalité de projets et de dynamisme. Surtout capable de vivre sa motivation de base: annoncer le Royaume de Dieu, spécialement aux pauvres. Une Église *en sortie* prend l'initiative, abandonne les conforts, s'implique et projette pour atteindre les périphéries qui ont besoin de l'Évangile;[7] elle raccourcit les distances, assume la vie humaine en touchant la chair souffrante du Christ dans le peuple.[8]

Le Pape François invoque une conversion pastorale et missionnaire où les pauvres sont protagonistes. Ils ont beaucoup à nous enseigner. Nous sommes appelés à découvrir le Christ en eux, à prêter notre voix, mais aussi à être leurs amis, à écouter le savoir mystérieux que Dieu veut nous communiquer à travers eux.[9] *Le monde des pauvres*, comme le soulignait l'évêque martyr Oscar Arnulfo Romero, *est notre vrai lieu.* Si nous le désertons, nous nous éloignons du Christ. Nous, nous voulons rester dans ce lieu en reconnaissant que chaque personne est immensément sacrée et donc digne de notre affection et de notre dévouement.[10] Nous voulons embrasser la simplicité de l'évangile, la vie selon les béatitudes, convaincus que notre existence n'en deviendra aussi que plus joyeuse, ouverte et disponible, capable de susciter de nouvelles énergies pour la mission, d'ouvrir les horizons de l'espoir et de vitalité vocationnelle renouvelée. Dans la joie de la pauvreté, nous pouvons faire mûrir les choix importants de la vie et nous pouvons répandre cette vie même à d'autres. L'Église en sortie missionnaire est avant tout celle qui a séjourné dans la Maison du Cénacle où elle a reçu l'Esprit Saint et a été comblée d'audace pour l'annonce du Royaume au-delà de chaque barrière.

[7] Cf. FRANÇOIS, Exhort. ap. *Evangelii gaudium*, 20.

[8] *Ibid.*, 24.

[9] *Ibid.*, 198.

[10] *Ibid.*, 274.

Pour conclure

Le mot économie dérive du grec *oikos-nomos*, qui littéralement veut dire « gestion de la maison », où pour maison nous pouvons comprendre les murs domestiques, mais aussi la maison de tous : notre planète. Une bonne économie est donc liée au soin de la planète et de tous ses habitants : les Instituts religieux sont appelés à être prophétiques également en matière de pratique économique pour pouvoir dire avec la vie et les œuvres : *non à une économie injuste. Non à une économie qui exclut, oui à une économie pour la vie, pour la vraie promotion humaine, pour une société plus juste, pour la construction du Royaume de Dieu.*

J'espère que ce Symposium sera une occasion pour repartir avec un nouvel enthousiasme et avec certaines décisions destinées à garantir aussi bien aux membres de nos Congrégations qu'à de nombreux collaborateurs laïques ainsi qu'à des millions de destinataires, une cohérence effective entre qualité de vie, santé et sobriété, instruction et formation, infrastructures et possibilités de travail correctement rétribué et digne. Qu'elles nous aident à témoigner la gratuité dans le don de notre vie animée par une passion apostolique forte soutenue par une gestion économique saine et avisée. Nous sommes heureuses de pouvoir donner une contribution à la construction d'une nouvelle civilisation de l'amour et de la communion en choisissant d'être présentes dans les frontières que l'Église n'a pas encore atteintes.

YVONNE REUNGOAT, FMA
Supérieure générales des Filles de Marie Auxiliatrice

TROISIÈME SESSION

Modérateur

DON JEAN PAUL MULLER, SDB
Économe Général
de la Société Salésienne Saint Jean Bosco

SALUTATIONS
DU CARDINAL GIUSEPPE VERSALDI

Président de la Préfecture pour les Affaires Économiques du Saint-Siège

Je remercie la Congrégation pour les Instituts de vie consacrée et les Sociétés de vie apostolique, en la personne du Préfet Cardinal João Braz De Aviz, non seulement pour l'invitation à présider cette session du Symposium ayant pour thème «La gestion des biens ecclésiastiques des Instituts de vie consacrée et des Sociétés de vie apostolique», mais plus encore pour avoir voulu ce Symposium qui déjà en soi est un service pour la mission de l'Église.

Avec mes salutations cordiales à tous, à partir des illustres intervenants jusqu'aux participants, je souhaite ajouter une réflexion qui ne rentre pas dans le sujet, mais exprime mon témoignage personnel. Je crois avoir été invité en raison de mon rôle en tant que président de la Préfecture pour les affaires économiques (qui est, comme nous le savons, destinée à se transformer à l'intérieur de la réforme de tout le domaine économique-administratif, initiée avec le Motu proprio *Fidelis dispensator et prudens* du 24 février dernier) et c'est précisément au cours de cette dernière charge initiée en 2011, que j'ai pu faire l'expérience de plus près (par rapport à celles que j'avais pu faire en tant que curé de paroisse, puis en tant qu'Évêque) des problématiques liées à la gestion et à l'administration des biens temporels de l'Église.

Et c'est ici que j'ai compris la complexité mais aussi l'importance du lien entre les biens temporels et les fins spirituelles de la mission de l'Église. D'une part, en effet, qui administre, doit le faire dans l'esprit du bon père de famille qui cherche non seulement à protéger le patrimoine, mais aussi à en tirer un revenu afin de pouvoir soutenir les œuvres nécessaires pour la mission spirituelle. De l'autre, cependant en faisant ainsi, nous nous heurtons à une réalité mondaine dont les règles ne sont pas toujours compatibles avec ces valeurs desquelles la mission de l'Église s'inspire. De là surgit une difficulté qui rend le devoir des administrateurs dans l'Église tourmenté étant pris par la nécessité de tirer des bénéfices dans un monde économique-financier objectivement dominé par un marché et la loi du profit et, d'autre part, par le risque d'apporter un contre témoignage d'une Église en réalité peu pauvre et compromise avec le monde des affaires.

Une telle difficulté se vérifie à chaque étape de la vie dans l'Église et devient encore plus évidente lorsque nous rentrons dans le monde de la vie consacrée où le témoignage de détachement des biens terrestres est carrément intégré avec le vœu de pauvreté, qui avec celui d'obéissance et de chasteté connotent la vie religieuse en tant que prophétie et anticipation de la réalité eschatologique selon les paroles du Concile Vatican II : « [...] l'état religieux, qui assure aux siens une liberté plus grande à l'égard des charges terrestres, manifeste aussi davantage aux yeux de tous les croyants les biens célestes déjà présents en ce temps, il atteste l'existence d'une vie nouvelle et éternelle acquise par la Rédemption du Christ, il annonce enfin la résurrection à venir et la gloire du Royaume des cieux » (*Lumen gentium*, n. 44).

Un tel charisme spécifique à la vie consacrée exige une attention spéciale en particulier dans la gestion des biens que l'institution possède pour ne pas se contredire dans son témoignage, mais pour ne pas non plus perdre les moyens nécessaires pour exister et agir (tout particulièrement pour celui qui a des fins apostoliques). Il serait certainement contraire à cette idée que la finalité de la charité envers les pauvres puisse ne pas tenir compte des modalités d'acquisition et de rendement des biens temporels, car la fin ne justifie jamais les moyens (comme c'est malheureusement parfois le cas, et j'ai pu le vérifier directement en certaines occasions, la pauvreté des personnes physiques des religieux va de soi, alors que l'on considère l'enrichissement de l'institution religieuse tout à fait justifié).

Mais je voudrais souligner ici la valeur particulière que la correcte gestion des biens temporels de la part des instituts religieux peut précisément représenter comme instrument d'évangélisation et de transformation de la réalité mondaine dans laquelle il faut nécessairement travailler au niveau économique-financier. Ici la doctrine sociale de l'Église, toujours mise à jour aux temps du Magistère pontifical, est le point de référence pour chaque acteur économique qui souhaite rester cohérent avec sa foi : je me réfère au dernier enseignement de Benoît XVI, et en particulier à *Caritas in veritate*, ainsi qu'au magistère du Pape François insistant particulièrement sur la nécessité d'intervenir sur les causes structurales de la pauvreté en éliminant les inégalités, en dépassant les forces aveugles et invisibles du marché à travers une politique orientée à gouverner l'économie, entendue comme « art d'atteindre une administration adéquate de la maison commune, qui est le monde entier » (*Evangelii gaudium*, 206). Bien que l'administrateur religieux suive ces critères dans le cadre de ses possibilités, il donne non seulement un témoignage cohérent en renonçant au gain majeur pour une économie plus équitable et solidaire, mais aussi, à son niveau, il contribue à changer de l'intérieur les règles mêmes du monde en montrant que, dans la légitimité du profit, il est possible de maintenir en priorité la finalité du bien commun et de la solidarité orientée à éliminer les inégalités injustes. Et le fait que ce témoignage intrinsèque aux règles de l'économie et de la finance vienne du monde religieux renforce la conviction que la foi en Dieu ne néglige pas la réalité de ce monde, mais qu'au contraire, elle est une garantie ultérieure d'une intégration du Royaume du Christ jusqu'à la réalité temporelle et terrestre. C'est dans cette direction que va le discours de Benoît XVI cité dans l'Encyclique *Deus caritas est*, quand il revendiquait le rôle de la religion dans la sphère publique : « La religion chrétienne et les autres religions ne peuvent apporter leur contribution au développement que si Dieu a aussi sa place dans la sphère publique, et cela concerne les dimensions culturelle, sociale, économique et particulièrement politique » (n. 56). La même idée est reprise par le Pape François dans son Encyclique *Evangelii gaudium*: «Je suis convaincu qu'à partir d'une ouverture à la transcendance pourrait naître une nouvelle mentalité politique et économique, qui aiderait à dépasser la dichotomie absolue entre économie et bien commun social» (n. 205).

Il est évident que chaque administrateur religieux doit connaître non seulement en théorie ces principes mis à jour de la doctrine sociale de l'Église, mais il doit aussi les appliquer avec les moyens possibles en harmonisant, comme cela a été déjà dit, la nécessité de faire fructifier les biens qui lui sont confiés (même s'il s'agit seulement de les cacher pour les restituer dans leur intégralité, mais sans fruits, cela ne serait pas évangélique!) avec le témoignage du statut de vie consacrée. Pour la religieux plus encore que pour les chrétiens qui vivent dans le monde, le témoignage du charisme doit être net et crédible.

Je souhaite que grandisse toujours plus en tous les administrateurs, en particulier en vous ici présents, la conviction de la valeur du ministère qui vous est confié en l'exonérant d'une certaine mentalité (je ne sais pas si elle est seulement passée ou encore présente) selon laquelle celui qui gère des biens matériels finit nécessairement par se salir les mains ou que l'économe remplit de toute façon un rôle inférieur à d'autres, qu'il doit subir, plutôt que d'être nécessaire pour la mission spirituelle et aussi en soi source de témoignage positif en ce domaine, si sensible dans le monde (comme le démontrent de manière négative les scandales créés par certains dans le domaine économique-financier). Comme le rappelait le Concile Vatican II, il n'existe pas deux Églises, une invisible-spirituelle et une visible-terrestre, mais une Église unique fondée par le Christ comme «communauté de foi, d'espérance et de charité, par laquelle se répandent, à l'intention de tous, la vérité et la grâce». Cette société «organisée hiérarchiquement d'une part et le corps mystique d'autre part, l'ensemble discernable aux yeux et la communauté spirituelle, l'Église terrestre et l'Église enrichie des biens célestes ne doivent pas être considérées comme deux choses, elles constituent au contraire une seule réalité complexe, faite d'un double élément humain et divin» (*Lumen gentium*, n. 8).

Donc, vous aussi, administrateurs, vous n'êtes pas les fils d'un dieu mineur, comme si vous travailliez pour une Église terrestre distincte de celle spirituelle, mais, comme les confrères et les consœurs qui se consacrent à l'école ou à la formation spirituelle, vous accomplissez un ministère précieux et important, également nécessaire tant que l'Église est pèlerine sur cette terre. Je pense que seule cette haute considération de votre travail peut être l'encouragement nécessaire pour ne pas se laisser prendre au piège de la résignation de porter d'une manière ou d'une autre quelque résultat utile avec le risque ou de suivre la mentalité mondaine ou de laisser dépérir les quelques moyens qui ont été donnés avec beaucoup de fatigue et aussi grâce à la générosité des fidèles à l'Église et aux institutions religieuses en signe de confiance et d'estime pour la mission spirituelle, dont le monde a tant besoin. Une nouvelle évangélisation est nécessaire mais elle doit être aussi accompagnée de la considération et de la gestion des biens temporels dans la vie religieuse. Je pense et je souhaite que ce Symposium puisse être une étape importante dans cette direction.

LE COMPORTEMENT ÉCONOMIQUE DANS UNE SOCIÉTÉ EN TRANSFORMATION

STEFANO ZAMAGNI

1. Prémisse

Comme nous le savons, l'individualisme est la position philosophique selon laquelle c'est l'individu qui attribue la valeur aux choses et aux relations interpersonnelles. Et c'est toujours l'individu, le seul à décider ce qui est bien et ce qui est mal, ce qui est permis et ce qui est illicite. En d'autres termes, le bien est tout ce à quoi l'individu attribue de la valeur. Il n'existe pas de valeurs objectives pour l'individualisme axiologique, mais seulement des valeurs subjectives. Dans l'essai *Individualmente insieme*, Zygmunt Bauman clarifie que « le fait de concevoir les propres membres comme des individus [et non comme des personnes] est la marque distinctive de la société moderne ».[1] L'individualisation, poursuit Bauman, consiste en la transformation de l'identité humaine d'un quelque chose d'acquis à un devoir, et dans l'attribution aux acteurs de la responsabilité par rapport à la réalisation de ce devoir et des conséquences de leurs actions.[2] La thèse de Bauman, donc, est que « l'individualisation garantit à un nombre toujours plus croissant d'hommes et de femmes une liberté inédite d'expérimentation, mais elle porte en soi aussi le devoir inédit de faire face à ses conséquences ». En conséquence, la discordance, en augmentation continue, entre le « droit à l'auto-affirmation » d'un côté et la

[1] Z. BAUMAN, *Individualmente insieme*, trad. it., Parma 2009, 29 (notre traduction).

[2] *Ibid.*, 31.

« capacité de contrôler les contextes sociaux » où cette auto-affirmation devrait avoir lieu, « semble être la contradiction principale de la deuxième modernité ».[3] Il suffit de penser à la condition de la femme qui travaille hors de la maison et au problème du travail qui manque à des millions de personnes, en particulier aux jeunes.

D'autre part, le libertarisme, aujourd'hui à la mode, est la thèse qu'avancent de nombreux philosophes selon laquelle pour fonder la liberté et la responsabilité individuelle, il faut recourir à l'idée d'auto-causalité. Par exemple, Galen Strawson, parmi d'autres, dans son essai *Free Agents* (2012), soutient qu'est complètement libre seulement l'agent auto-causé, auto-créé ou, pour reprendre ses mots, *causa sui*, presque comme s'il était Dieu. (Une critique forte et convaincante de cette thèse est celle d'Adina L. Roskies *Don't Panic: Self-Authorship without Obscurs Metaphysics*, in *Philosophical Perspectives*, 2012).

La radicalisation de l'individualisme en termes libertaires, et donc antisociaux, a porté à conclure que chaque individu a « droit » de s'étendre jusqu'où sa puissance le lui permet. L'idée qui est aujourd'hui dominante dans nos cercles culturels, est celle de liberté comme dissolution des liens. Étant donné qu'ils limiteraient la liberté, les liens sont ce qui doit être dissout. En comparant erronément l'idée de lien avec celui d'engagement, se confondent ainsi les conditionnements de la liberté – les engagements – avec les conditions de la liberté – les liens.

C'est un aspect que Michel Foucault a saisi avec une perspicacité rare quand, en affrontant le problème de l'accès à la vérité, il se demande s'il est vrai qu'aujourd'hui nous vivons dans une période au cours de laquelle c'est le marché qui est devenu un « lieu de vérité », où c'est-à-dire la vie entière des sujets est subsumée à l'efficacité économique et où c'est encore le marché à faire en sorte que le gouvernement, « pour être un bon gouvernement », doive fonctionner en fonction de ce lieu de véridiction : « Le marché doit

[3] *Ibid.*, 39.

dire le vrai et il doit le faire par rapport à la pratique de gouvernement. C'est son rôle de véridiction qui dorénavant, et de manière clairement indirecte, le portera à commander, dicter, prescrire les mécanismes juridictionnels, ou en fonction de sa présence ou absence, le marché devra s'articuler».[4]

2. Vers le marché civil

2.1. Le grand défi, culturel et politique ensemble, au jour d'aujourd'hui est celui d'aller au-delà du modèle traditionnel d'économie capitaliste de marché, sans cependant renoncer aux avantages que ce modèle a assurés jusqu'à présent. Il n'est en effet pas vrai, comme certains voudraient le croire, que si l'on veut conserver et étendre l'ordre social fondé sur le marché, il faut nécessairement accepter (ou subir) la forme capitaliste traditionnelle de celui-ci. Aujourd'hui est répandue, dans une grande partie de l'opinion publique, la conviction selon laquelle le modèle du soi-disant turbo capitalisme financier ait désormais épuisé son élan propulsif. L'occasion précieuse pour repenser la manière de conceptualiser le sens du marché est, à présent, devant nous.

On demandera en effet, de plus en plus, dans un futur proche, au marché non seulement de produire la richesse et d'assurer une croissance soutenable du revenu, mais aussi de se concentrer sur le développement intégral humain, c'est-à-dire un développement dont la dimension matérielle, socio-relationnelle et spirituelle puissent avancer en harmonie. Le marché capitaliste, alors qu'il a assuré une progression spectaculaire de la première dimension – celle de la croissance –, a sensiblement empiré la situation en ce qui concerne les deux autres dimensions. C'est à cela que l'on doit l'augmentation, particulièrement préoccupante, des coûts sociaux de la croissance. Sur l'autel de l'efficacité – érigée comme un nouveau mythe de la modernité –, nous avons sacrifié des valeurs non

[4] M. FOUCAULT, *Nascita della biopolitica*, trad. it., Milano 2003, 40 (notre traduction).

négociables telles que la démocratie, la justice distributive, la liberté positive. Le mythe de l'efficacité a trouvé, de nos jours, sa pleine expression dans la théorie des marchés financiers: la soi-disant «market efficiency hypothesis», l'hypothèse des marchés efficaces. (À ne pas confondre: le marché capitaliste est compatible avec la justice commutative et avec la liberté négative, mais pas avec la justice distributive ni avec la liberté positive. D'autre part, il est connu que le marché capitaliste peut aller de pair, et c'est en effet ce qui s'est passé, avec des dictatures brutales, mais pas pour longtemps, pour une raison spécifique dont je vous parlerai bientôt).

Un tel sacrifice, que l'histoire économique et sociale de la période qui a suivi la révolution industrielle a illustré de manière précise et exhaustive, a trouvé sa justification théorique, et donc sa légitimation culturelle, dans le principe du NOMA (*Non Overlapping Magisteria, «Non-recouvrement des magistères»*) selon lequel les principes de l'éthique auraient autant d'impact sur la science économique qu'ils en ont sur les lois de la physique et de la chimie. De là à dire que la sphère économique doive être scrupuleusement tenue séparée de la sphère politique et de celle de l'éthique, à partir du moment où l'infiltration dans le marché des valeurs et principes appartenant à ces deux dernières sphères pourrait mettre en péril la réalisation de sa finalité qui est la raison d'être du marché: celle de l'efficacité, et donc de la croissance. C'est par ce biais que le marché capitaliste a réussi à faire accepter le principe de réalité avec laquelle doivent se mesurer ceux qui opèrent dans les sphères de la politique et de l'éthique: un ordre politique est acceptable s'il est fonctionnel au fur et à mesure de l'augmentation de l'efficacité; une norme éthique doit être accueillie et appliquée si elle favorise la croissance. Réfléchissons, avec attention, sur le sens du passage suivant du célèbre *Principles of Scientific Management* de F.W. Taylor: «Une des premières exigences pour le travailleur responsable au travail de haut fourneau est qu'il soit si stupide au point d'être assimilé plus à un bovin qu'à n'importe quelle autre chose... Le travailleur le plus approprié pour gérer le travail de haut fourneau ne peut pas comprendre la vraie science que sous-tend le travail qui lui est assigné ».[5] C'est sur cette idée que Taylor – qui écrit un siècle après la pensée analogue à celle de l'Anglais Charles Babbage – a fondé l'organisation du modèle bien connu de la chaîne de montage, un modèle qui ne peut certainement pas laisser de place ni à l'initiative individuelle ni au développement intellectuel des travailleurs.

Pourquoi est-ce que le marché et la démocratie ne peuvent pas rester séparés trop longtemps ? Nous savons qu'un des avantages principaux de l'institution du marché est celui de fournir une solution efficace au problème de comment mobiliser et gérer la connaissance qui est dispersée parmi une multitude d'individus. Déjà Fredrick von Hayek avait clarifié, dans un essai célèbre de 1937, qu'afin de canaliser de manière efficace la connaissance dont les membres d'une société sont porteurs, il faut un mécanisme décentralisé de coordination qui est, justement, le système des prix. Mais ce dernier pour fonctionner comme demandé suppose – comme l'a observé Carlo Tognato – que les participants au jeu du marché comprennent et partagent la « langue » du marché. Faisons une analogie. Les piétons et les automobilistes s'arrêtent au feu rouge car ils partagent la même signification de la lumière rouge. Si cette dernière évoquait, pour quelques-uns, l'adhésion à une position politique particulière et, pour d'autres, un signal de danger, il est évident qu'aucune coordination ne serait possible, avec les conséquences qu'il est facile d'imaginer. L'exemple suggère qu'il n'y a pas un mais deux types de connaissance dont le marché a besoin pour remplir son rôle principal. Le premier type est la connaissance individuelle qui est déposée dans chaque individu et c'est celle qui – comme l'avait bien compris Fredrick von Hayek – peut être véhiculée par les mécanismes normaux du marché. Le second type de connaissance est, en revanche celle institutionnelle, et en relation avec la langue commune qui permet à une

[5] F.W. TAYLOR, *Principles of Scientific Management*, New York 1911, 56 (notre traduction).

pluralité d'individus de partager les significations des catégories de discours qui sont utilisées et de se comprendre réciproquement quand ils sont en contact.

C'est un fait que dans toute société cœxistent de nombreux langages différents, et le langage du marché est seulement un parmi eux. Si c'était le seul, il n'y aurait pas de problèmes : pour mobiliser de manière efficace la connaissance locale de type individuel, les instruments usuels du marché suffiraient. Mais cela n'est pas le cas, pour la raison simple que les sociétés contemporaines sont des contextes multiculturels où la connaissance de type individuel doit voyager au-delà des frontières linguistiques et c'est ce qui pose des difficultés importantes. Le *mainstream* économique a pu faire abstraction d'une telle difficulté en supposant, implicitement, que le problème de la connaissance de type institutionnel de fait n'existe pas, parce que tous les membres de la société partagent le même système de valeurs et qu'ils acceptent les mêmes principes d'organisation sociale. Mais quand ce n'est pas ainsi, comme la réalité nous oblige à en prendre acte, il faut pour gouverner une société « multi-linguistique » une autre institution, différente du marché, qui fasse émerger cette langue de contact capable de faire dialoguer les membres appartenant aux différentes communautés linguistiques. Eh bien, cette institution est la démocratie. Cela permet de comprendre pourquoi le problème de la gestion de la connaissance dans nos sociétés d'aujourd'hui, et donc en définitive le problème du développement, postule que deux institutions – la démocratie et le marché – soient mises dans les conditions d'opérer de manière conjointe, main dans la main, avec des influences réciproques. En revanche, la séparation entre le marché et la démocratie qui a eu lieu au cours des cinquante dernières années sur la vague de l'exaltation d'une certaine manie de l'efficacité culturelle et d'un individualisme possessif poussé à l'excès a fait croire – même aux spécialistes les plus avertis – qu'il était possible d'élargir la zone du marché sans se préoccuper de tenir compte du renforcement de la démocratie.

Deux conséquences principales en sont dérivées. La première, l'idée pernicieuse selon laquelle le marché serait une zone moralement neutre qui n'aurait besoin de se soumettre à aucun jugement éthique parce qu'il contiendrait déjà dans son noyau dur ces principes moraux qui sont suffisants pour sa légitimation sociale. Au contraire, en n'étant pas apte à se créer tout seul, le marché pour exister suppose que la « langue de contact » ait déjà été élaborée. Et une telle considération suffirait à vaincre toute seule toute prétention d'auto-référentialité. La deuxième, si la démocratie est exposée à une lente dégradation, il peut arriver que le marché soit empêché de canaliser et gérer de manière efficace la connaissance, et il peut donc arriver que la société cesse de croître, sans que ceci soit dû à des « faillites » du marché, mais en réalité à cause d'un déficit de démocratie. La crise économique-financière qui a éclaté aux USA en 2007 et qui est toujours en cours – une crise de nature justement entropique et non dialectique comme fut celle de 1929 – est la meilleure et la plus terrible confirmation empirique d'une telle proposition.

Voilà pourquoi il faut réunir le marché et la démocratie pour conjurer le double danger de l'individualisme possessif et de l'étatisme centralisé. Nous aboutissons à l'individualisme quand chaque membre de la société veut être le tout ; nous avons la centralisation lorsque celui qui veut être le tout est un corps puissant. Dans un cas, la diversité est exaltée au point de faire mourir l'unité de l'association humaine ; dans l'autre cas, pour affirmer l'uniformité, c'est la diversité qui est sacrifiée. Un discours analogue – mais pas semblable – peut être fait en ce qui concerne l'urgence de recomposer la fracture entre le marché et l'éthique. Qu'est-ce que nous trouvons au bout de cette rupture ? La thèse selon laquelle la société libérale-individualiste ne poursuit ni ne cherche à imposer une conception spécifique du bien, mais se limite à fournir une structure neutre des droits et libertés fondamentales qui permet aux individus de poursuivre librement leurs propres objectifs et de respecter la liberté de choix de tous les autres. Il en résulte que les droits individuels ne peuvent être sacrifiés en faveur du bien commun, et que les principes de justice qui spécifient ces droits ne peuvent être basés sur quelque notion de solidarité. Ce qui veut dire que nous pouvons accepter la justice commutative, mais qu'aucune concession ne peut être faite à la justice distributive.

2.2. Certes, il y a des valeurs – comme le reconnaissaient Whately, Wicksteed et tant d'autres jusqu'à Milton Friedman, le fondateur de l'influente École de Chicago – avec lesquelles le marché doit faire face, mais celles-ci sont, pour ainsi dire, en amont, c'est-à-dire qu'elles se rapportent aux fondements afin que le marché puisse atteindre son existence et puisse bien fonctionner. Pensons aux valeurs telles que l'honnêteté, la loyauté, la confiance. Nous reconnaissons qu'il s'agit de valeurs nécessaires, car sans liberté d'entreprendre ou sans liberté de rentrer dans des relations d'échange le marché ne pourrait exister. De même, si les agents économiques ne respectent pas les engagements pris ainsi que les normes juridiques en vigueur et surtout si l'on n'instaure pas entre eux un réseau solide de relations de confiance, le marché – comme nous le savons déjà – ne peut pas opérer de manière efficace. Mais, selon une telle vision réductrice du discours économique, tout cela doit déjà exister avant que le marché ne commence à fonctionner – exactement comme l'avait déjà compris T. Hobbes dans son œuvre célèbre *De Cive* en 1642 quand il écrivait que les hommes entrent dans la sphère publique déjà formés, comme des champignons qui grandissent soudainement après une pluie intense. Dans tous les cas, ce n'est pas au marché d'y pourvoir; cette tâche revient plutôt aux organisations de la société civile ou de l'État ou des deux.

Clairement, en arguant de telle manière, les partisans de cette représentation de la société de marché n'ont pas été effleurés par le doute que les résultats qui jaillissent du processus économique pourraient finir par éroder ce noyau dur de valeurs sur lequel celui-ci même se tient et sans lesquelles toute économie de marché ne durerait pas plus que le temps d'un matin. Par exemple, si les résultats du marché ne satisfont pas un critère, aussi minimal soit-il, de justice distributive, pouvons- nous penser que le patrimoine de valeurs telles que l'honnêteté et la confiance reste immuable dans le temps ? Sans obligations fiduciaires, les contrats ne peuvent être signés, si ce n'est à des coûts de transaction prohibitifs, comme nous le savons. Pourquoi est-ce que les agents économiques devraient se fier les uns aux autres et maintenir les engagements contractuels pris si l'on sait que le résultat du jeu économique est manifestement inique ? En outre, qu'en est-il des intérêts et du destin de ceux qui, pour une raison ou une autre, ne réussissent pas à prendre part au jeu économique ou qui en sont exclus parce qu'ils sont jugés peu efficaces et donc pas compétitifs ? Peut-on honnêtement considérer que les remèdes de la compassion ou de la philanthropie privée puissent être suffisants au besoin ? Absolument pas, car les remèdes de ce genre augmentent, plutôt qu'ils ne réduisent l'écart entre la sphère des jugements d'efficacité et celle des jugements éthiques. Et ceci pour une double raison.

En premier lieu, parce qu'ils renforcent la conviction selon laquelle le marché est un mécanisme allocatif qui peut fonctionner *in vacuo*, c'est-à-dire en faisant abstraction du type de société dans lequel il est immergé ; ce qui équivaut à dire, un mécanisme éthiquement neutre dont les résultats, s'ils sont jugés inacceptables selon quelque standard de valeur éthique, peuvent toujours être corrigés *ex post* par l'État. En deuxième lieu, parce que cette manière de raisonner donne une légitimation à l'idée fausse selon laquelle la sphère du marché coïncide avec celle de la défense des seuls intérêts individuels et la sphère de l'État avec celle de la défense des intérêts collectifs. D'où le modèle dichotomique bien connu d'ordre social, dont nous avons parlé, sur la base duquel l'État est identifié comme le lieu des intérêts publics (c'est-à-dire de la solidarité) et le marché comme le lieu du privatisme (c'est-à-dire de la poursuite d'objectifs individualistes). C'est au « public », identifié tout en un avec l'État, de devoir s'occuper de la solidarité à travers la redistribution ; le « privé », c'est-à-dire le marché doit se préoccuper uniquement de l'efficacité, c'est-à-dire de la production jusqu'au plus haut degré consenti de la richesse.

Aujourd'hui, nous savons que pour assurer la durabilité d'une économie de marché vitale, nous avons besoin d'une introduction continue de valeurs externes au marché même, comme le suggère justement – sur un autre type de discours – le paradoxe de Böckenförde selon lequel l'État libéral sécularisé vit de promesses qu'il ne peut lui-même pas garantir. Le cœur du paradoxe réside dans le fait que l'État libéral peut exister seulement si la liberté qu'il promet à ses citoyens est encadrée par la constitution morale de chacun et des structures sociales inspirées par le bien commun. Si en revanche, l'État libéral tente d'imposer cette réglementation, il renonce à son être libéral, finissant par retomber dans cette même instance de totalitarisme duquel il prétend s'être émancipé. *Mutatis mutandis*, ce même discours vaut aussi pour le marché. L'économie de marché postule plutôt sur l'égalité entre ceux qui y prennent part, mais elle engendre *ex-post* une inégalité de résultats. Et quand l'égalité de l'être diverge trop de l'égalité de l'avoir, c'est la raison même du marché qui est mise en doute. Plus en général, l'économie de marché vit et s'alimente de promesses qu'elle-même n'est pas apte à engendrer et qui peuvent être entre temps conservées dans la mesure où la logique de l'efficacité – qui reste en soi fondamentale – ne prend pas en contre-pied les autres valeurs en pénétrant tous les circuits d'intégration communautaire.

La démocratisation du marché est alors le premier devoir qui doit être attribué à tous ceux qui veulent fortifier cette institution. Dans un essai récent, D. Acemoglou et J. Robinson,[6] distinguent les institutions économiques extractives et inclusives. Les premières sont celles qui favorisent la transformation de la valeur ajoutée créée à partir de l'activité productive en rente parasitaire et celles qui poussent l'allocation des ressources vers la spéculation financière. Les secondes, au contraire, ce sont ces institutions qui permettent de faciliter l'inclusion dans le marché de toutes les

[6] D. Acemoglou - J. Robinson, *Perché le nazioni falliscono. Alle origini di potenza, prosperità e povertà*, trad. it., Milan 2013.

ressources, surtout du travail, dans le respect des droits humains fondamentaux et en assurant la réduction des inégalités sociales.

Branko Milanovic nous confirme que les inégalités sociales ont augmenté partout, au cours des trente dernières années, beaucoup plus que n'a augmenté le revenu global et, surtout, nous informe qu'elles sont maintenant devenues un phénomène endémique au système du marché.[7] Pourtant, l'inégalité n'est pas une destinée et non plus une constante dans l'histoire. Ce n'est pas une destinée, parce qu'elle est liée aux règles du jeu économique, c'est-à-dire avec l'orientation institutionnelle qu'une communauté de personnes qui se sont réunies ont décidé de se donner. Ce n'est pas une constante dans l'histoire, parce qu'il y a des pays dans lesquels les inégalités sont sensiblement plus hautes que dans d'autres. Il est sert à peu de choses d'invoquer une croissance plus importante dans l'espoir de diminuer les inégalités, si en même temps les règles du jeu du marché ne changent pas. C'est un point que A. de Tocqueville avait déjà bien identifié dans sa célèbre œuvre *De la démocratie en Amérique* en 1835 lorsqu'il avait écrit: « L'égalité se rencontre aux deux extrémités de la civilisation ».

2.3. La question qui se pose est la suivante: est-il réaliste, dans les conditions historiques actuelles, de se concentrer sur une économie civile de marché ? La réponse affirmative doit être recherchée dans la satisfaction d'une condition précise: que ce type d'économie puisse s'affirmer *à l'intérieur* du marché (et non pas en dehors de celui-ci, c'est-à-dire *a latere*) jusqu'à atteindre le niveau du seuil critique, une place économique occupée par des sujets dont le comportement économique est inspiré par le principe de réciprocité. Malheureusement, et cela est un indice de sous-développement culturel sérieux, le principe de réciprocité continue d'être confondu avec celui de l'échange des équivalents. Pourtant, il y a une grande différence entre les deux. En effet, alors que dans la relation

[7] B. MILANOVIC, *Chi ha e chi non ha. Storie di disuguaglianze*, trad. it., Bologna 2012.

d'échange, la détermination du rapport d'échange (c'est-à-dire du prix d'équilibre) précède le transfert de l'objet échangé – seulement après que l'acheteur et le vendeur se soient mis d'accord sur le prix de la chose, objet de la transaction, l'échange peut avoir lieu –, dans la relation de réciprocité le transfert précède la contre-partie, aussi bien logiquement que temporellement, à ce propos le sujet qui initie la transaction ne peut se vanter d'un droit, mais seulement d'une expectative. En outre, les rapports de réciprocité tendent à modifier le résultat du jeu économique même, d'une part parce que la pratique de la réciprocité stabilise les comportements prosociaux chez les agents se trouvant à interagir dans des contextes du type « dilemme du prisonnier », d'autre part parce que la culture de la réciprocité tend à modifier de manière endogène la structure préférentielle même des sujets. Prenons un exemple simple : si je me trouve dans la situation d'avoir besoin d'autres dans des circonstances où je ne peux pas me lier à un engagement dans le futur d'une façon crédible, un agent rationnel dans le sens de la rationalité individualiste, tout en étant apte à m'aider, ne le fera certainement pas si, en sachant que je suis aussi un sujet auto-intéressé, car il pensera que je n'aurai aucun intérêt à rendre la réciproque du service reçu. Cela n'est, par contre, pas ainsi si mon prêteur potentiel d'aide sait que je suis une personne qui pratique la réciprocité.

Voilà pourquoi, contrairement à ce qui se passe dans les échanges d'équivalents, la réciprocité ne peut pas être expliquée uniquement en terme de *self-interest* : les motivations et les dispositions vis-à-vis de l'autre sont un ingrédient essentiel de l'idée de réciprocité. C'est pour cela que la littérature économique dominante, focalisée comme elle est sur le sujet utilitariste, ne parvient pas à tenir compte de la notion de réciprocité, en l'interprétant systématiquement comme un cas particulier dans l'échange d'équivalents, là où les sujets poursuivent l'intérêt personnel éclairé. Le fait est que la rationalité – *primum movens* de l'action réciproque –, une fois expulsée du discours économique, il y n'a rien d'autre à faire que de la penser comme une forme d'altruisme ou d'émotion morale.

C'est à la culture de la modernité que l'on doit ce choix réductionniste, un choix en vertu duquel le contrat et l'incitation ainsi que d'un système approprié de lois suffiraient au marché. De cette manière, nous avons renoncé à comprendre que la réciprocité oppose toujours sa logique de surabondance à la logique d'équivalent dans le contrat. L'aspect essentiel de la réciprocité est que les transferts qu'elle engendre sont indissociables des rapports humains : les objets des transactions ne sont pas séparables de ceux qui les rendent possible, de même qu'elles cessent d'être anonymes et impersonnels. C'est pour cette raison que dans la réciprocité on réussit à donner sans perdre et à prendre sans enlever. Le marché civil a pour fondement trois principes qu'il considère comme co-essentiels et qui sont à la base d'un ordre social solide : l'échange d'équivalents ; la redistribution ; la réciprocité.

Pour éviter tout équivoque, je désire préciser que je n'entends pas du tout affirmer que le comportement humain soit guidé par des motivations seulement intrinsèques (ces motivations sont telles chez qui accomplit une action non pas pour obtenir un avantage économique, mais parce qu'il « croit » dans la valeur symbolique de celle-ci), mais simplement que de telles motivations *contribuent* à expliquer le comportement humain et en particulier qu'elles font partie intégrante de la définition de la rationalité. Je ne veux pas du tout affirmer, à plus forte raison, qu'il soit possible de gouverner une économie de marché sur la base du seul principe de réciprocité, pris en opposition au principe de l'échange d'équivalents : j'affirme plutôt qu'une organisation de marché capable de stimuler les comportements pro-sociaux d'au moins une partie de ses composantes tendra, au lieu de les mortifier, à agir non seulement de manière plus efficace, en réduisant substantiellement le niveau des coûts de transaction grâce son fonctionnement, mais aussi qu'elle sera plus « félicitante », c'est-à-dire satisfaisante pour tous.

En effet, l'homme n'est pas en soi fondamentalement ou seulement individualiste, comme le veut l'individualisme axiologique, ou seulement « socialisateur » comme le veut l'approche structurale-organiciste, mais il tendra à développer les penchants qui sont les plus encouragés dans le contexte social dans lequel il agit. La thèse selon laquelle la pro-socialité et la réciprocité sont des « exceptions » qui sont expliquées à la lumière de la « primauté naturelle et historique » du *self-interest* apparaît alors aussi extrême que sa thèse contraire. Non seulement cette thèse a été aujourd'hui démentie sur le terrain de l'évidence empirique des nouvelles théories évolutionnistes qui montrent comme la coopération et la compétition sont perpétuellement interconnectées. La première, en effet, joue un rôle aussi important dans l'évolution que celui de la mutation et de la sélection.[8]

Le fait est que dans son extraordinaire complexité comportementale, l'homme peut être guidé par une grande variété de configurations motivationnelles ; l'efficacité et le bonheur public d'une société de marché dépendront alors de sa capacité de faire levier sur les *meilleures* motivations individuelles – en permettant librement aux agents économiques de rechercher en même temps la plus grande part de bien-être pour soi et pour les autres à travers une médiation « raisonnable » entre les deux instances. C'est cette capacité continue de médiation, qui suppose aussi naturellement le « *self-interest* éclairé » mais elle ne se limite pas à lui, qui permet de maintenir debout les réseaux indispensables de confiance et d'aide réciproque lesquels permettent au marché d'être durable. Il peut être intéressant de rappeler que même dans la tradition de pensée juridictionnelle américaine, jusqu'à la seconde après-guerre, l'existence de l'entreprise capitaliste n'était justifiée seulement dans une logique de service. L'éminent juriste E.M. Dodd écrivait à ce sujet : « Les activités d'entreprise sont permises et encouragées par la loi parce qu'elles sont un service rendu à la société plutôt qu'une source de profit pour ses propriétaires ».[9]

[8] Cf. J. Haidt, *The Righteous Mind. Why Good People are Divided by Politics and Religion*, London 2012.

[9] E.M. Dodd, For whom are Corporate Managers Trustees ?, in *Harvard Law Review* 45 (1932) 1147 (notre traduction).

2.4. Nous pouvons nous demander : jusqu'à quel point la pratique de la réciprocité est-elle répandue dans la réalité ? Contrairement à ce qu'il pourrait sembler, l'observation, même ponctuelle, suggère qu'il s'agit d'un phénomène plutôt répandu dans nos sociétés avancées. Non seulement celui-ci est à l'œuvre, sous différentes formes et degrés, dans la famille, dans les petits groupes informels, dans les associations de volontariat, mais le réseau de transactions basées sur la réciprocité est présent sous toutes ces formes d'entreprise, qui vont de l'entreprise coopérative où la réciprocité revêt la forme particulière de la mutualité, à l'entreprise sociale jusqu'aux organisations productives qui donnent naissance au commerce équitable et solidaire, à la finance éthique, à l'investissement socialement responsable, au *cash mob*, au microcrédit, etc. Sur la base des résultats économiques atteints jusqu'à présent par de telles entités et avec les modalités concrètes de leurs actions, l'évidence empirique est désormais étendue et précise. Il n'est donc pas nécessaire de s'étendre plus ici : je renvoie à Leonardo Becchetti (2013). Je me limite seulement à rappeler que, comme un certain nombre d'études sur le développement économique italien ont mis en évidence, le soi-disant modèle de la « nouvelle compétition » présuppose, pour être praticable, soit la disposition à coopérer de la part des agents soit un réseau dense de transactions dont la structure est très semblable à celle qui caractérise les relations de réciprocité. C'est justement en ceci que réside le secret des histoires de succès de nos secteurs industriels, des histoires qui, alors qu'elles ne cessent de recevoir des attentions croissantes de la part des spécialistes et des acteurs étrangers, suscitent en même temps des regrets pour les difficultés rencontrées pour les appliquer ailleurs, surtout dans le Sud de notre pays.

Le modèle de la nouvelle compétition est un fait amplement documenté qui s'est solidifié et qui a vu le jour dans ces régions qui, au cours du temps, ont vu se développer et se renforcer de forts réseaux de réciprocité. Une confirmation importante de tout ce qui a été dit nous arrive des tendances récentes en Amérique du

Nord où il n'est plus exceptionnel de trouver des entreprises de type capitaliste qui, plutôt que de se consacrer à renforcer leurs fondations d'entreprise auxquelles confier les traditionnels engagements de nature philanthropique, ont commencé à donner vie aux entreprises sans but lucratif qui, dans une pleine logique entrepreneuriale, s'occupent de produire et de gérer des biens et services dans les domaines comme ceux du *welfare*, des biens communs (*commons*), des biens culturels et d'autres encore. Pensons – pour ne citer quelques exemples – au cas du Pacific Community Ventures, aux Emancipation Networks, aux B-Corporations (*Beneficial Corporations*), aux Low-profit Limited Liability Companies nées en 2008 et maintenant en expansion rapide. Les Entreprises Bénéfiques n'opèrent pas pour maximiser le rendement pour l'actionnaire, mais pour accomplir des objectifs précis d'intérêt public (activité à impact socio-environnemental zéro, construction populaire, instruction, insertion professionnelle des personnes désavantagées, etc.). Aujourd'hui, sept États des USA, ont déjà approuvé, au cours des trois dernières années, une loi qui prévoit, et donc régularise, ce type d'entreprise.

Un autre type encore d'entreprise, particulièrement efficace dans le cas où on voudrait réaliser des œuvres d'intérêt collectif pour lesquelles il faudrait des ressources financières considérables, est celui des *Participation non profit enterprises* (entreprises à but non lucratif à participation) autorisées à émettre des actions (ainsi que des obligations) garantissant au souscripteur d'importants bénéfices avec des allègements fiscaux à l'unique condition qu'en cas de vente des actions, le profit soit à nouveau investi dans d'autres entreprises du même type. Dans le cas contraire, l'investisseur, s'il voulait retenir le profit pour lui, devra restituer les allègements fiscaux dont il a bénéficié. C'est la tendance analogue qui s'affirme en Europe après la naissance en 2005 des *Community Interest Companies* en Grande-Bretagne et après que la Commission de l'Union Européenne, dans la résolution de novembre 2011, ait explicitement encouragé les 27 pays de l'Union Européenne à entreprendre la voie du « social business » défini comme : « Cette activité d'entreprise dont le principal objectif est l'impact social plus que la génération de profits pour ses associés ». L'objectif déclaré est celui de promouvoir la naissance des marchés des capitaux responsables, c'est-à-dire contraires à la spéculation.[10]

C'est à l'intérieur d'un tel cadre que s'explique la diffusion rapide également en Italie des phénomènes du Web comme le *social lending* (le prêt d'entraide réalisé via des plates-formes facilitant la rencontre entre la demande et l'offre) et le *crowdfunding* (le donateur potentiel recherche des projets qu'il juge dignes d'être encouragés et donc de recevoir ses fonds). L'aspect qui mérite notre attention est que le crowdfunding est un exemple, actuellement encore limité mais ayant un fort potentiel de développement, de processus de type coopératif entre les personnes désireuses de mettre à disposition d'autres ressources (monétaires ou autre) dans le but de donner vie à de nouvelles entreprises ou aussi de créer de nouveaux marchés de biens et services. Avec le crowdfunding et le social lending, l'objectif est actuellement de créer un véritable actionnariat populaire, promu à travers le Web qui est capable de distribuer des services de « business coaching », et donc de donner des ailes à l'affirmation de nouvelles typologies d'entreprises, différentes des entreprises capitalistes traditionnelles.

Comme je l'ai expliqué dans ma publication *Impresa responsabile e mercato civile*,[11] au-delà des particularités qui distinguent un cas de l'autre, un même objectif de fond rapproche ces différentes formes d'organisation : celui de tendre à réaliser une authentique démocratisation du marché, à travers la pluralité des types d'entreprises pouvant opérer à l'intérieur de celui-ci. Voilà pourquoi cela n'a pas de sens, ni cela n'apporte de bénéfice, de poser le problème du choix entre le principe de réciprocité et le principe de l'échange d'équivalents. Cela n'a pas de sens parce que nous ne disposons pas d'un critère incontestable sur lequel baser notre choix.

[10] *http://ec.europa.eu/internal-market/social-business/index-en.htm*

[11] Il Mulino, Bologne 2013.

Pour éviter tout malentendu, un tel critère ne peut certainement pas être celui de l'efficacité au sens de Pareto, à partir du moment où, de par sa nature, cette notion d'efficacité ne pourrait pas s'appliquer à un système de relations économiques basées sur le principe de réciprocité. D'autre part, il n'apporte aucun avantage à personne, il est au contraire nuisible, car une économie avancée a besoin que les deux principes puissent trouver leur réalisation concrète. Il est naïf de penser pouvoir fonder avec succès tous les types de transaction sur la culture de l'échange d'équivalents. Si cette culture devenait hégémonique, la responsabilité individuelle coïnciderait avec ce qui a été contractuellement négocié. Chacun ferait toujours et seulement ce qui relève de « sa compétence », avec des conséquences grotesquement imaginables. Si la culture de l'échange d'équivalents ne s'unit pas avec celle de la réciprocité, c'est la capacité même d'avancement du système qui en ressent les conséquences. D'où l'urgence de faire comprendre que l'objet de la politique économique n'est pas simplement celui de préparer les encouragements qui incitent les agents intéressés à leur propre intérêt à investir de manière cohérente avec les objectifs fixés par le *policy-maker*, mais c'est aussi celui de créer les conditions pour une croissance de la base de la prosocialité et pour son utilisation intelligente dans la poursuite du bien commun.

Par conséquent, la position qu'il faut défendre est celle du pluralisme qui est non seulement nécessaire dans la politique – ce qui est évident – mais aussi dans l'économique. L'économie de marché, pluraliste, et donc démocratique, est celle où les principes d'organisation économique – l'échange d'équivalents, la réciprocité, la redistribution – trouvent le mieux leur place sans que l'entité institutionnelle ne privilégie l'un plutôt que l'autre. Dans une société authentiquement libérale, c'est la compétition effective (non seulement celle virtuelle) entre les différents sujets offrant des typologies de biens différents (des biens privés aux biens publics, aux biens méritoires, aux biens communs) à établir qui et combien doit produire quoi. Telle est, en dernière instance, la signification propre de la responsabilité civile de l'entreprise, une notion très récente qui constitue le dernier anneau de cette chaîne, initiée dans la deuxième après-guerre aux USA, connue comme responsabilité sociale de l'entreprise (*corporate social responsability*).

3. La perspective du bien commun

Je souhaiterais maintenant parler d'un deuxième domaine problématique. Cela concerne le retour dans le débat culturel contemporain de la perspective du bien commun, véritable clé de l'éthique catholique dans le domaine socio-économique. Comme l'a déclaré Jean-Paul II à plusieurs occasions, la Doctrine Sociale de l'Église (DSC) ne doit pas être considérée comme une théorie éthique de plus par rapport à toutes celles qui sont déjà disponibles dans la littérature, mais plutôt comme une « grammaire commune » pour celles-ci, car elle est fondée sur un point de vue spécifique, celui de prendre soin du bien humain. En vérité, alors que les différentes théories éthiques se fondent, qui sur la recherche de règles (tel est le cas du jusnaturalisme positiviste selon lequel l'éthique dérive de la règle juridique) qui sur l'action (pensons au néo contractualisme de Rawls ou à l'utilitarisme de John Harsanyi), la DSC accueille comme son point d'Archimède le concept du « rester avec ». Le sens de l'éthique du bien commun est que, pour pouvoir comprendre l'action humaine, il faut se mettre dans la perspective de la personne qui agit – voir *Veritatis Splendor*, 78 – et non dans la perspective de la troisième personne (comme le fait le jusnaturalisme) c'est-à-dire du spectateur impartial (comme l'avait suggéré Adam Smith). En effet le bien moral, en étant une réalité pratique, celui qui le connaît en premier n'est pas celui qui le théorise, mais celui qui le pratique : c'est lui qui sait le reconnaître et ensuite le choisir avec certitude à chaque fois qu'il est remis en discussion.

Dans la Bulle d'indiction du Grand Jubilé de l'An 2000, *Incarnationis Mysterium*, nous lisons : « Une des finalités du Jubilé est de contribuer à *créer un modèle d'économie* qui soit au service de chaque personne » (n. 12, en italique mis par l'auteur). Ce passage doit être renforcé. Cela n'était jamais arrivé, au cours de la longue histoire des jubilés, qu'un Pontife mette comme finalité – et non comme conséquence plus ou moins accidentelle – d'un jubilé une mission de ce genre. Et de manière encore plus explicite, dans le message pour le 1er janvier 2000, intitulé «Paix sur la terre aux hommes que Dieu aime», nous lisons: «Dans cette perspective, il faut s'interroger aussi sur la difficulté croissante que ressentent aujourd'hui, [...] nombre de spécialistes et d'agents économiques lorsqu'ils réfléchissent sur le rôle du marché, sur l'envahissement du facteur monétaire et financier, sur l'écart entre l'économique et le social [...]. C'est le moment, peut-être, d'une nouvelle et profonde réflexion sur le *sens* de l'économie et de ses *finalités* [...]. Je voudrais inviter ici les spécialistes de la science économique et les acteurs mêmes de ce secteur, comme aussi les responsables politiques, à prendre acte qu'il est urgent que la pratique économique et les politiques correspondantes visent au bien de tout homme et de tout l'homme» (nn. 15 et 16, en italique mis par l'auteur). La nouveauté, pour certains aspects surprenants, est dans l'invitation à affronter le problème dont il s'agit ici au niveau de ces fondements théoriques, ou mieux de sa prémisse culturelle. Face à la désolation capitaliste de la réduction tendancielle des rapports humains à l'échange de produits équivalents, l'esprit de l'homme contemporain s'insurge et demande une autre histoire.

Le mot clé qui aujourd'hui exprime cette exigence au mieux est celui de fraternité, mot déjà présent dans le drapeau de la Révolution Française, mais que l'ordre post-révolutionnaire a ensuite abandonné – pour des raisons connues – jusqu'à son effacement du lexique politico-économique. Ce fut l'école de pensée franciscaine qui a donné à ce terme le sens qu'il a conservé au cours du temps. Qui est celui de constituer, à un moment, le complément et le dépassement du principe de solidarité. En effet, alors que la solidarité est le principe d'organisation sociale qui consent aux inégaux de devenir égaux, le principe de fraternité est ce principe d'organisation sociale qui consent aux égaux d'être différents. La fraternité permet aux personnes qui sont égales dans leur dignité et dans leurs droits fondamentaux d'exprimer différemment leur projet de vie, ou leur charisme. Les saisons que nous avons laissées derrière nous, XVIIIe et XIXe siècles, ont surtout été caractérisées par d'importantes batailles, aussi bien culturelles que politiques, au nom de la solidarité et cela a été une bonne chose ; nous pensons à l'histoire du mouvement syndical et à la lutte pour la conquête des droits civils. Le point est que la bonne société ne peut pas se contenter de l'horizon de la solidarité, parce qu'une société qui n'est que solidaire, et non pas aussi fraternelle, serait une société d'où chacun chercherait à s'éloigner. Le fait est que pendant que la société fraternelle est également une société solidaire, son contraire n'est nécessairement vrai.

Nous avons oublié qu'une société d'êtres dans laquelle s'éteint le sens de la fraternité et où tout se réduit, d'une certaine manière, à améliorer les transactions basées sur l'échange d'équivalents et, de l'autre côté, à augmenter les transferts réalisés par les structures d'assistances publique, n'est pas durable. Cela nous permet de comprendre pourquoi, malgré la qualité des forces intellectuelles dans le domaine, nous ne sommes pas encore arrivés à une solution crédible du grand trade-off, entre efficacité et équité. La société dans laquelle se dissout le principe de fraternité n'est pas capable de créer un futur ; c'est-à-dire que cette société n'est pas capable de progresser quand il n'existe que le « donner pour avoir » ou le « donner pour devoir ». Voilà pourquoi, ni la vision libérale-individualiste du monde où tout, ou presque, est échange, ni la vision centrée sur l'État de la société où tout, ou presque, est devoir, ne sont des guides sûrs pour nous faire sortir des marais dans lesquels nos sociétés apparaissent aujourd'hui s'être embourbées.

S'il y a un domaine où la reprise de la catégorie de fraternité montre tout son potentiel de développement, c'est le domaine qui concerne le passage de l'État-providence (welfare state) au welfare society. Pour en comprendre sa portée, il convient de rappeler que 1919 est l'année durant laquelle aux États-Unis trois gros industriels, c'est-à-dire David Rockefeller, Henry Ford et Andrew Carnegie, ainsi que d'autres noms moins connus, signèrent un accord qui donna naissance à ce qui depuis lors sera appelé le *welfare capitalism*, c'est-à-dire le capitalisme du welfare, du bien-être. L'hypothèse de base de cet accord prévoit que les entreprises devraient prendre en charge la responsabilité le sort du bien-être de ses employés et de leurs familles, et ceci sur la base du principe de la restitution (*restitution principle*). De cette manière, l'entreprise rend à la communauté de référence une partie des profits obtenus avec son activité. Ce principe est inscrit dans l'ADN de la culture américaine : il faut rendre *post factum* une partie de ce qui a été obtenu grâce aussi à la contribution de la communauté à l'activité productive. Le *welfare capitalism* a eu un succès immédiat aux États-Unis, mais il a également tout de suite révélé son talon d'Achille : il ne satisfait pas l'universalisme. En effet, si un citoyen a la chance de travailler dans une de ces entreprises qui ont souscrit au pacte, il aura la certitude de bénéficier des services accordés, alors qu'il n'en sera pas ainsi s'il travaille ailleurs.

C'est la raison pour laquelle, exactement vingt ans après, en 1939, en Angleterre, le grand et bien connu économiste John Maynard Keynes écrira un article intitulé *Democracy and Welfare* dans lequel il défend la thèse du welfare, dans une approche universaliste et non particulariste. Dans le sens où il n'est pas possible de couvrir quelques catégories ou seulement quelques groupes de sujets. Sur la base de cette intuition, en 1942, dans une époque encore en guerre, Lord Beveridge, membre du Parlement anglais réussira à faire approuver le célèbre « paquet Beveridge » qui donnera naissance au service sanitaire national, l'assistance gratuite aux porteurs d'un handicap et aux personnes âgées qui ne sont pas autosuffisantes, l'éducation de base gratuite pour tous jusqu'à un certain âge. C'est ainsi que débute en Angleterre, l'État-providence comme nous le connaissons : c'est l'État et non plus l'entreprise qui prend en charge le bien-être des citoyens. À ce sujet, rappelons la célèbre phrase de Beveridge : l'État doit s'occuper de ses citoyens « du berceau au cercueil ». Nous ne pouvons pas le nier, ce modèle a été une vraie conquête de la civilisation. Celui-ci a été d'abord répandu en Angleterre, puis dans le reste de l'Europe. Aux États-Unis, au contraire, l'État-providence ne s'est jamais enraciné: il y avait le welfare capitalism, un modèle auquel ils étaient, ils sont et ils seront toujours attachés.

Après quelques décennies, le modèle d'État-providence va cependant aussi montrer un double talon d'Achille. Le premier est celui de la durabilité financière. Les services de welfare, s'ils veulent être de qualité, ont un coût croissant dans le temps et l'unique source à disposition de l'État pour le couvrir est la taxation générale. Maintenant, si celle-ci devait être l'unique source pour couvrir la dépense entière, le niveau de la pression fiscale serait supérieur à plus de 50%. Mais cela réduirait le PIB de manière inquiétante. Il est alors évident que si les ressources pour financer l'État-providence devaient provenir exclusivement de la taxation générale, la pression fiscale ne ferait qu'augmenter, ce qui, du point de vue politique, mettrait en danger l'entité démocratique du pays.

La seconde raison qui est à la base de la crise de l'État-providence est la bureaucratisation du système. J'utilise le mot bureaucratisation au sens technique, pour signifier la standardisation des modalités de satisfaction des besoins. Le problème est que les besoins des personnes ne sont pas standardisables. Un exemple banal peut expliquer l'asymétrie qui sépare les besoins, qui sont hétérogènes, et leur couverture de la part des services, qui sont par contre distribués de manière homogène. Deux personnes ayant la même pathologie et le même diagnostic auront des réactions différentes par rapport à l'administration du même médicament. Ce qui peut être bien pour l'un, ne le sera pas nécessairement pour l'autre, étant donné que des corps humains différents répondent différemment à un même type de soin. C'est la raison pour laquelle les services sociaux sont toujours entourés par un halo de mécontentement. La faible considération des services publics de la part des citoyens est, en Italie, étroitement liée au manque de qualité tacite, bien que la qualité codifiée soit élevée.

Voilà pourquoi, depuis 15 ans environ, on a commencé à parler de passer du modèle d'État-providence au modèle de *welfare society.* Dans ce système, c'est la société entière, et pas seulement l'État qui doit prendre en charge le bien-être de ses citoyens. Parallèlement à cette idée, le principe de *subsidiarité circulaire* a commencé à faire son retour en force. S'il est nécessaire que ce soit à la société dans son ensemble de prendre soin de ses citoyens de manière universaliste, il est évident qu'il faut mettre en interaction stratégique les trois sommets du triangle magique, c'est-à-dire les trois sphères dont se compose la société entière : la sphère de l'établissement public (état, province, régions, établissements semi-étatiques, etc.), la sphère des entreprises, c'est-à-dire la *business community*, et la sphère de la société civile organisée, celle de la vie associative (volontariat, associations de promotion sociale, coopératives sociales, organisations non gouvernementales, fondations). L'idée de la subsidiarité circulaire est ici toute résumée : les trois sphères doivent pouvoir trouver des modes d'interaction systématique aussi bien pour projeter les interventions que l'on souhaite mettre en œuvre, que pour en assurer la gestion.

L'avantage d'adopter le *welfare society* et son principe de subsidiarité circulaire réside dans la possibilité de dépasser les deux illogismes de l'État-providence dont nous avons parlé plus haut. Tout d'abord, avec ce modèle il serait possible de trouver les ressources nécessaires dans le monde des entreprises. Quand on dit « les ressources manquent », on se réfère aux ressources publiques, pas à celles privées, qui sont au contraire, bien présentes. Le point est que jusqu'à maintenant personne n'a pensé puiser dans ces ressources, provenant du monde des entreprises, pour les orienter vers la fourniture de services de welfare. En deuxième lieu, la présence de l'établissement public devient fondamentale à l'intérieur de ce mécanisme, dans la mesure où il doit veiller à garantir l'universalisme. Le danger de l'exclusion de quelques groupes sociaux de la jouissance des services doit toujours être pris en compte. Le monde de la société civile, que nous continuons à appeler à but non lucratif ou secteur tertiaire (mais qu'il serait plus juste d'appeler organisations de la société civile) occupe une place spéciale dans la triangulation en tant que porteur de connaissances spécifiques. Qui peut mieux qu'une association de volontaires savoir si dans un quartier de la ville il y a quelqu'un qui a un besoin en particulier ? Ces renseignements peuvent nous parvenir seulement de celui qui opère sur les territoires, auprès des personnes. En outre, ces personnes sont en mesure de pouvoir assurer les modes de gouvernance capables d'élever la qualité tacite.

Voilà pourquoi la subsidiarité circulaire s'imposera comme le modèle du futur proche. L'alternative à un tel modèle serait unique, le retour au welfare capitalism, c'est-à-dire au modèle libéral du welfare, qui confie aux entreprises, en fonction de leur prédisposition à l'égard de la responsabilité sociale la satisfaction des exigences des citoyens. Si on insiste, par contre, à tenir en vie le vieux modèle d'État-providence, on arrivera avec le temps au *welfare capitalism* et ce serait un véritable paradoxe. Récemment, David Cameron, premier ministre anglais a de fait redimensionné le service de santé national dans une nation comme l'Angleterre qui a donné naissance à un tel service. Pour éviter de tomber dans ce dangereux vide de services, il est nécessaire de se concentrer sur le modèle du welfare society : les entreprises, établissements publics et les citoyens avec leurs organisations contribuent proportionnellement à leurs propres capacités et donnent ce qu'ils peuvent donner sur la base de protocoles bien définis de partenariat.

Il convient de faire ici une précision opportune. Je parle de subsidiarité circulaire et non pas de subsidiarité horizontale, parce que cette dernière, alors qu'elle s'intègre bien au welfare capitalism, n'est pas apte à garantir l'universalisme. Je me suis étonné quand en 2001, en Italie, a été changé le titre V de notre Constitution. Dans les nouveaux articles 118 et 119 ont été introduits le principe de subsidiarité verticale et horizontale, des principes qui bien qu'importants, ne sont pas en mesure d'assurer une couverture universaliste. L'apport du mouvement catholique italien sur l'intégration du modèle de welfare society est tout simplement décisif, comme tout le monde en convient. Il faut donc en prendre acte et se dépêcher de changer.

4. Pour conclure

Comme nous le savons, il y a deux formes de pouvoir qui doivent être distinguées : le pouvoir comme puissance, c'est-à-dire le pouvoir de pouvoir et le pouvoir comme influence, qui est le pouvoir d'intervenir sur la mentalité des personnes et sur les processus décisionnels des *policy-makers*. Nous avons souvent tendance à ne prendre en compte que le premier type de pouvoir et pour lequel il vaut la peine se battre. En son absence, il ne nous resterait plus qu'à nous résigner et attendre des temps meilleurs. Ceci est profondément erroné. Dans de nombreuses situations historiques, le pouvoir en tant qu'influence peut se révéler plus décisif que d'autres pouvoirs. C'est par rapport au pouvoir en tant qu'influence que les catholiques peuvent exprimer, aujourd'hui, tout leur potentiel et donner une contribution fondamentale à l'articulation d'un nouvel humanisme.

À une condition, toutefois : que l'on considère avec attention le message qui émane du mythe d'Antée, fils de Poséidon et de Gaïa. Comme nous le rapporte la mythologie grecque, Antée avait reçu de sa mère un privilège extraordinaire : dès qu'il aurait réussi à toucher la terre, il recevrait une force surhumaine telle qu'elle lui permettrait de vaincre tout adversaire au combat. Et en effet le géant Héraclès, qui avait eu connaissance de ce privilège, dû trouver un stratagème pour soulever Antée de la terre, afin de le vaincre. Le sens de la métaphore est clair. Quand les catholiques « touchent la terre » – c'est-à-dire affrontent les problèmes réels des personnes et des communautés – « ils sont vainqueurs » ; quand en revanche ils se dispersent entre eux ou ils s'attardent sur des projets culturels, en soi intéressants, mais expression de pur intellectualisme, ils sont vaincus et ils ne concluent rien. J'estime que les temps présents ne permettent pas aux religieux de se concéder des « luxes » de ce genre : la trahison serait trop grave.

STEFANO ZAMAGNI
Professeur Ordinaire d'Économie politique
Université de Bologne,
Adjunct Professor Johns Hopkins University (USA)

Table Ronde

VERS UNE ÉCONOMIE PROPHÉTIQUE, SOLIDAIRE
ET DE COMMUNION

Présidée par

SŒUR EVELINE FRANC, FDC

Supérieure Générale des Filles de la Charité

L'ANNONCE DE L'ÉVANGILE ET UNE ÉCONOMIE SAINE

ENRIQUE SÁNCHEZ GONZALEZ, MCCJ

Prophétie de la mission

J'ai été invité à partager avec vous notre expérience de missionnaires que nous vivons actuellement dans de nombreuses parties du monde où nous accomplissons un apostolat de prophétie de la Parole de Dieu, de l'Évangile et notre engagement pour transformer la réalité. C'est une activité d'évangélisation incluant un aspect économique que nous ne pouvons pas ignorer. Nous abordons ce thème en partant du vécu, c'est-à-dire de ce que nous vivons chaque jour comme un défi et une opportunité pour contribuer à construire une humanité en harmonie avec le rêve ou le projet de Dieu. Je pense qu'il est nécessaire de dire depuis le début que aujourd'hui la Mission est une réalité qui connaît de grands changements et des transformations profondes.

Les changements, les défis et les opportunités que nous rencontrons dans les dites « missions » nous obligent à prendre conscience du fait que les critères pour rendre les actions charitables ou les actions de promotion humaine effectives – implicites à l'action missionnaire – ne peuvent pas être les mêmes qu'il y a trente ou quarante ans. La mission est en train de changer et nous, missionnaires, nous nous trouvons devant des réalités qui, jusqu'à il y a peu de temps, n'existaient pas. Il suffit de penser aux jeunes Églises locales, avec leurs responsables, leurs communautés, les pasteurs, avec un laïcat qui assume des responsabilités toujours plus grandes, ce qui était chose impossible dans le passé.

Pour le dire en peu de mots, il me semble que l'œuvre missionnaire – vue dans une perspective économique – est en train d'abandonner un rôle de protagoniste où il fallait nécessairement remplir un rôle de promotion humaine qui mettait en évidence l'image du bienfaiteur, qui faisait généreusement la charité au service des plus nécessiteux, courant le risque de créer des dépendances qui n'ont pas toujours porté à un développement sain et à la promotion des personnes. Il me semble qu'aujourd'hui, nous nous sentons plus « tranquilles » et que nous sommes identifiés à une image de la Mission au sein de laquelle nous sommes vus comme faisant partie d'une expérience qui nous porte à partager ce que nous sommes, qui ne se limite pas à offrir ou à promouvoir une action et qui cherche à faire le bien en impliquant toutes les parties.

Nous avons vu que dans certaines expériences missionnaires, dans certains milieux, il n'a pas toujours été facile de faire la charité qui jaillit de l'Évangile comme exigence spontanée. Comme cela a aussi été un défi énorme de mettre en place une économie saine pour pouvoir défendre l'identité de la charité chrétienne du piège de vouloir la confondre avec l'action de promotion d'une organisation non gouvernementale quelconque. Par ces quelques affirmations, j'ai voulu souligner un aspect qui me semble être fondamental : au sein de l'expérience missionnaire, il n'est pas possible de séparer la prophétie de l'Évangile d'une économie saine, au sens d'expression concrète de la charité qui est demandée de la rencontre avec la personne de Jésus, charité qui nous a été laissée en héritage pour continuer de construire le Royaume.

Comment vivons-nous dans la mission l'aspect prophétique de l'économie ? Dans les Écritures, le prophète est toujours celui qui sert d'instrument pour la manifestation du Seigneur, c'est la personne qui parle au nom de Dieu et c'est la personne dont Dieu se sert pour se révéler à ceux qu'il aime. Nous missionnaires, nous avons la chance de faire constamment cette expérience, parce que la mission nous met en contact avec les plus pauvres et les plus délaissés et donc avec les privilégiés de Dieu et la richesse de Dieu passe à travers nous.

Et vous vous demanderez : mais quel est le lien avec l'économie ? Il y en a beaucoup, je crois. La première expérience que nous missionnaires faisons est celle de constater que les œuvres de la mission sont soutenues par la Providence de manière extraordinaire. Nous sommes les premiers témoins de la bonté de Dieu qui n'abandonne pas son peuple et nous sommes témoins de cette logique qui ne suit pas les critères du pouvoir et de la possession qui gouvernent l'économie basée sur l'argent. Beaucoup d'argent, beaucoup de biens, beaucoup de ressources passent entre nos mains qui deviennent ensuite des projets et œuvres dans les endroits où nous sommes présents. Et il est beau que tout ceci soit possible grâce à la charité de nombreux chrétiens, pauvres dans la plus grande partie des cas, parce que ce sont les plus généreux et qu'ils mettent à disposition des autres ce qu'ils ont reçu de la bonté de Dieu.

Je parle des chrétiens pauvres parce que les grands bienfaiteurs des missions ne sont pas les grands riches, parmi lesquels nous pouvons aussi compter les chrétiens de notre époque. Je ne crois pas me tromper si j'affirme que les grandes œuvres de la Mission, même aujourd'hui, sont réalisées grâce aux petites monnaies de tant de pauvres, qui restent dans l'anonymat, et qu'elles sont données avec joie au missionnaire avec la confiance qu'il les donnera à qui en a le plus besoin. Je peux dire avec beaucoup de simplicité que l'économie de la mission avance grâce à la générosité de beaucoup de pauvres qui savent donner malgré leur pauvreté et que, par chance, la mission n'est pas soutenue par les grandes industries, le monde des affaires ou des investisseurs en bourse. Il s'agit d'une économie qui semble ne pas tenir compte des prévisions de perte ou de gain en bourse ou des marchés financiers.

En considérant cet aspect de l'économie, je pense que les Instituts Missionnaires pourraient être catalogués ou classifiés parmi les Ordres Mendiants, car nous vivons de ce que les personnes, avec beaucoup de simplicité et d'enthousiasme, mettent à notre disposition pour réaliser le projet missionnaire de l'Église. Et je peux affirmer avec simplicité que c'est en cela que réside notre secret : plus nous dépendons économiquement de la charité, meilleur sera notre service et nous n'en serons que plus libres de nous dédier complètement à la Mission. Le problème surgit quand nous accumulons ou nous n'avons pas confiance dans la providence constante de Dieu. Je pense que tous les missionnaires ont souvent fait l'expérience, au niveau économique, que lorsque nous donnons plus, nous recevons plus et les grandes œuvres missionnaires ne sont jamais nées avec l'appui des grands capitaux, même si en réalité on dort plus tranquille en sachant que demain nous serons aptes à payer les personnes avec lesquelles nous avons contracté des dettes. Et je crois qu'une bonne gestion économique, qui permette le bon usage des moyens que le Seigneur met à notre disposition se transforme en une manière concrète de dire en quoi consiste la charité et l'amour que nous prêchons par la prophétie de l'Évangile.

Une économie solidaire

Par rapport à la dimension solidaire de l'économie qui est vécue dans la mission, il me semble que, nous missionnaires, avons été à plusieurs moments des personnes qui ont favorisé et promu la solidarité entre les personnes. Beaucoup de fois, en étant la voix de ceux qui n'en n'ont pas, nous missionnaires, nous sommes devenus des instruments pour sensibiliser la responsabilité de nos contemporains et nous avons collaboré à la construction d'une conscience qui ne nous permet pas de rester indifférents devant la souffrance et la douleur de nos frères. Nous sommes souvent témoins de la souffrance et de la douleur des personnes avec lesquelles nous marchons aux frontières du monde, et en de nombreux moments nous avons été considérés comme des personnes qui secouent les consciences et rappellent la responsabilité que nous avons tous à l'égard de la misère présente dans notre humanité.

En ce sens, la mission est une « médiation » qui aide à comprendre que parler d'économie solidaire ne signifie pas seulement se libérer de quelque chose qui en définitive ne grève pas notre patrimoine, mais qu'il s'agit plutôt de quelque chose de plus profond qui va au-delà de l'argent ou des biens matériels que nous pouvons partager avec les autres de manière philanthropique. La solidarité vécue à travers l'action missionnaire de l'Église est une manière très concrète de dire à nos frères les plus nécessiteux que nous tenons à eux et que nous ne pouvons pas les abandonner ou accepter qu'ils soient condamnés à leur sort. Et cela pourrait être lu aussi comme une occasion, offerte à ceux qui ont été bien traités par la chance, pour reconnaître qu'en notre frère se cache une richesse dont j'ai besoin pour grandir comme chrétien et comme homme.

Dans une vision de l'économie comme celle que le Pape François nous rappelle actuellement, la solidarité ne se limite pas à être un geste simple de bonté vers l'autre que nous découvrons être plus fragile et nécessiteux, mais c'est l'obligation que chacun a de répondre à la misère de l'autre parce que cela me fait mal et ne me permet pas d'être ce que Dieu a toujours rêvé pour moi. En ce sens, dans la mission, tous ceux qui ont eu la chance de partager la vie des pauvres – même si c'est pour peu de temps – ont toujours dit avoir reçu beaucoup plus que ce qu'ils ont donné. Et, étant donné qu'il s'agit de donner et recevoir, je pense que je n'ai pas été hors sujet, car ceux qui sont experts en matière comptable parlent d'entrées et de sorties comme règle élémentaire en économie.

Une économie de communion

Aujourd'hui l'expérience de la mission est en train de nous enseigner que les époques du paternalisme économique, des grandes œuvres faites avec des ressources venues de loin sont terminées. La mission où quelques-uns accomplissaient le rôle de bienfaiteurs et d'autres de bénéficiaires avec toutes les dépendances qui peuvent en jaillir, cette mission est en train de finir et de laisser la place à une mission où l'on apprécie la collaboration, la défense de la cause commune, en parcourant le chemin à un autre rythme. Nous sommes près d'un changement non indifférent, surtout si nous considérons les nouvelles fondations de missionnaires. Nombreux sont parmi nous ceux qui ne pourraient pas avancer avec un modèle de mission fondé sur un appui économique consistant, parce que nous sommes fils d'églises pauvres du point de vue matériel. La richesse de la mission sera toujours plus constituée de personnes disposées à tout donner pour partager la foi, pour aller à la rencontre d'autres frères, pour découvrir le Père qui veut faire de nous une unique famille.

Le nouveau visage de la mission nous portera à faire une expérience plus profonde de communion, où les valeurs de la collaboration, de la reconnaissance de l'autre comme une richesse, d'être pour les autres compteront plus que le faire pour les autres. Cette nouvelle image de la mission est en train de nous indiquer que le modèle économique devra plus se concentrer sur le partage et l'enrichissement réciproque.

Concrètement, comment est-ce que nous vivons aujourd'hui ces aspects dans la mission ?

Aujourd'hui il existe encore beaucoup de structures qui cherchent à donner une réponse à l'exigence de l'exercice implicite de la charité dans le service missionnaire. C'est pour cela que nous nous préoccupons de créer des structures pouvant aider ou servir comme réponse aux besoins les plus urgents dans le domaine de l'éducation, en particulier des écoles, des instituts professionnels et techniques. Nous devons nous préoccuper et nous intéresser à la formation des personnes capables d'assumer leur responsabilité pour devenir des protagonistes de leur propre formation. Et nous nous rendons compte qu'une bonne administration doit former des personnes aptes à continuer les œuvres, sinon ce seront des ressources gaspillées.

L'expérience dans ce domaine, nous permet de reconnaître des interventions à faire qui vont de la petite école dans la forêt sous un toit de paille, aux centres universitaires ayant un bon degré de professionnalisme. Sûrement, les investissements les plus importants, en ce moment, sont en train de se faire dans la formation et dans l'éducation des nouvelles générations. Un travail intense est aussi accompli dans le domaine de la santé. Nous sommes présents dans de nombreux endroits où l'unique structure qui fonctionne est celle de la mission, où beaucoup de personnes viennent en parcourant des centaines de kilomètres pour pouvoir être visitées par un médecin. Dans de nombreux endroits, il y a des dispensaires, souvent précaires, qui fonctionnent comme « Urgences », comme unique possibilité pour éviter la mort. Nous sommes en train de chercher à investir dans la formation de leaders capables de travailler dans plusieurs domaines permettant une promotion humaine qui offre au plus grand nombre de personnes la possibilité d'exploiter au mieux les qualités et les richesses humaines qu'ils possèdent. Je crois que cela augmente la sensibilité par rapport à la promotion de la femme, surtout parce que nous constatons que dans notre société elle est très exposée à la vulnérabilité.

Dans tout ce travail, nous tâchons d'impliquer le plus possible les personnes de manière à ce qu'elles deviennent protagonistes et forgeurs de leur avenir. Dans beaucoup d'endroits, aujourd'hui, nous ne commençons pas une œuvre si nous ne pouvons pas compter sur la disponibilité et sur la collaboration des personnes du lieu ou des institutions locales, y compris l'Église locale. En ce sens, je peux dire qu'aujourd'hui, nous missionnaires, nous sommes appelés à accomplir un rôle toujours plus clair de témoins, de collaborateurs et moins de protagonistes. Ceci est indubitablement source d'un bonheur profond.

ENRIQUE SÁNCHEZ GONZALEZ, MCCJ
Supérieur Général
Missionnaires Comboniens du Cœur de Jésus

RÉSEAUX DE PROXIMITÉ DANS LES QUARTIERS

Marco Impagliazzo

Je voudrais commencer ma réflexion en partant de la crise. Plus de cinq ans sont passés maintenant depuis le moment où le système occidental économique a été mis dans une situation difficile à cause d'un effondrement financier qui, en chaîne, a entraîné l'économie réelle, la production et l'occupation vers le fond. Le Pape François en a expliqué les causes au cours de la Veillée de Pentecôte avec les Mouvements : « [...] ce moment de crise, faisons attention, ne consiste pas en une crise uniquement économique ; ce n'est pas une crise culturelle. C'est une crise de l'homme : ce qui est en crise, c'est l'homme ! Et ce qui peut être détruit, c'est l'homme ! Mais l'homme est image de Dieu ! C'est pourquoi c'est une crise profonde ! En ce moment de crise nous ne pouvons pas nous inquiéter uniquement de nous-mêmes, nous enfermer dans la solitude, dans le découragement, dans le sentiment d'impuissance face aux problèmes. Ne pas s'enfermer, s'il vous plaît ! ».

Qu'est-ce que la crise a mis en évidence ? Qu'est-ce qui émerge de l'observation de la réalité autour de nous ? Je voudrais tenter de faire quelques hypothèses.

L'idée du « bien commun » est en train de disparaître. Les grandes conquêtes sociales, au moins jusqu'à la fin des années soixante-dix du siècle dernier, étaient collectives et exigeaient des centres d'agrégation particulièrement larges et inclusives pour les réaliser : partis, syndicats, associations, expériences de groupe. À un certain point, une fracture s'est produite. À partir de l'intérêt de tous vers les intérêts de chacun. Ce glissement culturel a produit de nombreux dommages. Un de ceux-ci est la perception que les liens sont un obstacle à la réalisation personnelle. Construire des liens de manière responsable soustrait du temps et de la place à son propre soi, qui doit être en revanche mis en première place, toujours et partout. Le «fondamentalisme du moi» en est une sorte d'expression.

Une des conséquences les plus évidentes est la crise de la famille. Aujourd'hui elle a des racines plus profondes que la crise économique. Il y a certainement eu un manque durant ces années de soutien adapté, en particulier par rapport à la générativité biologique. Mais c'est l'essence de la famille qui a été, d'une certaine façon, touchée: projeter le futur ensemble, partager les mêmes espaces, faire place aux autres dans sa vie.

«Sauve-toi toi-même», tel a été le message le plus diffusé et pratiqué de ces dernières décennies. Pour reprendre les mots de Bauman, «personne ou presque ne continue à croire que changer la vie des autres ait une quelconque utilité pour sa propre vie» et il est donc normal que chaque individu soit abandonné à lui-même. Mais changer la vie des autres a été pendant longtemps le grand rêve de la politique, des idéaux du XXe siècle, ça a été l'élan qui a donné la voix, le courage, de l'importance aux humbles, aux masses périphériques de l'histoire, aux exclus. Aujourd'hui, le paradigme a profondément changé et le Pape, dans *Evangelii gaudium* (n. 53) en a compris le sens avec une intuition profonde: «Nous avons mis en route la culture du 'déchet' qui est même promue. Il ne s'agit plus simplement du phénomène de l'exploitation et de l'oppression, mais de quelque chose de nouveau: avec l'exclusion, est touchée dans sa racine même l'appartenance à la société dans laquelle on vit, du moment qu'en elle on ne se situe plus dans les bas-fonds, dans la périphérie, ou sans pouvoir, mais on est dehors. Les exclus ne sont pas des 'exploités', mais des déchets, 'des restes'». Dans l'atomisation de la société, qui a un problème, un handicap, un stigmate est exclu. Il y n'a plus non plus de place à l'utilitarisme sauvage, à l'exploitation. Voilà pourquoi la vraie pathologie, la grande maladie de notre temps est la solitude.

Aujourd'hui, le problème social est en train de se déplacer par rapport à ce qu'était le monde des exploités vers un monde des exclus. Les exploités protestent, se rebellent, aussi parce que paradoxalement ils comptent dans le monde de l'inégalité et de l'esclavage, parce que sans eux les exploiteurs ne peuvent avancer. Les exclus sont par contre ceux qui ne comptent plus vraiment pour personne. Les chômeurs, spécialement ceux qui ne sont plus tout jeunes, qui ne réussissent plus à trouver un travail parce qu'ils sont sortis du marché, ne servent plus, sont dépassés par d'autres plus jeunes, plus efficaces, plus capables. Mais cela concerne surtout les personnes âgées. Aujourd'hui, la science et la médecine nous permettent de vivre plus longtemps et souvent aussi dans de meilleures conditions de santé, mais ensuite on ne sait plus, après un certain âge, à qui ou à quoi dédier sa propre vie : nous devenons inutiles.

La Communauté de Sant'Egidio s'interroge depuis toujours sur le moyen d'être proche de la population âgée. Depuis plus de quarante ans, nous allons trouver de nombreuses personnes âgées restant seules, à la maison et spécialement en institut, et de cette connaissance, toujours fondée sur une expérience spirituelle forte dans la fidélité aux Écritures et à la prière, nous avons échangé et nous avons travaillé pour proposer des nouveaux modèles. Le Programme *Vive les personnes âgées* est né en 2004, comme une des expériences que le Ministère de la Santé a lancées dans quatre villes italiennes pour répondre à l'urgence de l'été 2003.

Le programme réalisé à Rome par la Communauté de Sant'Egidio concerne en particulier les quartiers du centre historique, Trastevere, Testaccio et l'Esquilino et consiste dans la télésurveillance active de la population résidente de plus de soixante-quinze ans. L'idée de fond est celle de placer à côté des réponses traditionnelles (assistance à domicile, centres semi résidentiels, etc.) une troisième typologie d'interventions qui ait le but primaire de prévenir les effets des événements critiques, en particulier les grosses vagues de chaleur d'été, les épidémies de grippe, le froid de l'hiver, les chutes etc., à travers une stratégie de télésurveillance « légère » et « active » et de support et de facilité des réseaux sociaux. Aujourd'hui à travers ce Programme nous sommes en contact avec plus de 9 000 personnes âgées, qui sont suivies et aidées pour pouvoir rester chez elles. La vraie force de ce modèle est que, dans son plein fonctionnement, il coûte 0,75 € par personne âgée, par rapport à plus de 3 000 € que la collectivité paye pour chaque lit dans un établissement d'accueil (environ 1 600 € à la charge de la personne âgée prise en charge et 1 600 € à la charge de l'établissement de santé).

Nous avons atteint l'objectif de proposer un modèle de *welfare* plus économique et efficace que celui qui existe actuellement, qui n'est plus durable et nous avons travaillé à une reconstruction du tissu social. Nous avons en effet travaillé sur les réseaux de proximité dans les quartiers, en contactant presque 8 000 acteurs sociaux, qui sont aujourd'hui pleinement impliqués, de manière volontaire et gratuite dans le Programme : volontaires, médecins, portiers, commerçants, voisins, aidants familiaux. Grâce à leur aide et leur disponibilité, en construisant un réseau et une coordination qui fonctionnent, nous pouvons être proches de nombreuses personnes âgées, en réduisant non seulement leur mortalité, mais aussi en réduisant le nombre d'admissions au sein des établissements de santé et de demandes d'intervention aux urgences dans les hôpitaux. Nous nous sommes ainsi aperçus que dans la mesure où il y a plus d'égalité, un tissu collectif peut se créer, on aide les autres à être bien, il y a aussi plus de développement, parce que l'on aide la société à mieux vivre.

Il existe des études intéressantes qui montrent comment la « richesse des nations » ne coïncide pas avec la quantité de biens et de services économiques créés, mais avec le *stock* de biens spirituels, culturels, relationnels, naturels et économiques d'une communauté et d'un territoire. Par exemple, le GPI (*Genuine Progress Index*) part du PIB et le corrige, en ajoutant ou en soustrayant l'estimation monétaire d'autres variables considérées importantes au regard d'un progrès « authentique ». Le travail domestique et volontaire, par exemple, y est inclus. Est également soustraite au PIB la valeur monétaire des coûts sociaux (comme la criminalité et le chômage) et de l'environnement (pollution d'eau et air, changement climatique et d'autres encore). Aux États-Unis, on a pu constater comment à une forte croissance du PIB s'est associée, à partir des années soixante-dix, une stagnation substantielle du progrès mesurée par le GPI. Et ceci est un des motifs qui explique la crise de 2007, de nature économique, mais avec des causes culturelles et sociales profondes et d'origine lointaine.

La Communauté de Sant'Egidio s'est appliquée à donner une dignité et une reconnaissance énorme à ceux qui travaillent dans l'univers des services pour les personnes, représentant un domaine immense pour le futur. Cela nous le faisons avec le Programme *Vive les personnes âgées*, parce qu'aider les personnes âgées chez elles est un travail qui demande de grandes compétences et un professionnalisme. Nous sommes également actifs auprès des personnes handicapées. Il y a quelques années, nous avons créé une coopérative sociale où les associés étaient des personnes ayant un handicap mental et avec eux nous avons ouvert un restaurant qui est aujourd'hui devenu une belle réalité dans le cœur de Rome et elle fonctionne bien, même pendant ces années de crise. Les jeunes qui y travaillent, avec sérieux et passion, ont fait en sorte que le restaurant *Gli Amici* soit un endroit où l'on mange bien, mais aussi où l'on passe une soirée agréable. Ils sont toujours cordiaux avec les clients, ils savent plaisanter et créer une belle atmosphère, ils s'aident les uns les autres parce qu'ils n'ont pas l'esprit excédé de la concurrence que l'on vit souvent dans les lieux de travail et qui ruine les rapports humains. Tout ceci a permis à cette coopérative, depuis cinq ans, de clore son bilan comptable avec profit et jusqu'à aujourd'hui, elle a déjà pu embaucher vingt personnes ayant un handicap. L'expérience du restaurant *Gli Amici* a fait émerger avec clarté que les handicapés, très souvent exclus, sont en revanche une ressource dans notre société. Ils peuvent travailler de manière professionnelle avec motivation et productivité et offrir leur contribution à la construction d'une société à dimension humaine.

Selon nous, cela veut dire travailler pour une nouvelle culture de l'invalidité, mais aussi d'entrepreneurialité. Comme en effet, l'explique bien Luigi Zoja, dans son livre *La morte del prossimo*, l'aliénation qui frappait essentiellement l'ouvrier, séparé par l'objet qu'il produisait et du monde que cet objet même contribuait à créer, frappe aujourd'hui aussi les capitalistes, aliénés eux aussi par le processus productif. Les entreprises se sont financiarisées, elles sont contrôlées par des chaînes de commandement très longues et souvent composées de boîtes vides, comme le montre l'histoire de Telecom Italia. A l'intérieur de ces boîtes, il y n'a aucun produit, il y n'a pas de personnes. C'est une grande différence par rapport à l'entrepreneur qui contrôlait directement le processus de production des biens et services. Le financement de l'économie et du monde a enlevé de la valeur au travail manuel. La Communauté aide en ce sens à redonner de la valeur au travail.

Donc créer un nouveau développement économique part aussi de l'expérience concrète du travail accompli pour les autres et avec les autres dans la construction d'une société qui ne soit pas seulement plus juste, mais au sein de laquelle les hommes puissent vivre mieux, plus heureux. Quelques grands économistes avaient déjà approfondi ce lien entre le développement, la solidarité et le bonheur personnel. John Stuart Mill, par exemple, déclarait que « sont heureux seuls ceux qui ont les esprits fixés sur quelque chose d'autre que leur propre bonheur : sur le bonheur des autres, ou pour l'amélioration de l'humanité ». En ce sens, dans la mesure où l'on redistribue les richesses, il existe un développement économique. Dans la mesure où il y a cette redistribution et l'on aide les autres à être un peu mieux, la société gagne. Notre action continue d'intégration sociale des « déchets » et des « exclus » est un ressort de croissance et de développement. Et dans nos villes, la présence de la Communauté, tout comme celle de beaucoup de congrégations et d'ordres religieux, est une garantie du fait qu'il reste toujours des espaces de liberté, de prière, de solidarité concrète où la valeur de la gratuité et la culture du don puissent transformer notre société et la rendre plus humaine. La gratuité est vraiment, comme l'a expliqué en plusieurs occasions le Pape François, un acte révolutionnaire qui facilite le développement social.

Je voudrais conclure par les mots de l'exhortation du Pape François qui me semblent bien expliciter cette urgence : « La nécessité de résoudre les causes structurelles de la pauvreté ne peut attendre, non seulement en raison d'une exigence pragmatique d'obtenir des résultats et de mettre en ordre la société, mais pour la guérir d'une maladie qui la rend fragile et indigne, et qui ne fera que la conduire à de nouvelles crises» (*Evangelii gaudium*, 202). «[...] personne ne peut se sentir exempté de la préoccupation pour les pauvres et pour la justice sociale: 'La conversion spirituelle, l'intensité de l'amour de Dieu et du prochain, le zèle pour la justice et pour la paix, le sens évangélique des pauvres et de la pauvreté sont requis de tous'. [...] j'ai confiance dans l'ouverture et dans les bonnes dispositions des chrétiens, et je vous demande de rechercher communautairement de nouveaux chemins pour accueillir cette proposition renouvelée» (*Evangelii gaudium*, 201).

MARCO IMPAGLIAZZO

Président Communauté de Sant'Egidio
Professeur d'Histoire contemporaine
Université pour Étrangers – Pérouse

LA « NATIONAL LEADERSHIP ROUNDTABLE ON CHURCH MANAGEMENT »

KERRY A. ROBINSON

Nouveaux défis de gestion

C'est pour moi un grand honneur que d'être ici avec vous. Je m'appelle Kerry Robinson et je suis la directrice exécutive du *National Leadership Roundtable on Church Management* (Table Ronde de Leadership National sur la gestion de l'Église), qui promeut l'excellence et les meilleures actions dans le management, les finances, les communications et le développement des ressources de l'Église Catholique aux États-Unis à travers une intégration majeure des compétences des laïcs. La *Leadership Roundtable* est un réseau de personnes ordonnées, de religieux et de dirigeants laïques de haut niveau de chaque secteur et industrie : administrateurs délégués (CEOs), recteurs d'université, philanthropes et présidents de conseils d'administration, d'organisations d'entreprises et à but non lucratif. Nous exploitons les compétences collectives et l'expérience managériale, les compétences financières et la capacité de résolution des problèmes de centaines de hauts dirigeants pour renforcer les affaires temporelles de l'Église. Nous promouvons un style de collaboration pour affronter les défis managériaux de plus en plus complexes que les leaders de l'Église rencontrent et nous promouvons une approche socio-entrepreneuriale pour résoudre de tels défis. Tous ceux qui composent ce réseau de leaders sont profondément liés à l'Église et souhaitent donner ce qu'ils savent et ce qu'ils savent le mieux faire pour aider l'Église à atteindre les plus hauts niveaux d'excellence managériale, de responsabilité, de transparence, d'éthique et d'ouverture.

La *Roundtable* a été créée pendant des jours difficiles pour notre Église, suite à la crise des abus sexuels. Pendant cette période, beaucoup de leaders laïques, angoissés par la crise et qui auraient autrement abandonné l'Église, se sont encore plus délibérément engagés dans l'Église pour la rappeler à la plus grande sainteté, l'aider à rétablir la confiance, résoudre l'aspect managérial de la crise, faire pleinement partie de la solution. Notre fondateur, financier et philanthrope, Geoff Boisi dit: « Ne rien faire, c'est être complice ». Et: « Quand ta famille est en crise, fais tout ton possible pour aider à rapporter la réconciliation et la guérison ». Au mois de juillet 2005, nous avions fait une expérience intense et pleine d'espoir, lorsque nous réunîmes notre conseil pour la première fois. Un *cast* constellé de célèbres leaders ordonnés, de religieux et laïcs. Ces hommes et femmes acceptèrent de servir en tant qu'administrateurs de la *Leadership Roundtable* parce que chacun d'eux avait une dette personnelle de gratitude envers l'Église: à l'égard d'un prêtre ou d'une sœur ou d'un assistant laïque pastoral, qui avait eu un rôle important et essentiel dans leur vie. Et ceux qui étaient mariés et avaient des enfants, étaient très inquiets que l'Église puisse devenir de moins en moins significative pour leurs enfants et petits-enfants et ils étaient profondément attristés à la pensée de voir combien leur vie se serait appauvrie sans le recours au soutien précieux de notre foi.

Ce que nous étions en train de proposer de faire n'avait encore jamais été fait jusqu'à présent et peu croyaient que nous aurions eu un tel impact. Toutefois, nous avions beaucoup de compétences collectives dans le management, la finance et de solutions aux problèmes à offrir à l'Église. Le fait de ne pas réussir à apporter ces ressources intellectuelles pour soutenir l'Église quand elle en avait grand besoin, aurait été faire faillite dans une responsabilité importante de bonne administration. Maintenant, presque une décennie plus tard, nous avons gagné la confiance et le respect d'évêques et provinciaux de communautés masculines et féminines aux États-Unis. Nous avons développé une liste complète de ressources et services pour l'Église. Nous travaillons dans les paroisses, les diocèses, au niveau régional, national et international. Nous travaillons avec des communautés religieuses, des écoles catholiques et des organisations catholiques à but non lucratif. Nous sommes totalement concentrés sur le management et pas seulement pour approfondir des problèmes doctrinaux. Nous sommes intentionnellement élogieux et positifs. Nous savons qu'il existe déjà beaucoup d'exemples d'excellentes pratiques de management dans l'Église et quand nous en trouvons un, nous l'exaltons, nous le célébrons et nous le partageons de la manière la plus ample possible afin qu'il soit suivi au mieux. Notre option préférentielle est pour le partenariat et la collaboration et nous croyons vivement que l'on fait beaucoup plus quand on ne s'inquiète pas de savoir qui obtient le mérite.

Je tiens à être claire. Nous savons que l'Église n'est pas une société au sens de sociétés telles que McDonald's, Microsoft ou Coca Cola. Elle est sui generis, avec une mission divine. L'Église est toutefois composée de personnes, de finances et de structures qui méritent d'être assistées avec les plus hauts niveaux d'éthique, de responsabilité et d'excellence. L'Église devrait représenter le *gold standard* pour le reste du monde pour la manière dont elle prend soin de ses biens les plus précieux. Et la raison pour laquelle il est important d'insister sur de tels niveaux d'excellence et de responsabilité dans le soin des biens temporels de l'Église, est que cela coïncide et a un impact sur la capacité de l'Église d'accomplir sa mission. Et la mission de l'Église est bien plus importante que les profits, ou les pertes, d'une entreprise.

Permettez-moi de vous donner trois exemples concrets et pratiques de la façon dont nous sommes en train d'avoir un impact positif sur l'Église.

Standard d'Excellence

De nombreux provinciaux et curés nous ont dit: «Nous voulons être sûrs que la manière dont nous administrons nos finances et nous prenons soin de nos employés reflète les meilleures pratiques de management actuelles, mais comment pouvons-nous savoir si nous sommes vraiment en train de le faire?». Nos Standards d'Excellence Catholiques sont un ensemble complet des

55 meilleures pratiques managériales, recueillies dans les différents secteurs de la vie temporelle, relatifs à la bonne gestion des communautés religieuses, des paroisses, des diocèses et organisations catholiques à but non lucratif. Le programme comprend un ensemble cohérent de ressources téléchargeables, correspondant à chacun des 55 standards, fournissant des informations essentielles et des moyens utiles pour réaliser chaque pratique managériale.

Les paroisses catholiques, les diocèses, les communautés religieuses, les écoles, les universités et les organisations qui réalisent les Standards d'Excellence Catholiques observent qu'elles obtiennent un impact majeur au niveau de leurs actions ministérielles, une plus grande implication de la part des laïcs, et plus de ressources humaines et financières pour servir la mission de l'Église. La confiance est rétablie et alimentée. Des systèmes de *checks and balances* (contrôles et contrepoids = équilibre des pouvoirs et contrôles réciproques) et de responsabilité sont mis en action.

Instruments de Management Pastoral

La deuxième ressource dont je veux vous parler peut être aisément adaptée et appliquée aux communautés religieuses. Aux États-Unis, nous l'avons créée, en premier lieu, pour les nouveaux curés. Nous avons créé une session de formation intensive de six jours qui permet aux curés de tirer des bénéfices quantifiables, en renforçant des ensembles de compétences fondamentales dans les domaines de l'administration, la finance et la gestion du personnel.

Une douzaine d'experts dans différent domaines aborde des sujets tels que: la théologie du management, l'administration, les contrôles financiers internes, la gestion des risques, la création de conseils financiers et pastoraux, et aussi de standard d'excellence dont chaque paroisse et son curé peuvent tirer des bénéfices. Ces cours, importants bien que brefs, sur la gestion temporelle offrent dans beaucoup de cas l'unique pédagogie managériale que les curés peuvent expérimenter. Ce programme est adapté pour l'utilité spécifique dans les communautés religieuses, en préparant des leaders ordonnés, religieux et laïques aux notions managériales de base, en y intégrant le charisme particulier à chaque communauté religieuse.

Initiative d'Investissement Global

Le troisième exemple concret que je souhaite apporter aujourd'hui est la création d'une initiative d'investissement global qui permet aux fonds des communautés religieuses, des diocèses, des universités catholiques et des hôpitaux, etc. de s'unir pour former un seul grand client afin de pouvoir accéder aux meilleures opportunités d'investissement et aux meilleurs investisseurs, et avoir un retour plus significatif de leurs investissements. Assurer cette opportunité représente un engagement important et contemporain pour réaliser des investissements socialement responsables, qui assurent dans la mesure la plus large possible l'attention pour la responsabilité sociale des investissements et une influence positive sur les investisseurs séculiers.

Je vous remercie pour l'opportunité que vous m'avez donnée aujourd'hui d'être avec vous et de partager l'appel du Saint-Père pour une réforme managériale positive et une réforme d'administration des biens ecclésiastiques au service de la mission de l'Église et de l'Évangile. Permettez-moi de vous laisser sur un point important tiré de notre expérience. Il existe un effet collatéral vital des leaders de l'Église – par exemple, des provinciaux et des économes de communautés religieuses – qui se servent de la capacité intellectuelle et de la résolution des problèmes des laïcs. Et cela est l'évangélisation. Il est plus probable qu'une personne s'implique complètement et s'investisse beaucoup dans la vie de l'Église si elle est reconnue pour ce qu'elle fait le mieux et si elle est invitée à le faire comme un service rendu à l'Église.

Merci.

KERRY A. ROBINSON

Directrice exécutive National Leadership Roundtable on Church Management (USA)

CAMALDOLI ET SON TÉMOIGNAGE ÉVANGÉLIQUE

Alessandro Barban, osb.cam

Depuis sa naissance, la communauté de Camaldoli, qui a célébré son Millénaire en 2012, s'est caractérisée au cours de son histoire par deux finalités explicites :

– la première d'ordre érémitique, en privilégiant dans l'Ermitage la prière contemplative, le silence, la conversion personnelle et communautaire, la vie fraternelle entre communion et solitude dans une sobriété concrète de vie ;

– la deuxième, en promouvant depuis ses débuts au Monastère la vie cénobitique et en organisant un hôpital, qui le plus souvent soignait gratuitement, aussi bien les pèlerins que les habitants des villages proches. Au XXe siècle, l'hôpital historique a été transformé en lieu d'accueil.

Ce modèle d'Ermitage-Monastère-Hôpital s'est constitué à Camaldoli d'une manière tout à fait spécifique, dans la mesure où, d'un côté, il émergeait comme une indication originale de la spiritualité romualdine, et d'autre part, la spiritualité camaldule s'affirmait de plus en plus. En effet, le fait d'avoir dans l'Ermitage le centre spirituel de la recherche de Dieu, et près de l'Ermitage, le monastère avec une communauté de vie cénobitique adonné au service des hôtes, et de réaliser à côté un hôpital ouvert aux plus nécessiteux, a été la forme monastique camaldule de présence dans l'Église et d'évangélisation à l'égard des plus pauvres comme témoignage évangélique poursuivi pendant des siècles par les moines de Camaldoli. En ne pouvant cependant pas réaliser ce même projet monastique dans les différents endroits où les camaldules étaient nommés, notre présence se limitait uniquement au monastère avec l'hôpital qui y était annexé comme cela a été documenté dans beaucoup de villes de la Toscane et de l'Ombrie. Et c'est cette organisation de vie toute particulière qui a permis aux moines camaldules d'être proches des besoins, des attentes et des questions de foi d'entières générations de personnes à des époques différentes. Dans d'autres situations – comme par exemple en Sardaigne – la présence du monastère camaldule était essentiellement pastorale avec un caractère d'évangélisation fort, en partant de l'enseignement de la foi chrétienne à l'implication directe dans les travaux de bonification et dans la gestion même des terrains agricoles.

Les historiens nous confirment que la communauté camaldule ne redistribuait pas seulement ses richesses aux pauvres, lesquelles étaient diligemment inscrites dans les livres comptables, mais qu'à côté de l'aumône, elle avait développé une économie durable, qui, au cours des siècles, a donné du travail aux populations qui vivaient dans les environs ou au sein de la propriété du monastère. À Camaldoli, en effet, ils plantent les arbres et entretiennent la forêt qui représente aujourd'hui encore un véritable patrimoine naturel et économique. Le premier Code forestier a été pensé et écrit à Camaldoli même, en alternant les temps et les modalités pour la coupe des arbres et leur plantation. La forêt a donné du travail à beaucoup de familles qui étaient rétribuées mensuellement, et les produits du bois vendu servaient

– soit pour la subsistance de la communauté monastique, le développement de la bibliothèque et de la culture d'une façon générale,

– soit pour l'entretien de la forêt même,

– soit pour aider les familles des paysans (de la construction de maisons plus confortables et plus sûres, à la distribution de nourriture et d'habillement pendant l'année et en particulier pendant les années de crise économique, aux dots pour les filles, aux formes d'assistance médicale et économique que nous pourrions définir aujourd'hui de welfare et de microcrédit).

En plus de la forêt, il y avait les champs à cultiver. Et à ce sujet, les historiens du monachisme camaldule nous apprennent que Camaldoli avait organisé une économie de culture du terrain particulière, dont le point fort était de faire participer les paysans eux-mêmes dans la production des champs agricoles avec des contrats *ante litteram* de métayage ou de location. L'histoire de Camaldoli, tout en tâchant de rester fidèle à l'Évangile et au témoignage de simplicité et de pauvreté vécues et proposé par Saint Romuald, a été riche de différentes expériences d'accueil, d'aide aux pauvres, de soutien et de promotion économico-culturelle. J'ai rappelé quelques aspects de cette histoire désormais millénaire uniquement dans le but de mettre en évidence que tout ce que nous faisons aujourd'hui, nous le faisons dans un style de continuité et avec une finalité qui vient de loin.

Pour revenir à notre époque, je ne peux pas présenter ici les initiatives de chacune de nos communautés pour les pauvres et le style de sobriété qu'elles poursuivent à l'interne, mais je voudrais attirer votre attention uniquement sur deux projets qui me tiennent particulièrement à cœur.

Le premier naît à Camaldoli dans les années soixante-dix du siècle dernier au lendemain du Concile Vatican II et dans la continuité de *Populorum Progressio* du Pape Paul VI. Ce projet a commencé par établir des contacts, promouvoir le *commerce équitable solidaire* et ouvrir un point de vente avec les produits des paysans et des artisans des Pays du Sud du monde. Nous avons été parmi les premiers, en Italie, à croire au commerce équitable solidaire. Cette initiative a suscité dans la communauté monastique, chez les oblats du monastère, et auprès de beaucoup d'hôtes une grande implication et un intérêt direct à l'égard des populations les plus pauvres de l'Amérique Latine, de l'Afrique et de l'Asie, un intérêt et une implication qu'ils ont donnés pour une organisation à but non lucratif spécifique qui a comme finalité la croissance des enfants de zéro à dix ans grâce aux milliers d'adoptions à distance, également attentive aux conditions économiques de leur famille, et surtout en garantissant leur scolarité. Nous pourrons dire que le retour des moines camaldules au Brésil dans les années 80 dans l'État de San Paolo naquit non seulement du désir de renouer le fil interrompu de notre présence dans ce grand pays dans les années 1924-1925, mais surtout pour le grand intérêt que suscitait en nous l'expérience d'un partage de l'écoute de la parole de Dieu avec les plus pauvres afin de pouvoir les aider sur le plan économique et de la formation scolaire. Durant les deux dernières années, nous avons réussi à redonner la somme de 250.000,00 € (deux-cent-cinquante mille euros) chaque année, à travers d'autres Congrégations religieuses qui opèrent directement dans le domaine de la scolarité, ou à travers des communautés-familles qui adoptent et se mettent au service des enfants de la rue, ou qui ne peuvent plus compter sur leurs propres parents, ou d'associations qui promeuvent des interventions directes de développement des populations plus besogneuses du monde. Les demandes d'aide sont nombreuses et elles augmentent. Et avec la somme que nous apportons, nous tentons de donner une réponse concrète à la majorité des demandes. Toutefois, la question pour moi est que c'est encore nous, une communauté monastique du Nord du monde qui distribuons de l'argent pour des projets que – nous espérons – vont au-delà de l'aumône et permettent aux structures de connaître un développement continu.

Le second projet est, à mon avis plus significatif, dans la mesure où il a été organisé par notre Ashram en Inde, dans l'État du Tamil Nadu. Il s'agit d'une communauté pauvre qui vit de ses propres recettes, et leurs initiatives de partage sont donc directement réalisées par des moines indiens dans la droite ligne de notre tradition monastique, avec très peu d'aides provenant de l'Italie. Dans ce contexte, les moines sont pauvres et ils aident d'autres personnes encore plus pauvres qu'eux. Comme de nombreux parmi nous le savons, il n'est pas pensable qu'un Ashram en Inde soit seulement un lieu de silence, de prière et de méditation, mais il est vraiment authentique, selon la culture religieuse hindoue, quand il s'ouvre à l'aide des mendiants et des plus nécessiteux. Le projet prend donc forme déjà à la fin des années 70 avec la construction d'un hospice pour personnes âgées qui – restant seules, sans aucune famille –

n'auraient que la rue comme seul endroit pour leur propre survie. Cet hospice est soutenu directement par le Saccidananda Ashram qui garantit l'entretien du bâtiment, la fourniture de lits, matelas et draps, le nettoyage des lieux, les médicaments pour ceux qui sont malades et la nourriture quotidienne. En outre, une école de couture a en outre été organisée pour les jeunes filles adolescentes. À la fin du cours, non seulement elles ont appris un travail qui pourra leur donner une subsistance sûre, mais elles reçoivent en cadeau la machine à coudre sur laquelle elles ont appris à travailler. Enfin, les enfants des familles les plus pauvres du village tout proche reçoivent ce qu'il faut pour l'école primaire. Il est vrai que l'Ashram reçoit aussi des aides de la part des hôtes étrangers qui participent aux cours qu'ils proposent. Mais ce que je voudrais souligner, c'est la modalité évangélique et prophétique que j'ai souvent pu observer en Inde ou dans d'autres parties du monde où beaucoup de missionnaires opèrent : l'on peut affronter beaucoup de situations de pauvreté non pas tant et seulement grâce aux offres des riches, mais parce qu'on crée un échange continu d'aide entre les pauvres eux-mêmes.

Je ne peux pas conclure mon intervention sans rappeler ce que font ici les religieuses camaldules à Rome, dans le monastère de Sant'Antonio, qui distribuent chaque jour plus de cent repas aux pauvres et aux immigrés (parmi lesquels beaucoup de musulmans) ; et ce qu'elles font dans un de leurs monastères en Tanzanie, à Mafinga, où elles ont une école pour les enfants où les habitants du village voisin peuvent emmener tous les enfants gratuitement de trois à six ans. Ces enfants sont lavés, ils reçoivent des vêtements propres, ils jouent, ils reçoivent un peu d'instruction en apprenant à lire et à écrire, et ils peuvent prendre un repas quotidien.

Le Pape François pense une Église pauvre pour les pauvres, une Église capable de partager ses biens, et capable de redistribuer ses richesses. Son message est une invitation adressée à tous les membres de l'Église, mais elle s'applique en particulier aux ordres religieux qui servent Dieu avec le vœu de pauvreté. À présent, personne ne peut méconnaître que nombre d'entre eux sont nés dans le but de secourir les hommes et les femmes les plus pauvres. Mais toutes les familles religieuses se sont toujours engagées à différentes époques de l'histoire à évaluer et affronter les différentes formes de pauvreté, celles liées à la santé, au social, à l'économie, à la culture, en anticipant les changements profonds dans les diverses sociétés humaines. Le vœu de pauvreté nous demande un détachement des biens et de l'argent, il nous invite à devenir *pauvres dans l'esprit* en nous confiant à Dieu et à dépendre de lui, à avoir le goût de la gratuité, et il nous interpelle pour intervenir dans la résolution des situations d'inégalité. Mais nous savons que non seulement nous devons rester pauvres grâce à une vie essentielle, frugale et sobre, et que nous devons nous engager *pour* les pauvres en affrontant les pauvretés plurielles des hommes d'aujourd'hui, mais encore plus, nous avons appris à vivre *avec* les pauvres. C'est cette vie avec les pauvres qui a été l'expérience qui a encore plus converti tant de religieuses et de religieux à Dieu au cours de ces dernières cinquante années de l'après concile.

ALESSANDRO BARBAN, OSB.CAM
Prieur général de la Congrégation Camaldule
de l'Ordre de Saint Benoît

ÉCONOMIE DE COMMUNION

Olga Maria Rodriguez Correa - Marco Aquini

Le Mouvement des Focolari a été fondé par Chiara Lubich, à Trente, en 1943, pendant la Deuxième Guerre mondiale. Il a donc surgi dans l'Église durant une période caractérisée par la douleur et les destructions que la guerre était en train de provoquer et par la présence d'idéologies qui poussaient les hommes à la haine et à renoncer à Dieu dans la société. C'est dans ce contexte que Dieu se révèle à Chiara Lubich et à ses premières amies pour ce qu'il est vraiment: Amour. Leur grande découverte fut: «Dieu nous aime immensément», «Dieu t'aime immensément». Dieu n'est plus loin, mais tout proche, présent dans toutes les circonstances, douloureuses, joyeuses ou indifférentes qu'elles soient de la vie. Tel fut le premier message qu'elles donnaient à toutes les personnes qu'elles rencontraient: Dieu est ici, Il t'aime, Il est mort pour toi. Face à cette redécouverte, la réponse la plus spontanée pour y répondre fut de le faire avec amour, qui n'est pas un sentimentalisme vide. L'Évangile, ce petit livre qu'elles avaient avec elles dans les refuges quand sonnaient les alarmes, a marqué leur vie par ces paroles, en la transformant et en la révolutionnant.

Chiara se rappelait de cette période ainsi: «Même prises par la fascination que l'Évangile émanait, nous fûmes surtout frappées par certaines paroles de Jésus et certaines réalités qui mettaient vraiment en évidence l'amour: aimer Dieu, aimer son prochain, s'aimer réciproquement, accueillir la présence spirituelle du Christ parmi nous, comme Il l'a promis, où deux ou plus s'unissent en son nom (cf. *Mt* 18,20), c'est-à-dire dans son Amour; suivre l'amour le plus manifeste: Jésus crucifié; réaliser l'unité, comme effet de l'amour réciproque accompli et non seulement avec qui il est préposé à l'Église, mais avec tous ('Que tous soient un' [*Jn* 17,21]):

cette unité que nous sommes appelés à vivre en tant que chrétiens sur le modèle de la Sainte Trinité».

Elles vivaient dans l'émerveillement et dans la stupeur en voyant se vérifier quotidiennement les promesses évangéliques: «Donnez, et l'on vous donnera» (*Lc* 6,38); «le surplus», qui arrivait ponctuellement pour avoir cherché son Royaume; «le centuple» qu'expérimentait celui qui avait tout laissé pour Dieu. Les paroles de l'Évangile se révélèrent être des axes de développement de la spiritualité de l'unité, personnelle et communautaire en même temps. C'est ainsi qu'est née la communion des biens dans la première communauté de Trente, composée d'environ 500 personnes d'âge et de vocations différentes, de communion des biens spirituels et du peu de biens matériels. Il faut souligner que dans la communion des biens guidée par l'amour, chacun donne: il y a ceux qui donnent leurs propres disponibilités, et ceux qui expriment leurs propres nécessités. Un des premiers effets que l'on observe est l'égalité entre tous. Une telle concrétisation, qui souhaitait reproduire la vie des premiers chrétiens, a peut-être été le premier indice que le Mouvement aurait une dimension sociale. Cette première période est constellée d'expériences infinies. Ils demandaient pour les pauvres et ponctuellement arrivaient, le pain, le lait en poudre, des pommes de terre, des confitures, des vêtements... qu'ils apportaient à ceux qui en avaient besoin.

Comment vit-on aujourd'hui la communion des biens dans le Mouvement des Focolari auquel appartiennent des personnes de toutes les langues, races, peuples et religions, éparpillées dans le monde entier, dans plus de 180 nations?

En ce qui concerne la vie économique, il y a une phrase de l'Évangile qui est centrale pour tous, «cherchez d'abord le royaume de Dieu et sa justice, et tout cela vous sera donné par surcroît» (*Mt* 6,33). Nous sommes engagés, pour pourvoir à notre subsistance, à travailler et à avoir confiance dans la Providence de Dieu.[1] Les focolarini consacrés, appelés à conduire leur vie en

[1] Cf. *Statuti Generali dell'Opera di Maria – Movimento dei Focolari*, artt. 24 s.

commun, quand ils entrent dans le focolare, apportent une seule dot : savoir travailler et gagner leur vie. Ils partagent de manière complète la communion des biens : chaque mois ils donnent leur propre salaire, ils remettent les biens éventuels et ils font un testament pour les pauvres, surtout à travers les activités de formation, apostoliques, caritatives et sociales du Mouvement. Tous les autres, jeunes, familles, adultes engagés dans le monde du travail, etc., donnent librement ce que devant Dieu ils ne considèrent pas nécessaire. Le Mouvement en tant que tel possède uniquement des biens d'usage direct pour ses finalités. Nous sommes aujourd'hui témoins que, comme dans les premiers temps, la providence continue d'arriver de manière ponctuelle et abondante et elle permet de réaliser les différentes initiatives que le Mouvement entreprend pour la réalisation de ses fins. Il y a une vaste activité sociale qui s'exprime par des œuvres concrètes suscitées par les membres du Mouvement comme une expression d'amour et qui répond aux nécessités spécifiques à chaque nation ou région du monde. Il existe un millier d'œuvres sociales plus ou moins importantes.

Les jeunes soutiennent surtout des petites initiatives et les récoltes de fonds pour répondre aux conséquences de catastrophes naturelles. L'économie de Communion (EdC) est spécifique à notre Mouvement et elle est naturellement vécue dans la liberté. À l'occasion de la remise du Doctorat *honoris causa* à Lublin (Pologne), Chiara Lubich a présenté ce projet de la manière suivante : « Depuis le début du Mouvement, nous avons tenté par nos œuvres d'apporter des solutions aux problèmes économiques émergents et cela à travers la communion des biens. Mais il y a quelques années, je me suis rendu compte que cela ne suffisait pas, en particulier pour la croissance du Mouvement. Cela s'est passé à l'occasion de mon voyage au Brésil en 1991. Je me suis rendue dans ce pays à plusieurs reprises et j'ai eu l'opportunité de constater les contrastes énormes qui le fragilisent : développement et sous-développement, gaspillage et indigence, abondance et misère.

Le Mouvement, présent là-bas depuis 1958, s'est répandu dans chaque zone, en attirant des personnes de toutes les catégories sociales. Dans ce pays également se sont développées des activités sociales de tout type. En outre, depuis le début des années soixante-dix, la citadelle Araceli, qui est un peu le point de référence pour nos activités, y est également présente. C'est dans cette citadelle qu'est née l'idée de l'économie de communion. Il m'a semblé que Dieu appelât notre Mouvement au Brésil – environ 200.000 personnes – pour réaliser une communion de biens plus ample, en impliquant le Mouvement dans son ensemble. Tout en ne connaissant pas les problèmes économiques, j'avais pensé qu'il s'agissait d'encourager la création d'usines et d'entreprises. Leur gestion devait être confiée à des personnes capables et compétentes, aptes à les faire fonctionner de manière efficace et d'en tirer des profits. Ces profits – c'est ce en quoi réside la nouveauté – devaient être mis en commun».

Dans quels buts ? Ceux de la première communauté chrétienne : aider ceux qui sont dans le besoin, leur donner à vivre jusqu'à ce qu'ils réussissent à trouver un poste de travail. Puis, naturellement, pour développer les entreprises. Et, enfin, pour développer les structures de formation pour les «nouveaux venus», animés par l'amour chrétien, ces «nouveaux venus» sans lesquels il n'est pas possible de construire une nouvelle société. L'idée a non seulement été accueillie avec enthousiasme au Brésil, mais aussi en Europe et dans différentes parties du monde. Beaucoup d'entreprises sont nées, et beaucoup se sont «transformées» selon les règles de l'économie de communion. Mais cela exige une action économique qui – tout en se réalisant à l'intérieur du système économique en vigueur – aille dans une direction opposée aux critères fondamentaux de l'économie telle quelle est aujourd'hui pensée. Nous allons, en fin de compte, à contre-courant en évitant des comportements contraires à l'amour évangélique, en adoptant un comportement qui s'inspire de notre spiritualité basée sur l'amour réciproque et sur l'unité.

En 2011, après 20 ans d'expérience, l'Assemblée internationale de l'Économie de Communion a eu lieu au Brésil : ce fut une occasion pour réfléchir sur sa réalisation et sur les perspectives possibles dans le futur.

Nous pouvons mettre en évidence les points suivants :

– l'invitation initiale faite par Chiara à la communauté du Mouvement au Brésil en 1991 a eu un écho inattendu au niveau international ;

– les entrepreneurs participants au projet ont tenté d'organiser la gestion des entreprises selon la logique de communion. Les entreprises participantes à ce projet sont environ 700 ;

– l'engagement en faveur des pauvres – qui sont encouragés à être des protagonistes et non des assistés – a été prioritaire et constant, soutenu par les profits des entreprises et par une communion des biens extraordinaires destinés spécifiquement à une telle fin. Les bénéfices annuels des entreprises dévolus au projet varient entre 700.000 et 800.000 € ;

– la réflexion scientifique et culturelle a été approfondie, tant pour l'engagement de professeurs et de spécialistes que pour la réalisation de travaux de thèses sur le sujet, aujourd'hui à plus de 400. C'est ainsi que naissent des places pour l'enseignement dans les Universités de différents pays ayant des visions et théories économiques différentes de celles qui sont actuellement dominantes. L'Institut Universitaire Sophia ayant son siège dans la Citadelle internationale du Mouvement à Loppiano (Florence), offre parmi ses parcours formatifs une spécialisation en économie qui s'inspire de l'économie de communion dans le cadre plus ample de l'économie civile.

L'économie de Communion est donc une petite graine, qui donne toutefois des fruits aussi bien dans le cadre de ses objectifs spécifiques que dans le cadre de la collaboration pour d'autres initiatives économiques, anciennes et récentes, mettant au centre de tout la personne humaine.

Nous espérons vous avoir offert un résumé synthétique et quelques points de réflexion provenant de notre expérience, conscients de faire humblement partie de la riche histoire des charismes de l'Église, mais tout en étant aussi conscients que la communion entre les anciens et les nouveaux charismes enrichit l'Église et contribue à témoigner de sa beauté et de son unité.

OLGA MARIA RODRIGUEZ CORREA
Mouvement des Focolari, secteur
« Communion des biens, économie et travail »

MARCO AQUINI
Mouvement des Focolari, secteur
« Communion des biens, économie et travail »
Professeur de Coopération internationale pour le développement
Université Pontificale « Angelicum » – Rome

QUATRIÈME SESSION

Modérateur

PÈRE ADOLFO NICOLÁS PACHÓN, SJ

Préposé général de la Compagnie de Jésus

DETTES ET OBLIGATIONS : LA RESPONSABILITÉ DES INSTITUTS ET DES MEMBRES (CAN. 639)

JESU PUDUMAI DOSS, SDB

« Rembourse ta dette ! » (*Mt* 18,28) : tel est ce que nous lisons dans une des paraboles de Jésus, qui a parlé à plusieurs reprises de dettes et de débiteurs (en particulier *Mt* 18,21-35 ; *Lc* 7,36-50). Payer sa dette est une « vérité de justice élémentaire »[1] et un principe essentiel de la vie humaine en commun, comme cela est exemplifié par les paraboles de Jésus.

Sur la responsabilité en matière de dettes contractées (et sur l'administration des biens en général), la vie religieuse également, qui cherche avec les conseils évangéliques, « le mode le plus radical de vivre l'Évangile *sur cette terre* »[2], doit faire face aux règles de la vie en commun humaine de chaque partie de la terre où elle est présente, ainsi qu'avec la norme ecclésiastique universelle et son droit propre. En commençant avec quelques prémisses pour mieux comprendre le sens du can. 639, nous souhaitons par cette contribution déterminer les différents niveaux de responsabilité des instituts religieux, des personnes juridiques présentes auprès de ces instituts ainsi que de leurs membres à l'égard des dettes et obligations contractées (can. 639 §§ 1-3). Nous souhaitons en outre commenter les actions à promouvoir contre ceux qui ont tiré profit de ces actes économiques (can. 639 § 4) et mettre en évidence les éléments essentiels que les supérieurs devraient prendre en considé-

[1] D. ANDRÉS, *Le forme di vita consacrata*, Rome 2008[6], 279.

[2] JEAN-PAUL II, Exhort. ap. post-synodale *Vita consecrata*, 18.

ration lorsqu'ils permettent de tels actes (can. 639 §5). Nous conclurons avec quelques suggestions sur l'autorisation et sur la gestion des dettes contractées.

1. Prémisses

Le commentaire du can. 639 demande quelques prémisses à propos de la diversité des ordres juridiques à prendre en considération, à propos de la variété des personnalités juridiques ayant des capacités patrimoniales multiples et à propos du sens de l'expression « contracter des dettes et obligations ».

1.1. Diversité des sources juridiques

Pour une juste compréhension de l'administration des biens, dans notre cas des dettes et des obligations contractées, il faut distinguer différents systèmes qui ont une incidence sur sa réalisation en indiquant les conditions et les effets. Le premier qu'il faut prendre en considération est le système canonique, parce que « Les biens temporels des instituts religieux, en tant que biens ecclésiastiques, *sont régis par les dispositions du livre V sur Les biens temporels de l'Église*, sauf autre disposition expresse » (cann. 635 § 1 et 1257 § 1). Les dispositions générales du Livre V du Code de droit canonique sont donc le cadre normatif à l'intérieur duquel il faut insérer les dispositions canoniques spécifiques établies pour les religieux à propos de l'administration des biens, en particulier à propos des dettes contractées. Seule cette question fait l'objet de notre commentaire, en partant du can. 639.

Il y a un autre niveau de spécification normative relative aux personnes juridiques publiques dans l'Église qui est celui dérivant des « statuts propres » (can. 1257 § 1), et dans notre cas ceux des instituts religieux, tenus à établir « pour l'usage et l'administration des biens des règles appropriées » (cann. 634 § 1 et 635 § 2) et « de déterminer [...] les actes qui dépassent les limites et le mode d'administration ordinaire et de statuer sur ce qui est nécessaire pour poser validement un acte d'administration extraordinaire» (can. 638 § 1). Une telle détermination dans le droit propre devrait rendre la règle conforme à la pauvreté spécifique à l'institut. En appliquant encore le principe de subsidiarité, le droit canonique prévoit que les Ordinaires (can. 134 § 1), ainsi que les supérieurs majeurs religieux (can. 134 § 1), peuvent «par des instructions spéciales dans les limites du droit universel et particulier, [...] organiser l'ensemble de l'administration des biens [...]» (can. 1276 § 2), «pour clarifier et préciser les manières et les temps de réalisation des lois en matière de biens ecclésiastiques, dans l'esprit et dans les limites du droit universel, complémentaire et particulier» (*Note* 5a).[3]

Nous ne pouvons pas oublier que la complexité du fait économique et que les différentes législations qui le gouvernent du point de vue civil et fiscal influencent tout le discours de l'administration des biens. En effet, la situation des différents pays et les finalités institutionnelles peuvent apporter une grande variété de solutions[4] à propos de l'administration des biens en tant que telle, de la constitution civile et de la typologie de personnes juridiques, de leur capacité patrimoniale, de la manière de contracter des dettes et des responsabilités éventuelles, etc. L'observance des lois civiles exigées par l'ordre canonique se base avant tout sur la «canonisation»[5] des lois civiles en les rendant ainsi «ecclésiastiques»

[3] Cf. CONSEIL PONTIFICAL POUR LES TEXTES LÉGISLATIFS, *Notes explicatives. La fonction de l'autorité ecclésiastique sur les biens ecclésiastiques*, 12 février 2004, in *Communicationes* 36 (2004) 24-32 (= Note).

[4] Cf. CONFERENZA ITALIANA SUPERIORI MAGGIORI - AREA GIURIDICA (sous la direction de), *Atti contrari al voto di povertà e illeciti di carattere amministrativo ed economico*, Roma 2010, 10; cf. V. MOSCA, Povertà e amministrazione dei beni negli Istituti religiosi, in *Quaderni di Diritto Ecclesiale* 3 (1990) 242-243.

[5] «S'il est vrai que l'Église recourt, en grande partie, pour l'administration des biens temporels, pour des motifs plus que raisonnables, à la canonisation des lois civiles, il faut aussi rappeler qu'une telle canonisation est toujours faite avec la clause 'à moins qu'elle ne soit contre le droit divin ou que le droit canonique ne dispose différemment'. Il s'agit d'une clause qui souligne bien le sens du droit

(cann. 22 et 197), spécialement en cas de contrat (can. 1290), et aussi sur la précaution (cann. 668 §4, 1274 §5 et 1284 §2) et sur ses obligations dans le cadre social et du travail (can. 1286).[6]

1.2. Variété de la capacité patrimoniale des personnes juridiques dans les instituts

Du point de vue canonique, le can. 634 § 1 reconnaît le caractère de personne juridique (can. 113 §2), en vertu de la loi elle-même, aux instituts religieux, aux provinces et aux maisons. C'est sur cette personnalité juridique que se fonde la capacité juridique-économique d'acheter, de posséder, d'administrer et d'aliéner les biens temporels (can. 1255). Une telle capacité patrimoniale sert à soutenir la vie et à accomplir les œuvres de l'institut religieux, toujours en harmonie avec les fins ecclésiastiques (can. 1254 § 2).[7] Seules les constitutions (can. 634 § 1) peuvent déterminer l'exclusion ou la réduction de la capacité patrimoniale[8] de ces personnes

dans l'Église. Ce dernier est normatif s'il reste dans le sillon du droit divin et s'il s'insère dans le projet salvifique divin. Mais il faut surtout rappeler que parmi les peu nombreuses normes que le droit universel offre, la fonction est celle de protéger l'identité des biens temporels de l'Église d'une façon générale et le droit particulier ou propre et en fonction du sens et de la particularité de la personne juridique publique qu'il entend régler». V. De Paolis, La rilevanza dell'economia nella vita religiosa, in *Angelicum* 85 (2008) 256.

[6] Cf. V. De Paolis, La rilevanza, cit., 247 et 266.

[7] Cf. Y. Sugawara, La povertà evangelica nel Codice: applicazione collettiva (cann. 634-640), in *Periodica* 89 (2000) 269-270; cf. V. Mosca, Povertà e amministrazione, cit., 241; cf. CISM, *Atti contrari al voto di povertà*, cit., 8-9.

[8] «Une telle exclusion ou réduction semblerait concerner uniquement la capacité d'agir et non la capacité juridique en tant que telle. En d'autres termes: la personne juridique (institut, province, maison) a l'entière capacité juridique, avec la capacité patrimoniale, mais cette dernière est exclue ou réduite, c'est-à-dire (simplement) qu'elle ne peut être exercée, ou qu'elle ne peut l'être pleinement. Si ce n'était pas le cas, il faudrait conclure que dans les cas d'exclusion ou de réduction, une personnalité juridique serait attribuée, pour ainsi dire, non complète. Ce qui, cependant, ne semble pas être soutenable». A. Perlasca, La capacità patrimoniale degli istituti religiosi, in *Quaderni di Diritto Ecclesiale* 22 (2009) 121; cf. Y. Sugawara, La povertà evangelica nel Codice, cit., 270.

juridiques (institut religieux, province, maison), portant ainsi leur « témoignage en quelque sorte collectif de charité et de pauvreté » (can. 640). Nous pouvons, en effet, imaginer une variété de capacités patrimoniales des personnes juridiques : « Beaucoup dépend du fait que l'Institut possède tout ou ne possède rien, ou que ce soit les provinces qui possèdent plutôt que les maisons, ou que seules les maisons puissent posséder, acheter et aliéner. La variété des systèmes adoptés exigera une diversité de modalités et de temps, de révisions et de dépendance, selon l'esprit et la coutume de chaque institut ».[9]

1.3. La signification de « contracter des dettes et des obligations »

Il convient avant tout de comprendre la signification de « contracter des dettes et des obligations », que l'on retrouve dans le can. 639, en définissant chaque terme. La dette peut être définie comme « le lien juridique qui contraint une personne [...] à une prestation de caractère économique, de manière constante et grevant la totalité de son patrimoine, présent et futur, jusqu'à ce que dure le lien juridique ».[10] Le terme obligation se définit comme « tout type de contrat, quasi contrat, affaire, acte juridique par lequel on conçoit à un autre le droit à une prestation, action ou omission, propre et qui comporte une charge économique ».[11] Quand nous parlons de « contracter des dettes et des obligations », il faut interpréter « *le fait de contracter* [...] au sens large, qui comprend toutes les manières possibles, permises et illicites, et toutes les formes contractuelles légales propres et impropres ».[12] En effet, « pour obtenir une certaine uniformité normative dans chaque territoire, toute la législation en matière contractuelle est

[9] CISM, *Atti contrari al voto di povertà*, cit., 11 ; V. MOSCA, Povertà e amministrazione, cit., 243-244 ; cf. A. PERLASCA, La capacità patrimoniale, cit., 127 (notre traduction).

[10] D. ANDRÉS, Le forme di vita consacrata, cit., 281.

[11] *Ibid.*

[12] *Ibid* (notre traduction).

renvoyée aux lois civiles (can. 1290), avec la conséquence que les normes du Code civil ou commercial deviennent 'canoniques' »,[13] avec les uniques exceptions que les lois civiles « ne soient contraires au droit divin ou que le droit canonique n'en décide autrement » (can. 1290).

En second lieu, les dettes et obligations peuvent-elles être considérées comme des actes d'administration extraordinaire ? En effet, « les notions d'administration ordinaire et extraordinaire ne correspondent pas seulement à un critère technico-juridique, mais elles s'identifient aussi sur la base d'un critère économique d'importance patrimoniale mineure ou majeure des actes par rapport à la dimension et consistance patrimoniale du sujet qui doit les contracter ».[14] En laissant leur détermination au droit propre ou particulier, la législation canonique considère généralement comme actes d'administration extraordinaire :[15] « Les actes qui dépassent les limites et le mode d'administration ordinaire » (cann. 638 § 1 et 1281 § 1) ; et « toute affaire où la condition du patrimoine de la personne juridique peut être amoindrie » (cann. 638 § 3 et 1295).

Le fait de « contracter des dettes et des obligations » peut être considéré comme un acte d'administration extraordinaire, car d'une certaine façon il « dépasse les limites et le mode d'administration ordinaire » (cann. 638 § 1 et 1281 § 1), étant donné qu'un tel acte n'est pas cité parmi les actes d'administration ordinaire du can. 1284 § 2. Cela semble être la raison pour laquelle la Conférence Épiscopale Italienne, dans son *Décret de détermination des actes d'administration extraordinaire pour les personnes juridiques sujettes à l'Évêque diocésain*, a inséré entre autres « la contraction

[13] J. MIÑAMBRES, La responsabilité dans la gestion des biens ecclésiastiques du diocèse comme entité, in J.I. ARRIETA (sous la direction de), *Enti ecclesiastici e controllo dello Stato. Studi sull'Istruzione CEI in materia amministrativa*, Venise 2007, 84-85 (notre traduction).

[14] CISM, *Atti contrari al voto di povertà*, cit., 12 (notre traduction).

[15] Cf. V. MOSCA, Povertà e amministrazione, cit., 246-247 ; cf. CISM, *Atti contrari al voto di povertà*, cit., 13 ; cf. V. DE PAOLIS, *La vita consacrata nella Chiesa*, Bologna 1991, 254.

de dettes de tout type avec des instituts de crédit, des personnes juridiques, des organismes de fait, des personnes physiques »,[16] comme un acte d'administration extraordinaire ! Il faut aussi noter que la doctrine canonique compte certaines typologies de dettes graves parmi la deuxième catégorie des actes d'administration extraordinaire (cann. 638 § 3 et 1295) : « Au-delà des aliénations, également les hypothèques, les obligations, les participations et les actions peuvent comporter des dommages ou diminutions au patrimoine stable de l'institut ».[17] En considérant donc les « dettes et obligations » comme des actes d'administration extraordinaire (can. 638 §§ 1 et 3), nous ne pouvons pas oublier que « dans la procédure pour contracter les actes d'administration extraordinaire, le Code donne une règle générale qui doit toujours être préservée : la permission de l'autorité compétente est exigée ; sans celle-ci, l'acte n'est pas valable (can. 1281 § 1) ».[18] La permission requise concerne donc la validité de l'acte en soi.[19]

[16] Il s'agit du n. 13 de l'*Annexe C. Décret de détermination des actes d'administration extraordinaire pour les personnes juridiques sujettes à l'Évêque diocésain (cf. can. 1281 § 2) [Facsimile]*, in CONFERENZA EPISCOPALE ITALIANA, *L'istruzione in materia amministrativa*, 2005, [*IMA*] in http://www.chiesacattolica.it/cci_new/documenti_cei/2005-11/02-26/Testo%20Istruzione.pdf (consulté le 24 février 2014) (notre traduction).

[17] V. MOSCA, Povertà e amministrazione, cit., 248 ; CISM, *Atti contrari al voto di povertà*, cit., 14 ; cf. J. BEYER, *Il diritto della vita consacrata*, Milano 1989, 285. « Généralement, on peut dire que les actes d'administration extraordinaire sont ceux qui sont potentiellement aptes à modifier la consistance patrimoniale d'une institution (par exemple, les actes d'aliénation, la contraction des dettes, etc.) », L. CHIAPPETTA, *Il Codice di diritto canonico. Commento giuridico-pastorale*, par F. Catozzella, A. Catta, C. Izzi et L. Sabbarese, Bologne 2011^3, vol. I, 762 ; cf. ID., vol. II, 570 (notre traduction).

[18] V. DE PAOLIS, *La vita consacrata nella Chiesa*, cit., 255 ; cf. Y. SUGAWARA, Amministrazione e alienazione dei beni temporali degli Istituti religiosi nel Codice (can. 638), in *Periodica* 97 (2008) 254-255.

[19] « Dans l'ordonnancement canonique il existe différentes sources normatives qui déterminent les actes qui exigent un contrôle préalable pour leur validité ; c'est pour cela que les actes d'administration extraordinaire peuvent se distinguer en deux catégories : *a*) les actes déterminés par le code pour toutes les personnes juridiques publiques » (*IMA* 2005, 61), parmi lesquelles « les autres affaires

2. Responsabilité à l'égard des dettes et des obligations contractées

Le can. 639 détermine, dans ses premiers trois paragraphes, les différents niveaux de responsabilité des instituts religieux et de leurs membres à l'égard des dettes et des obligations contractées.[20] La responsabilité dépendra de différents facteurs : qui a contracté des dettes et obligations, pour quels biens (ou pour qui) il les a contractées, quels étaient les prérequis canoniques à accomplir et s'ils ont été accomplis ou non, etc.

2.1. Responsabilité des personnes juridiques ou des religieux qui agissent pour elles (can. 639 §§ 1-3)

Les trois premiers paragraphes du can. 639 parlent des dettes contractées par ou pour la personne juridique et de l'autorisation du supérieur, mais de deux points de vue différents. D'un coté, le § 1 indique *surtout* le rapport entre les dettes de la personne juridique et l'autorité supérieure de la personne juridique qui délibère l'autorisation. De l'autre côté, les trois premiers paragraphes (§§ 1-3) parlent aussi du rapport entre les dettes de la personne juridique et les « personnes qui agissent en son nom », en vue de l'autorisation qu'elles ont reçue ou pas.

a) *Fondement de la responsabilité : ecclésialité des biens de l'Institut*

Étant des personnes juridiques (Institut, province, maison), « tous les biens appartenant à tout Institut de vie consacrée ou Société de vie apostolique sont juridiquement considérés comme des

qui peuvent empirer l'état patrimonial de la personne juridique (can. 1295) » (*IMA* 2005, 62). « Le can. 1281 § 1 affirme le principe général sur la base duquel tout acte d'administration extraordinaire exige pour être valable la permission écrite de l'ordinaire » (*IMA* 2005, 66).

[20] Cf. CISM, *Atti contrari al voto di povertà*, cit., 17 ; cf. J. BEYER, *Il diritto della Vita Consacrata*, cit., 288.

« biens ecclésiastiques », raison pour laquelle l'administration doit respecter les principes et les finalités énoncés par le can. 1254 § 2 (cf. cann. 634 § 2 et 635 § 2) afin que soit sauvegardé et témoigné un esprit de pauvreté fondamental ».[21] En effet, « l'ecclésialité » de ces biens, qui « dérive de la destination aux finalités propres de l'Église » (*Note* 1), exige que ceux-ci soient régis par les dispositions canoniques (cann. 635 § 1 et 1257 § 1; *Note* 3).[22] Nous pouvons aussi « affirmer que l'unité du patrimoine ecclésiastique est garantie non seulement par les finalités, mais aussi par le pouvoir, non pas de propriété – qui reste à la personne juridique qui les a achetés – du Pontife romain en vertu de son gouvernement suprême et sa représentation dans l'Église » (*Note* 7, 2, 4 et 10; cann. 1256 et 1273). Donc, c'est sur l'aspect ecclésial des biens de l'institut que se basent les différents aspects de la responsabilité juridique-économique des dettes contractées par les personnes juridiques ou pour elles.

b) *La portée de l'autorisation de l'autorité supérieure (can. 639 § 1)*

Le Conseil Pontifical pour les Textes Législatifs, dans la *Note* de 2004, indique la signification correcte du terme « autorisation »:[23] « On entend par autorisation dans le Droit canonique la concession

[21] Congrégation pour les Instituts de vie consacrée et les Sociétés de vie apostolique, Lettre *Già da alcuni decenni* aux supérieurs et aux supérieures généraux à propos de la documentation à soumettre à la susdite Congrégation en vue de l'obtention de l'autorisation pour l'accomplissement de certaines affaires juridiques dans le cadre de l'administration des biens temporels, 21 décembre 2004, in *Enchiridion Vaticanum*, vol. XXII, nn. 2003-2004.

[22] Cf. V. De Paolis, La rilevanza, cit., 251-252.

[23] La *Note* du CPTL explique la conséquence de l'autorisation, en l'appliquant à l'aliénation: « Le can. 1292 établit le prérequis *ad validitatem* (aux effets canoniques) de l'autorisation du Saint-Siège pour l'aliénation des biens ecclésiastiques dont la valeur dépasse la somme maximale établie par la Conférence Épiscopale (can. 1292 § 1). [...] Quand le Saint-Siège accorde l'autorisation pour une aliénation de biens ecclésiastiques, il n'assume pas les éventuelles responsabilités économiques relatives à l'aliénation, mais il garantit seulement que l'aliénation est conforme avec les finalités du patrimoine ecclésiastique. La responsa-

faite par l'autorité compétente à un sujet pour exercer une faculté ou un droit dont il est déjà titulaire, mais l'exercice pour lequel, pour des raisons d'intérêt public, il est conditionné à un contrôle 'externe' au droit même. En réalité, les autorisations et les autres interventions administratives de ce type, n'impliquent pas l'adoption en soi du contenu du projet pour lequel l'autorisation ou le *nulla osta* ont été donnés. [...] L'autorisation [...] n'est pas un acte du domaine patrimonial, mais de puissance administrative visant à garantir la bonne jouissance des biens des personnes juridiques publiques dans l'Église» (*Note* 12).

Donc, selon le can. 639 § 1, l'autorisation[24] des supérieurs ne transfère pas la responsabilité des dettes contractées par la personne juridique à l'autorité qui concède l'autorisation, mais elle indique seulement le contrôle[25] de la validité ou de la légitimité des actes (débiteurs) contractés par la personne juridique: «Le supérieur qui donne l'autorisation n'est pas responsable de l'acte administratif en soi; il ne donne pas un mandat, mais il autorise simplement un acte, en lui donnant voie libre, sans pour autant en assumer la responsabilité. L'autorisation appartient au pouvoir de contrôle, mais pas d'administration».[26] Quant à la responsabilité finale sur les dettes contractées, le canon établit donc

bilité dérivant de son intervention se réfère exclusivement à l'exercice du droit de gouvernement de l'Église» (*Note* 12) (notre traduction).

[24] L'autorisation des supérieurs, selon Andrés, «n'est pas une *avocatio obligationis*, mais une *ablatio impedimenti*, afin qu'une personne juridique exerce ses droits économiques et, par conséquent, réponde de manière responsable de tous les résultats préfixés. L'*avocatio obligationis* entraînerait avec elle la responsabilité pour la dette ou l'obligation contractée». D. ANDRÉS, *Le forme di vita consacrata*, cit., 281; cf. CISM, *Atti contrari al voto di povertà*, cit., 17; cf. V. MOSCA, Povertà e amministrazione, cit., 250; cf. J. BEYER, *Il diritto della vita consacrata*, cit., 288.

[25] «Le contrôle préventif de l'autorité supérieure doit être considéré comme une collaboration fraternelle dans le cadre d'une communauté hiérarchiquement ordonnée: il s'exerce sur les délibérations déjà adoptées, avant et en vue de leur exécution, sur l'instance adressée par l'administrateur à l'autorité compétente» (*IMA* 2005, 60).

[26] V. DE PAOLIS, La rilevanza, cit., 265 (notre traduction).

que si une personne juridique a contracté des dettes et des obligations, *cette* personne juridique est tenue de répondre, et non pas la personne juridique supérieure ou physique à elle, ni celle qui lui est inférieure.[27]

En effet, *seule cette* personne juridique qui a contracté des dettes doit répondre tant canoniquement que civilement de toutes les conséquences dérivant de l'acte accompli,[28] comme: l'épuisement des dettes et non seulement de son intérêt, la conséquence judiciaire ou extrajudiciaire, pénale ou administrative sur les dettes contractées et éventuellement la déclaration de faillite de la personne juridique avec le séquestre des biens, jusqu'à la privation de sa capacité patrimoniale et/ou de la privation de la liberté de ses représentants.

c) *La «validité» qui dépend de l'autorisation du supérieur (can. 639 §§ 1 et 3)*

En basant la demande validité[29] (can. 1281 § 1) sur l'«autorisation du supérieur» pour contracter des dettes et des obligations (*comme nous l'avons déjà vu*) en tant qu'acte d'administration extraordinaire, il y a un autre aspect très important à souligner dans le can. 639 § 1 (en le lisant aussi avec le § 3) du point de vue des «personnes qui agissent au nom de la personne juridique», en vue de la permission qu'ils ont reçue ou pas. Donc, quand

[27] En effet, le CPTL explique cette distinction dans la *Note* de 2004: «Les lois canoniques, pour cela, prévoient une distinction nette et une autonomie des différents organismes ecclésiastiques les uns par rapport aux autres. En conséquence, selon l'ordonnancement canonique, la 'banqueroute' d'une paroisse, par exemple, ne comporte pas qu'elle puisse être imputée au diocèse et doive être réparée avec les biens du diocèse ou d'une autre paroisse. Dans l'ordonnancement civil, la 'banqueroute' d'un organisme inférieur ne comporte pas non plus l'intervention de l'organisme supérieur pour le recouvrement des biens» (*Note* 3). Le même raisonnement peut aussi être appliqué pour les «dettes et obligations contractées» par une personne juridique dans les instituts religieux, comme cela est édicté par le can. 639 § 1 (notre traduction).

[28] Cf. D. Andrés, *Le forme di vita consacrata*, cit., 281-282.

[29] Cf. V. De Paolis, *La vita consacrata nella chiesa*, cit., 255.

les personnes qui peuvent agir légitimement au nom de la personne juridique[30] ont contracté des dettes et obligations pour la personne juridique, « rendue valide » en effet par l'« autorisation du supérieur » (cann. 639 § 1, 1281 § 1 et 1304 § 1), ce sera la personne juridique, à « être tenue de répondre en son nom propre » (can. 639 § 1). Au contraire, lorsque l'une d'elles, ou tout religieux, a contracté des dettes et obligations pour la personne juridique, « sans autorisation préalable du Supérieur », rendant ainsi l'acte invalide, « c'est à lui d'en répondre et non à la personne juridique » (can. 639 § 3).[31]

La responsabilité de la personne juridique au sujet des dettes et des obligations contractées dépend donc de l'« autorisation du supérieur » en ce qui concerne la validité de l'acte. Ainsi, si la personne juridique agit (et qui en son nom) avec la permission du supérieur, la personne juridique qui agit valablement « est tenue d'en répondre » (can. 639 § 1) et toute personne qui agit pour

[30] Quand il s'agit de la personne juridique, « représentent la personne juridique, en agissant à son nom, ceux à qui cette compétence a été reconnue par le droit universel ou particulier ou par ses statuts propres » (can. 118). En appliquant le can. 1279 § 1, nous pouvons identifier différentes personnes pouvant agir valablement et légitimement au nom de personnes juridiques des instituts religieux dans le cadre de l'administration, et ainsi pour contracter des dettes et des obligations : les supérieurs, qui peuvent émettre tous les actes administratifs ordinaires et extraordinaires (can. 622) ; selon la détermination du droit propre, également les économes (can. 636 § 1) et « les officiers qui sont désignés pour cela [...] dans les limites de leur charge » (can. 638 § 2), comme administrateurs ou représentant légaux. Cf. S. RECCHI, L'economo degli istituti religiosi, in *Quaderni di Diritto Ecclesiale* 22 (2009) 133-134 ; cf. V. DE PAOLIS, La rilevanza, cit., 264 ; cf. Y. SUGAWARA, Amministrazione e alienazione, cit., 256 ; cf. CISM, *Atti contrari al voto di povertà*, cit., 14-16.

[31] Le can. 639 § 3 énonce un principe de justice : un religieux qui agit sans autorisation du supérieur, doit répondre de ses actes. Cf. J. BEYER, *Il diritto della vita consacrata*, cit., 288. Cette « responsabilité personnelle » pour celui qui contracte de manière non valide (c'est-à-dire *sans autorisation*) des dettes et des obligations, semble plus stricte (interprétée au sens du can. 635 § 1) par rapport à la disposition générale du can. 1281 § 3, qui prévoit la responsabilité de la personne juridique « quand et dans la mesure où il en bénéficie » même quand il s'agit d'« actes déposés de manière non valide par les administrateurs ».

la personne juridique « sans autorisation du supérieur », « c'est à lui d'en répondre et non à la personne juridique » (can. 639 §3), parce qu'il manquerait un « prérequis nécessaire » *ad validitatem.*[32]

d) *Le religieux agit « avec un mandat » pour les personnes juridiques (can. 639 §2)*

Contrairement à l'« autorisation du supérieur » nécessaire pour rendre l'acte valide et légitime quand les dettes sont contractées par celui qui peut agir légitimement au nom de la personne juridique dans les instituts religieux, « *le mandat* [...] signifie une charge expresse du supérieur qui, en faisant d'un membre un mandataire de l'IVCR, lui accorde la faculté de gérer une affaire au nom même de l'IVCR ».[33] Le mandat, donc, devient l'élément essentiel et validant pour accomplir les affaires « au nom de la personne juridique » de la part d'un religieux, dans la mesure où il n'a pas la capacité d'agir ni pour elle ni au nom d'elle.

Toute la responsabilité sur les dettes et sur les obligations contractées par un religieux pour la personne juridique, à cause du mandat du supérieur, retombe seulement sur la personne juridique: « C'est l'institut qui doit en répondre » (can. 639 §2) en tant que mandant. Ainsi, nous pouvons aussi conclure que la responsabilité sur les dettes contractées pour la personne juridique incomberait au religieux, et non à la personne juridique, s'il a agi sans l'autorisation expresse du supérieur. Toutefois, dans le cas du religieux-mandataire qui a agi valablement, mais non licitement, ce sera la personne juridique qui sera responsable pour les dettes contractées, mais la personne juridique peut promouvoir l'action contre le religieux, comme prévu par le can. 639 §4.[34]

[32] Cf. V. MOSCA, Povertà e amministrazione, cit., 251; cf. CISM, *Atti contrari al voto di povertà*, cit., 18; cf. V. DE PAOLIS, *La vita consacrata nella Chiesa*, cit., 255.

[33] D. ANDRÉS, *Le forme di vita consacrata*, cit., 283; cf. CISM, *Atti contrari al voto di povertà*, cit., 17; cf. V. MOSCA, Povertà e amministrazione, cit., 251-252 (notre traduction).

[34] Cf. D. ANDRÉS, *Le forme di vita consacrata*, cit., 283-284.

2.2. Dettes des membres sur les biens propres (can. 639 §§ 2-3) et sur les biens d'autrui (cann. 672 et 285 §4)

Le can. 639 §§ 2-3 indique, en outre, la responsabilité au sujet des dettes contractées par les religieux sur leurs biens propres. Nous proposons ci-dessous un commentaire sur leur responsabilité quand ils agissent à l'égard des biens d'autrui (cann. 672 et 285 §4).

a) *Fondement de la responsabilité: dépendance et limitation dans l'usage et dans la disposition des biens*

Comme conséquence nécessaire de la «dépendance et limitation de l'usage et de la disposition des biens»,[35] demandée par le conseil évangélique de la pauvreté professé par le religieux (can. 600), la législation canonique considère que tous les religieux doivent «céder l'administration des biens propres à ceux qu'ils préfèrent» (can. 668 §1). Il est donc bien clair que les religieux, «pour pouvoir déposer tout acte relatif aux biens temporels» (y compris dans notre cas de contracter des dettes et des obligations sur les biens propres et sur les biens d'autrui), «ont besoin de la permission du Supérieur compétent» (can. 668 §2).

Même si en vertu du vœu de pauvreté, on ne perd normalement pas la propriété des biens, il faut prendre en considération les cas particuliers, où certains religieux «en raison de la nature de l'institut» doivent accomplir une renonciation totale à leurs biens, «autant que possible valide aussi en droit civil», avant leur profes-

[35] En effet, «dépendance et limitation signifient que les personnes consacrées ne jouissent pas de disposition des biens même quand ce sont leurs biens propres. Ils sont nécessaires pour un exercice effectif du métier de la pauvreté et constituent [...] un minimum demandé pour le conseil de pauvreté». Y. SUGAWARA, La pauvreté évangélique dans le Code: norme commune (can. 600) et application individuelle (can. 668), in *Periodica* 89 (2000) 57. En outre «les religieux, avec le vœu de pauvreté, renoncent à leur indépendance dans le domaine des biens temporaux. L'appropriation, l'usage indépendant des biens ou la libre administration des biens propres sont incompatibles avec leur vœu» (63) (notre traduction).

sion perpétuelle (can. 668 §4). Dans ce cas, «le profès qui aura, en raison de la nature de son institut, renoncé totalement à ses biens perd la capacité d'acquérir et de posséder; c'est pourquoi il pose invalidement les actes contraires au vœu de pauvreté» (can. 668 §5). Donc, dans ces cas, il serait incapable de contracter des dettes! Les autres religieux aussi peuvent «renoncer à une partie ou à la totalité de [leurs] biens» après la profession perpétuelle, seulement «avec la permission du Modérateur suprême» et «selon le droit propre» (can. 668 §4). L'incidence sur la validité ou légitimité des actes contraires à la pauvreté, dans ce second cas, dépendra de la portée du renoncement et des dispositions du droit propre.

b) *Responsabilité des membres sur les dettes contractées avec les biens propres (can. 639 §§ 2-3)*

Au sujet des dettes contractées par les religieux sur les biens propres, le can. 639 §2 souligne: «Si un membre, avec la permission du Supérieur, s'est engagé sur ses propres biens, il doit en répondre lui-même». Il y a deux aspects à relever dans la détermination de la responsabilité des membres à l'égard des dettes contractées sur les biens propres. D'un côté, la responsabilité *personnelle* du religieux est claire pour ce qui est des dettes et des obligations contractées sur les biens propres, dans la mesure où il est capable de déposer valablement et légitimement les actes d'administration (en appliquant aussi le can. 668 §§ 4-5). Ainsi, le religieux, en matière de dettes contractées sur les biens propres, même avec la permission du supérieur, doit «en répondre lui-même» (639 §2). Une telle responsabilité personnelle serait plus grave, quand le religieux a contracté des dettes et des obligations sans la permission du supérieur: «C'est à lui d'en répondre» (can. 639 §3).[36]

[36] Cf. V. Mosca, Povertà e amministrazione, cit., 251; cf. CISM, *Atti contrari al voto di povertà*, cit., 17.

De l'autre côté, *comme nous l'avons déjà vu* (pour le can. 639 §1), la « permission du supérieur » qui concerne seulement la *juridicité et la légitimité* de l'acte accompli (dans ce cas, des dettes contractées par un religieux sur les biens propres), ne comporte aucune responsabilité envers de telles dettes contractées ni du supérieur ni de la personne juridique où est inséré le religieux: maison, province, institut. Tel est le sens du can. 639 §3, qui indique explicitement la responsabilité du religieux sur les dettes contractées: « C'est à lui d'en répondre et non à la personne juridique ». Donc, en aucun cas le supérieur ni les personnes juridiques des instituts religieux ne peuvent être impliqués, civilement ou canoniquement, pour couvrir les dettes et obligations contractées par un religieux sur les biens propres.

Il faut aussi rappeler la norme canonique qui conseille aux supérieurs religieux de ne pas admettre au noviciat « des personnes chargées de dettes et insolvables » (can. 644). L'admission de ces personnes pourrait être interprétée par des tiers comme une disponibilité de la part de l'institut ou du supérieur à aider ces individus à surpasser leurs problèmes économiques avec les biens de l'institut.

c) *Dettes des membres sur les biens d'autrui (cann. 672 et 285 §4)*

Quant aux dettes contractées par un religieux sur les biens d'autrui, nous avons une référence indirecte du can. 672, qui applique à tous les religieux une des obligations des clercs spécifiées dans le can. 285 §4: « Sans la permission de leur Ordinaire, les clercs ne géreront pas des biens appartenant à des laïcs [...]; il leur est défendu de se porter garant, même sur leurs biens personnels, sans avoir consulté leur Ordinaire propre; de même, ils s'abstiendront de signer des effets de commerce par lesquels ils assumeraient l'obligation de verser de l'argent sans motif défini ». Nous pouvons trouver trois domaines d'application: l'administration des biens des laïcs; la caution; et la signature des lettres de change.

Les religieux ne doivent pas administrer les biens des laïcs, y compris contracter des dettes sur leurs biens, « sans la permission de leur Ordinaire », « au risque de devoir répondre de leurs biens propres ou avec leur propre liberté ».[37] Le canon, en outre, « sans consulter le propre Ordinaire », interdit aux religieux « de devenir garants de crédit en quelconque occasion et condition, avec quiconque, avec des biens d'autrui, mais aussi avec des biens propres. Ainsi, pour éviter des complications et privations, pouvant porter préjudice à sa vie, son esprit et son ministère ».[38] À cause des effets négatifs qui peuvent s'exercer aussi sur l'institut en tant que tel, le législateur interdit vivement le soi-disant « je paierai » : « [...] de même, ils s'abstiendront de signer des effets de commerce par lesquels ils assumeraient l'obligation de verser de l'argent sans motif défini » (can. 285 §4). En effet, la norme canonique n'a pas prescrit la responsabilité pour dettes contractées par un religieux sur les biens des tiers ; cependant, il est clair que l'unique responsable est le religieux sur ces actes accomplis par lui, en vertu du can. 639 §§ 2-3.

3. Droit d'indemnisation

Le principe de justice sur lequel se base ce paragraphe (can. 639 §4) se retrouve dans le can. 128 : « Quiconque cause illégitimement un dommage à autrui par un acte juridique ou encore par un autre acte quelconque posé avec dol ou faute, est tenu par l'obligation de réparer le dommage causé ». Il est certain que « celui dont le patrimoine a tiré avantage à la suite de ce contrat », a soustrait cet avantage de la personne juridique, en créant également des dommages au patrimoine de la personne juridique. Ainsi, d'un côté, celui qui a tiré un avantage a l'obligation de réparer le dommage provoqué par ses actions (can. 128) et de l'autre côté, quiconque se sent lésé à cause de « ce contrat » (can. 639 §4) en subissant le

[37] D. Andrés, *Le forme di vita consacrata*, cit., 524 (notre traduction).

[38] *Ibid.*, 525 (notre traduction).

dommage (ou en perdant un avantage) peut toujours intenter une action judiciaire en revendication (canonique ou civile) contre celui qui s'est enrichi de manière indue,[39] parce qu'il a « droit à une indemnisation, à une restitution ou à une réparation proportionnelle à l'avantage qu'en a tiré celui qui en est la cause ».[40]

En effet, sont possibles les différentes actions canoniques qui suivent. On peut initier le procès pénal (cann. 1717-1731) pour demander la juste peine contre celui qui a empêché l'usage légitime des biens ecclésiastiques (can. 1375) ou qui désobéit continuellement (can. 1371) ou celui qui a agi avec négligence coupable (can. 1389 § 2) ou pour demander la privation contre qui a agi avec abus de sa charge (can. 1389 § 1). En parallèle à ce procès pénal, on peut intenter aussi une « action *contentieuse* au pénal pour obtenir la réparation des dommages » (cann. 1729-1731). Pour le dommage causé à l'institut et aux personnes juridiques, il est aussi possible d'introduire la démission « optionnelle » contre le religieux, dans la mesure où un tel comportement peut être énuméré parmi les « causes graves, externes, imputables et prouvées juridiquement » (can. 696 § 1). En ce qui concerne les actions civiles possibles, il est possible d'appliquer le can. 1296 en ce qui concerne l'aliénation : « [...] il appartient à l'autorité compétente de décider, tout mûrement pesé, s'il y a lieu d'engager une action et laquelle, personnelle ou réelle, par qui et contre qui, pour revendiquer les droits de l'Église ».

[39] « Les trois facteurs sont compris dans la clause latine '*contra eum in cuius rem aliquid ex inito contractu versum est*' : l'action est dirigée contre celui qui s'est enrichi au motif ou à l'occasion d'un contrat. Il se fonde autour d'une *cause et/ou d'un titre immédiat*, et dont le gain illégitime est apparent ; et autour d'une autre cause *indirecte et de fond*, qui est la certitude juridique que celui qui a agi de cette manière s'est approprié de quelque chose qui était dû à l'un des contractants et à qui il doit revenir ». D. ANDRÉS, *Le forme di vita consacrata*, cit., 285 (notre traduction).

[40] J. BEYER, *Il diritto della vita consacrata*, cit., 290 ; cf. CISM, *Atti contrari al voto di povertà*, cit., 18 ; cf. V. MOSCA, Povertà e amministrazione, cit., 251 (notre traduction).

4. Autorisation pour contracter des dettes

Le can. 639 §5 énonce certaines conditions pour l'autorisation à contracter uniquement des dettes, et non des obligations. Avant tout, la norme canonique déconseille aux supérieurs d'autoriser à contracter des dettes. Une telle invitation prudente se base sur le fondement des biens de l'institut, qui sont toujours des biens ecclésiastiques et sur la référence particulière au Pontife Romain, qui « en vertu de sa primauté de gouvernement, est le suprême administrateur et dispensateur de tous les biens ecclésiastiques » (can. 1273).

Le canon permet aux supérieurs de donner l'autorisation uniquement dans le cas où il est possible de constater avec certitude morale que sont remplies deux conditions de la part de la personne requérante. La première condition concerne l'intérêt de la dette qui devrait être couverte avec les revenus ordinaires de la personne juridique qui demande l'autorisation, tels « le travail rétribué, les possessions propres, le capital propre avec les revenus d'intérêts, les aumônes et les donations habituelles et périodiques ».[41] La seconde condition à remplir concerne la restitution de tout le capital, dans un laps de temps raisonnable avec un amortissement légitime. Cela demande que toute la somme de la dette ou du prêt soit payable « à tempérament » par le supérieur que représente la personne juridique durant sa charge.

5. Quelques conclusions pratiques

Il semble opportun de suggérer quelques conclusions de manière pratique à prendre en considération tant dans la gestion économique, surtout des dettes, que dans la spécification du droit propre des compétences des supérieurs et des autres personnes impliquées dans l'administration.

[41] D. Andrés, *Le forme di vita consacrata*, cit., 287 (notre traduction).

a) Quand un supérieur accorde la permission pour contracter des dettes ou des obligations, demandée par une personne juridique, il est préférable de spécifier clairement dans la permission accordée que cela ne comporte en aucune façon des « responsabilités économiques » du supérieur à l'égard des dettes et obligations contractées. En effet « la Congrégation pour les Instituts de vie consacrée et les Sociétés de vie apostolique, dans les rescrits dans lesquels elle accorde la permission, a pour usage d'ajouter une clause dans laquelle toute prise de responsabilité est déclinée ».[42]

b) Toutefois, en cas de nécessité, d'autres personnes juridiques peuvent toujours intervenir en utilisant « les principes de charité, de bien commun, de fraternité, d'utilité concrète majeure ».[43]

c) En suivant cette règle canonique très prudente, dans les cas des dettes et obligations, il est préférable que le droit propre (et/ou les statuts des personnes juridiques civilement reconnues) ne crée pas de responsabilités subsidiaires et/ou accessoires « contraignantes » pour d'autres personnes juridiques (supérieures ou inférieures) pour ne pas mettre en difficulté tout l'institut religieux.[44]

d) Même quand un supérieur accorde la permission demandée par un religieux pour contracter des dettes sur les propres biens (ou sur les biens d'autrui), il convient de spécifier clairement dans la permission accordée que cela ne comporte en aucune façon des « responsabilités économiques » ni de la part du supérieur ni de la part des personnes juridiques dont le religieux est membre (maison, province ou institut).

e) Il convient de mieux spécifier dans le droit propre le type d'autorisation nécessaire pour contracter des dettes, les conditions

[42] V. Mosca, Povertà e amministrazione, cit., 250 ; CISM, *Atti contrari al voto di povertà*, cit., 17 ; cf. J. Beyer, *Il diritto della vita consacrata*, cit., 288 (notre traduction).

[43] Cf. D. Andrés, *Le forme di vita consacrata*, cit., 282 ; cf. CISM, *Atti contrari al voto di povertà*, cit., 17 ; cf. V. Mosca, Povertà e amministrazione, cit., 250 ; cf. J. Beyer, *Il diritto della vita consacrata*, cit., 288.

[44] Cf. D. Andrés, *Le forme di vita consacrata*, cit., 282.

de sa validité et licéité, les personnes (comme le supérieur, les économes, les administrateurs, les délégués spéciaux, etc.) pouvant accomplir les affaires de la personne juridique (surtout des dettes et obligations), la limite minimale et maximale pour tous les actes d'administration extraordinaire, etc. Comme l'a fait la *Conférence Épiscopale Italienne*, il vaudrait mieux placer « le fait de contracter des dettes de tout type avec tout type de personnes, physiques et juridiques » parmi les actes d'administration extraordinaire.

Tout comme la vie religieuse, l'administration des biens – en particulier la contraction des dettes – doit être vécue dans l'optique des trois conseils évangéliques : « Il est opportun de reconnaître que la gestion économique ne concerne pas seulement la pauvreté, mais qu'elle est aussi liée à l'obéissance à partir du moment où il existe des lois de l'Église, du propre institut et des gouvernements qui doivent être suivies, et cela concerne aussi la chasteté, puisque la liberté du cœur est indispensable afin que les biens soient mis au service de la personne humaine ».[45]

JESU PUDUMAI DOSS, SDB
Professeur de Droit canonique
Doyen Émérite de la Faculté de Droit canonique
Université Pontificale Salésienne – Rome

[45] V. DE PAOLIS, La rilevanza, cit., 242-243. De Paolis cite ces parole de: UNIONE SUPERIORI GENERALI, *Economia e missione nella vita consacrata oggi*, Roma 2002 (notre traduction).

LES PERSONNES JURIDIQUES PUBLIQUES : AVANTAGES ET DÉSAVANTAGES

PEGGY ANN MARTIN, OP

Bonjour, Good afternoon

Mon nom est Peggy Ann Martin, je suis une Sœur Dominicaine de la Paix, des États-Unis. Actuellement, je suis la Vice Présidente Senior pour le parrainage et la gouvernance auprès de la Catholic Health Initiatives (Initiatives de Santé Catholiques) à Denver, dans le Colorado. La Catholic Health Initiatives est un grand système catholique de santé qui opère dans 18 états à l'intérieur des États-Unis. Ce système de santé est soutenu par la Catholic Health Care Federation (Fédération catholique d'assistance médicale), une personne juridique publique de droit pontifical. Une part de ma responsabilité consiste à gérer la personne juridique publique Catholic Health Care Federation.

Aujourd'hui, la Congrégation des Instituts de vie consacrée et des Sociétés de vie apostolique se réfère aux personnes juridiques publiques comme la Catholic Health Care Federation comme à des personnes juridiques publiques ministérielles. Cela pour les distinguer des personnes juridiques publiques fondées par la loi, comme les instituts religieux et diocèses. Au cours de cette présentation, j'emploierai le terme « Congrégation des Religieux » pour me référer à la Congrégation des Instituts de vie consacrée et Sociétés de vie apostolique.

La Catholic Health Care Federation a été fondée par la Congrégation des Religieux en 1991. Ce fut sur la demande de la Catholic Health Corporation (Corporation Catholique de Santé), un système catholique médical d'Omaha, dans le Nebraska, que fut fondée la Catholic Health Care Federation. À ce moment, celle-ci était le sponsor catholique de certains services d'assistance médicale, mais non de tous les services d'assistance médicale qui faisaient partie de la Catholic Health Corporation. La plus grande partie des Congrégations religieuses féminines maintinrent leurs droits au niveau canonique malgré la fondation de la Catholic Health Care Federation. En 1996, trois systèmes catholiques médicaux s'associèrent pour former la Catholic Health Initiatives, dont faisait partie la Catholic Health Corporation d'Omaha, dans le Nebraska, et c'est à ce moment que nous avons demandé à la Congrégation des Religieux que la Catholic Health Care Federation devienne le sponsor catholique de tous les ministères des Catholic Health Initiatives. À la fin, celle-ci incluait les ministères d'assistance médicale de douze instituts religieux féminins. À ce moment, nous pensions que les douze congrégations religieuses féminines auraient aliéné leurs biens dans le domaine de la santé à la Catholic Health Care Federation. Étant donné que ce fut la première initiative de ce genre, la Congrégation des Religieux demanda que les instituts religieux n'aliènent pas de tels biens en une fois, mais sur une période de cinq ans. Aujourd'hui, quand une personne juridique publique ministérielle est fondée, l'aliénation se fait en même temps.

Il m'a été demandé de présenter les avantages et les désavantages d'avoir une personne juridique publique ministérielle comme la Catholic Health Care Federation. Personnellement, je suis un membre d'une des congrégations religieuses féminines appartenant à la Catholic Health Initiatives et j'étais à la direction de ma congrégation au temps où elle a été fondée. Je dois dire que cela a été une expérience merveilleuse que de s'associer à d'autres congrégations pour exercer la mission de l'Église dans l'assistance à la guérison.

Les avantages d'une personne juridique publique ministérielle sont nombreux, en fonction de la spécificité de la congrégation religieuse. Cela a surtout permis que les ministères de chaque congrégation puissent continuer comme ministère catholique. La valeur du témoignage des congrégations qui travaillent ensemble est très éloquente. Chaque congrégation a aussi pu réfléchir sur leurs charismes pour comprendre quel est leur appel dans le monde d'aujourd'hui. Les congrégations peuvent être fidèles à leurs charismes en répondant à ces nouveaux appels, car les personnes juridiques publiques ministérielles pourvoient à maintenir leurs précédents ministères d'assistance médicale.

Cela a permis tant aux religieuses qu'aux laïcs d'être impliqués ensemble dans les parrainages. Auparavant, les laïcs étaient seulement impliqués dans la gouvernance. La supervision du parrainage du ministère a besoin de personnes, aussi bien religieuses que laïcs, qui ont de l'expérience et qui connaissent l'Église Catholique et l'entreprise. L'assistance médicale est devenue plutôt compliquée aux États-Unis et les religieuses ont besoin de personnes expertes qui les aident à poursuivre leur ministère. Il s'agit ici aussi bien de la gouvernance que du parrainage. Les personnes publiques juridiques ministérielles ont apporté une plus grande souplesse pour recruter des personnes comme les membres des personnes juridiques. Aujourd'hui, les religieuses attribuent une grande valeur à la collaboration entre elles et avec les laïcs pour la bonne suite du service ecclésial.

Les personnes publiques juridiques ministérielles permettent une plus grande stabilité dans la supervision du ministère. Auparavant, il pouvait advenir que des changements dans la supervision, dans les prérequis, dans les procédures soient différents à chaque fois qu'un nouveau groupe à la direction était élu. En outre, il y avait aussi le risque que personne dans le groupe de leadership n'ait d'expérience, de connaissance et/ou d'attention pour le nouveau ministère. Avec les personnes publiques juridiques ministérielles, les personnes dans le ministère tout comme les responsables de la supervision du parrainage ne doivent plus s'inquiéter du nouveau leadership dans chaque congrégation. En plus, les congrégations sont aussi libres d'élire le leadership pour leur avenir, et non nécessairement parce qu'une personne était/est infirmière ou avocat ou quelque puisse être sa compétence.

Pour moi, la formation des sponsors représente l'avantage le plus évident. Au début, après la création du Catholic Health Care Federation, nous avons commencé à parler de la formation nécessaire des personnes physiques qui représentaient le sponsor. La Catholic Health Initiatives fait partie d'un effort de collaboration dans la formation des sponsors pour les personnes juridiques publiques. Certaines personnes m'ont dit que les sœurs ont reçu leur formation quand elles sont entrées au couvent, mais je me rends compte que la formation des religieuses a changé depuis que je suis entrée en 1962, et aujourd'hui la formation qui est nécessaire pour les sponsors est différente de la formation pour devenir religieuse. C'est un privilège incroyable que de faire route avec les personnes, aussi bien religieuses que laïques, à travers l'enseignement des Écritures Saintes, de la spiritualité, de la théologie, de l'éthique, des enseignements sociaux de l'Église, et, naturellement en Droit canonique, mon domaine préféré. Ce sont les personnes juridiques publiques ministérielles qui ont réalisé cela. Si nous, en tant qu'instituts religieux, nous étions encore des personnes juridiques publiques, nous n'aurions probablement pas pensé à la nécessité de la formation comme sponsor et il est plus que probable que nous n'aurions pas eu de personnes sponsors laïques avec nous. Par le parcours de formation de sponsor de personnes juridiques publiques, nous formons des personnes pour la vie. Une fois que les personnes comprennent ce qu'est le parrainage, elles doivent affronter un moment difficile quand leur mandat prend fin : elles se sentent tellement engagées envers les ministères qu'elles voudraient continuer. C'est tellement vivifiant et c'est un tel privilège de faire partie de ce projet !

Un autre avantage pour les congrégations est que beaucoup plus de sœurs peuvent être impliquées. Il n'est pas nécessaire que la sœur soit dans le leadership de sa congrégation. Du côté des laïcs, ils se sentent appelés ; ils peuvent vivre ainsi leur vocation baptismale.

Dans le cas de personnes juridiques publiques ministérielles aux États-Unis, les membres de la personne juridique publique et les administrateurs fiduciaires de la *corporation* civile sont les mêmes personnes physiques. Cela peut être un grand avantage. Il s'agit d'un exemple qui montre comment tout est réalisé ensemble et quelqu'un pourrait dire que c'est un retour aux temps où les groupes de leadership des congrégations religieuses faisaient tout ensemble. Cela offre un cadre clair pour tous, les questions concernant la mission se posent toujours devant tout le groupe. D'autres personnes juridiques publiques ministérielles font le choix d'avoir deux groupes séparés de personnes : celui du parrainage et celui de la gouvernance. L'un n'est pas meilleur que l'autre. Tout dépend de la culture de ceux qui sont impliqués, de ce qu'ils pensent de ce qu'il y a de mieux pour tous ceux qui sont impliqués dans la promotion du service de soin de l'Église.

Maintenant, tout n'est pas rose. Je ne suis pas sûre que je les appellerais des désavantages, mais ce sont bien sûr des défis. Cela peut être difficile quand un nouveau groupe de leadership est élu dans une seule congrégation. Pour chaque sœur qui n'est pas dans le leadership, il peut être difficile de comprendre ce qui est réellement arrivé à « leurs » ministères. Si ensuite un ancien ministère est aliéné et qu'il y a une réduction des employés, les conséquences sont pour les sœurs : ce sont des situations difficiles. En réalité, cela n'a aucun lien avec la personne juridique publique ministérielle, mais c'est elle qui en est rendue responsable.

Cela peut représenter un défi particulièrement important pour l'évêque local. Les Évêques étaient habitués à travailler avec la supérieure majeure d'une congrégation en particulier, alors que maintenant ils doivent le faire avec une personne juridique publique ministérielle, et probablement c'est avec quelqu'un comme moi qu'ils doivent interagir pour les problèmes importants. Puis, le siège de la personne juridique publique ministérielle est, selon toute probabilité, situé en dehors de leur diocèse et aussi bien les religieuses que les laïcs détiennent le rôle du parrainage, non plus seulement les sœurs. L'évolution du monde de l'assistance médicale a représenté un changement particulièrement difficile pour les Évêques. Dans la plupart des cas, l'assistance médicale n'est pas leur domaine de compétence, mais ils ont toutefois la responsabilité de la supervision des ministères catholiques dans leurs diocèses. À cela s'ajoute le fait que beaucoup d'entre nous sont passées des structures individuelles d'assistance médicale aux systèmes d'assistance médicale, pour mettre ensuite ensemble des systèmes d'assistance médicale. Il est difficile de suivre le rythme avec tous ces changements. Cela peut devenir frustrant pour les Évêques locaux.

Avant les personnes juridiques publiques ministérielles, le leadership élu d'une congrégation exerçait tous les droits et toutes les responsabilités, tant civiles que canoniques. Dans la plupart des cas, cela se passait sans que l'on réfléchisse à ce qui relevait du civil/gouvernance et à ce qui était canonique/parrainage. Avec l'avènement des personnes morales publiques ministérielles, de tels droits et responsabilités ont dû être séparés. Cela est difficile indépendamment du fait que la congrégation soit unique ou qu'il y en ait cinq ou douze. Voici les questions auxquelles il est difficile de répondre : s'agit-il vraiment de gouvernance ou est-ce nécessaire pour la vigilance sur l'identité et la mission catholique ? Cela provoque beaucoup d'émotions et il est naturellement inévitable d'entendre la phrase « nous avons toujours fait ainsi ». Ou encore : « Est-ce que les sœurs veulent-elles vraiment ceci ? ». Ou « les sœurs savent-elles qu'il est en train de se passer ceci ? ». Puis, il peut y avoir aussi des superpositions de rôles entre les personnes qui exercent la gouvernance et celles qui exercent le droit et les responsabilités du parrainage. C'est un écueil qu'il faut surpasser.

À partir du moment où en 1991, les personnes juridiques publiques ministérielles de droit pontifical ont évolué, la question de la responsabilité était en train d'émerger pour la Congrégation des Religieux. Étant donné que les biens des personnes morales publiques ministérielles étaient dans le passé des biens appartenant aux instituts religieux, les personnes publiques juridiques ministérielles de droit pontifical rendaient des comptes à la Congrégation des Religieux. Maintenant, dans le cas de certaines personnes juridiques publiques ministérielles, les instituts religieux originaires n'ont plus de droits, ni civils ni canoniques ; pour certaines parmi elles, il existe un lien avec les congrégations originaires, mais qui ne passe à travers aucun droit et/ou responsabilité canonique ou civil/e; d'autres sont comme elles étaient quand les groupes de leadership détenaient tous les droits et toutes les responsabilités avec l'ajout de laïcs. Tous ces développements sont en train de remettre en cause la responsabilité des personnes juridiques publiques ministérielles de droit pontifical.

En ce moment, je ne connais pas la réponse au problème de la responsabilité. Je sais que moi et mes collègues aimons nous adresser à la Congrégation des Religieux parce qu'ils comprennent ce que nous sommes et nos ministères. La Congrégation des Religieux a permis aux personnes juridiques publiques ministérielles d'évoluer pour pouvoir répondre aux exigences des congrégations religieuses et du Peuple de Dieu.

Les personnes juridiques publiques ministérielles, en particulier celles opérant dans le domaine médical, sont-elles une bonne manière ou la meilleure manière de soutenir les ministères catholiques dans l'avenir ? Elles semblent l'être en cette période de notre histoire et un nombre toujours plus important de congrégations religieuses s'interroge sur les possibilités futures de leurs ministères. Déjà certaines personnes juridiques publiques ministérielles ont plus d'une typologie de ministères. Certaines ont une assistance médicale et la formation au sein de la même personne juridique. D'autres ont tous les ministères sponsorisés d'une congrégation en particulier. La question s'était posée de savoir si un seul organisme de Membres pouvait avoir la supervision de plus d'une typologie de ministère, mais il semble que cela fonctionne. Il n'est pas nécessaire que les Membres aient tous la même compétence; il faut qu'ils apportent des compétences différentes au service de tous.

Je n'ai aucune boule de cristal, donc je ne peux pas prévoir l'avenir. Je sais que les personnes juridiques publiques ministérielles fonctionnent bien en ce moment pour toutes celles parmi nous qui ont choisi ce parcours pour nos ministères. Elles ne sont pas nécessairement adaptées pour tous, elles ne sont pas nécessairement adaptées pour toutes les congrégations religieuses qui sponsorisent les ministères catholiques. Un des grands dons de la

Congrégation des Religieux est qu'elle a permis la constitution des personnes juridiques publiques par décret. Elle a permis à chacune d'elles d'avoir certaines caractéristiques individuelles à l'intérieur de la structure formelle. Pour nous, ceci est un cadeau, mais j'imagine que pour la Congrégation des Religieux cela représente un défi. Je peux certainement partager avec vous que la Catholic Health Care Federation (Fédération catholique d'assistance médicale) a été un don pour les douze congrégations religieuses féminines qui font partie de la Catholic Health Initiatives (Initiatives de Santé Catholiques). Cela continue d'être un don pour deux congrégations religieuses qui vont nous rejoindre et pour toutes celles qui s'associeront à nous dans le futur.

Je suis impatiente de travailler avec la Congrégation des Religieux et avec les Évêques locaux pour apporter des solutions aux défis, pendant que nous continuons à nous consacrer à la mission de l'Église.

PEGGY ANN MARTIN, OP
Première Vice Présidente du Parrainage et de la Gouvernance pour la Catholic Health Initiatives – Denver (Colorado)

INSTRUMENTS DU DROIT CIVIL : FONDATIONS, FONDS IMMOBILIERS ET ORGANISATION À BUT NON LUCRATIF D'UTILITÉ SOCIALE

ALBERTO PERLASCA

Au cours de cette intervention, j'espère vraiment ne rien vous dire de nouveau. L'objectif est très modeste et c'est simplement celui de rappeler les principes du droit canon en matière de biens temporels, et les précautions particulières qu'il faut avoir quand ces principes interagissent avec le droit national. Dans certains cas, il s'agit de questions qui ne sont encore complètement définies et qui sont donc ouvertes à la contribution de la réflexion de tous.

Le concept de biens ecclésiastiques est intimement lié à la personnalité juridique publique dans l'Église, c'est-à-dire aux sujets de l'ordonnancement juridique canonique lesquels poursuivent *nomine Ecclesiae* les finalités institutionnelles propres à l'Église même (can. 116 § 1). C'est précisément cette députation aux finalités spécifiques que le Fondateur Divin a assignée à son Église et qui demande que ces biens soient d'abord encadrés par les règles du droit canonique. Le can. 1257 § 1 établit à ce sujet : « Tous les biens temporels qui appartiennent à l'Église tout entière, au Siège Apostolique et aux autres personnes juridiques publiques dans l'Église, sont des biens ecclésiastiques et sont régis par les canons suivants ainsi que par les statuts propres de ces personnes ». Comme il est connu, les instituts, les provinces et les maisons érigées (can. 609 § 1) sont précisément des personnes juridiques publiques en vertu de ce même droit (can. 634 § 1).

C'est justement parce que ces personnes juridiques publiques de l'Église ont des finalités transcendantales, que le législateur canonique a eu le souci, au cours des siècles, d'édicter des règles destinées à défendre les biens nécessaires pour leur accomplissement, afin que ces derniers ne soient pas aliénés sans un motif plus que justifié, qu'ils ne soient détournés en faveur d'objectifs divers de ceux propres à l'Église et, *last but not least*, qu'ils ne soient pas usurpés, non seulement par les hommes d'Église mêmes, mais aussi par l'autorité séculière, désireuse depuis toujours de s'approprier du patrimoine ecclésiastique. Pensons, à titre d'exemple, à la législation sévère en matière d'aliénations sous le pontificat de Léon IV (847-855) préoccupé par le fait que l'« *Ecclesia Dei ad nihilum non redigatur* » et par les règles encore plus rigides contenues dans la Const. Ap. *Ambitiosae* de Paul III (1468).

C'est précisément de cette exigence que naît tout ce système de contrôles canoniques, tels, par exemple, l'obligation de rendre compte de l'administration, les permissions de la part du Saint-Siège, les consentements requis aux organes de gouvernement internes en vertu des Constitutions, la nécessité que, au moins au niveau de l'institut et de la province, l'administration des biens soit confiée à un économe, distinct du Supérieur respectif (can. 636 § 1). Ce sont des règles dérivant de la sagesse séculaire de l'Église qui, d'un côté connaît bien la faiblesse de l'homme et de son cœur, et de l'autre, ressent le devoir de défendre par des dispositions de loi adaptées non seulement cet ensemble de moyens qui lui permettent de poursuivre ses finalités institutionnelles propres, mais aussi de protéger ces personnes mêmes, afin qu'elles ne réalisent pas des opérations pouvant porter à des conséquences particulièrement graves pour celui qui les accomplit, et pour les autres membres de l'institut qui pourraient se retrouver privés des moyens nécessaires à leur subsistance, qui sont le plus souvent fruit de sacrifices énormes et de renoncements coûteux. Tant que les contrôles canoniques en matière de biens ecclésiastiques seront perçus comme des obstacles à éviter, plutôt que comme des aides à rechercher, il ne pourra jamais y avoir un vrai progrès dans la gestion des biens de l'Église.

Tout ceci ne doit évidemment pas porter à penser que, dans l'administration des biens ecclésiastiques, on doive faire abstraction de la législation civile en vigueur dans les différents pays.

La loi civile, à égale mesure avec la loi canonique, doit être connue, respectée et, si c'est le cas, appréciée. Une des obligations imposées à l'administrateur des biens ecclésiastiques est précisément de faire en sorte que de l'inobservance des lois civiles ne puisse causer un dommage à l'Église (can. 1284 § 2, 3°). Et ceci doit être dit aussi en matière de contrats de travail, comme le rappelle le can. 1286, 1°, et pour tous les contrats d'une façon générale (can. 1290).

Aujourd'hui, cependant, nous tendons à assister à une adoption aveugle du droit laïc même dans la gestion des biens de l'Église. Les raisons sont diverses. Elles sont parfois louables, comme l'intention, par exemple, de distinguer d'une manière adéquate – aussi d'un point de vue juridique – les différentes activités de l'institut, surtout quand il s'agit d'activités commerciales. Dans d'autres cas, les raisons résident par contre dans la connaissance insuffisante de la loi canonique, tant de la part des personnes d'Église que des laïcs qui doivent s'occuper, de plus en plus, de l'administration des biens ecclésiastiques. Les juristes laïc peuvent tout à fait bien connaître la loi civile, mais s'ils ne connaissent pas aussi bien la loi canonique – et surtout les raisons qui la sous-tendent – il existe vraiment le risque que les biens de l'Église soient administrés comme tout autre bien profane, et que l'Église devienne une entreprise à gérer avec des critères qui ne visent que le profit.

Une expression de ceci est reconnaissable, tout d'abord, dans la constitution croissante de fondations civiles et au transfert qui se rattache à de tels sujets juridiques de biens et activités de l'Institut, parfois aussi de manière considérable. À la lumière de tout ce que nous avons dit jusqu'à maintenant, il ne peut échapper à personne la dangerosité d'une telle opération, bien qu'elle puisse apparaître relativement facile. De fait, les biens qui sont transférés de l'Institut – personne juridique canonique publique – à cette fondation civile, ne sont plus des biens ecclésiastiques et ils ne sont donc plus régis et protégés par les règles canoniques. Ce sont des biens exclusivement sujets à la législation civile vis-à-vis de laquelle l'Église est inopérante. Et ceci est particulièrement vrai pour les pays où les démocraties sont fragiles et les changements de gouvernement soudains et violents. Sans parler de l'envergure morale qu'une opération de ce genre pourrait représenter, faite dans le dessein d'éluder les contrôles canoniques. Alors qu'il serait en fait possible d'employer la voie la plus sûre, bien que souvent la plus longue et difficile, qui est celle de l'organisme canonique civilement reconnue. D'autant plus que l'ordonnancement canonique reconnaît l'institut juridique de la fondation, à savoir aussi bien la fondation autonome, dotée d'une personnalité juridique propre, que non autonome, se réfèrant, à une personne juridique canonique déjà existante (can. 1303 § 1, 1°-2°). Puisque la reconnaissance juridique de la part de l'État ne change rien à la nature juridique de l'organisme canonique et de ses biens – c'est-à-dire que l'organisme canonique civilement reconnu reste un organisme canonique et que ses biens demeurent des biens ecclésiastiques, sujets aux lois de l'Église – il semblerait que ce soit la meilleure solution pour protéger adéquatement les biens qui sont transférés par l'Institut religieux ou par une de ses articulations dotées de la personnalité juridique canonique publique à une fondation.

Se pose cependant ici un problème qui bien qu'il ait déjà été étudié,[1] pourrait demander un approfondissement ultérieur, dans la mesure où il semblerait que le Supérieur religieux, même s'il est Ordinaire (can. 134 § 1), n'ait pas la faculté d'instituer des personnes juridiques, ni publiques ni privées, mais qu'il puisse le faire uniquement en vertu d'un privilège apostolique ou sur la base de normes spécifiques approuvées par le Saint-Siège.[2] De fait, l'autorité compétente pour instituer des personnes juridiques dans l'Église serait le Saint-Siège, la Conférence Épiscopale et l'Évêque diocésain. L'Ordinaire diocésain même pourrait le faire seulement en vertu d'un mandat spécial de la part de l'Évêque Supérieur.

[1] V. De Paolis, L'autorité compétente pour constituer une personne juridique dans l'Église, in *Périodique* 92 (2003) 3-20 et 223-255. L'étude est intégralement publiée aussi en Id., *La vita consacrata nella Chiesa*, Venezia 2010², 103-144.

[2] Le Code de 1917 réservait cette prérogative à l'Ordinaire du lieu (can. 1489). Actuellement, les seules instances compétentes dans ce domaine sont le Saint-Siège, la Conférence Épiscopale et l'Évêque diocésain.

Du reste, si les instituts religieux n'appartiennent pas à la structure hiérarchique de l'Église (can. 207 § 2), nous ne comprenons pas comment un Supérieur religieux, même s'il est Ordinaire, pourrait constituer une personne juridique qui appartient en revanche à cette structure. Les Instituts religieux et leurs articulations respectives reçoivent en effet la personnalité juridique *ipso iure* (can. 634 § 1) et non en vertu d'un acte du Supérieur compétent. C'est de toute façon un problème qui demanderait d'ultérieures réflexions.

Si la reconnaissance civile d'un organisme canonique n'est pas possible, ou si l'autorité n'a pas la faculté nécessaire pour instituer une personne juridique, et si elle est donc d'une certaine manière obligée d'instituer un organisme civil, il faut au moins prendre quelques précautions et les insérer dans les statuts spécifiques. Il faut, par exemple, réserver à l'autorité ecclésiastique la nomination des principales charges institutionnelles ou, au moins, de la plus grande partie d'entre elles ; cela est aussi valable pour les membres du Conseil d'administration (*board*) ; il faut établir l'obligation de rendre compte périodiquement de la gestion administrative à l'autorité ecclésiastique compétente ; une grande règle de prudence est ensuite de prévoir que les biens de l'organisme, bien que n'étant pas ecclésiastiques au sens technique, soient également encadrés par les règles données en ce domaine par l'Église. De fait, étant donné que le statut représente la loi propre de l'organisme, l'insertion de cette dernière précision peut parfois constituer l'unique et le dernier moyen de défense pour protéger des biens qui, en soi, sont à la merci de la législation civile. Ceci est du reste expressément exigé par le can. 1295. Il ne faudra enfin pas oublier d'établir avec précision et clarté la destination des biens en cas d'extinction ou de suppression de l'organisme. Ce sont malheureusement des aspects qui sont très souvent négligés dans les statuts.

Tout ceci doit être dit aussi en relation avec les différentes associations de fidèles laïcs qui, en partageant le charisme d'un institut religieux, collaborent pour ainsi dire aux côtés de ce dernier, et agissent souvent en impliquant le nom de l'institut même sans toutefois que ce dernier puisse effectivement en vérifier l'œuvre et, si nécessaire, intervenir en cas de comportements inappropriés qui peuvent, parfois, carrément compromettre la réputation de l'institut.

Il existe ensuite un autre instrument juridique, de caractère financier, auquel dernièrement certains instituts religieux sont en train de s'intéresser de plus en plus, car ceux-ci, pour des raisons différentes, n'arrivent plus à gérer leurs propres structures. Il s'agit des fonds immobiliers d'investissement. À ce sujet aussi, les risques ne manquent pas. Tout d'abord parce qu'il s'agit d'opérations financières prolongées dans le temps : 10, 20, 30 ans. En second lieu, parce que pendant toute cette période la propriété des biens passe au fonds : le fonds, donc, n'est pas seulement le gestionnaire des biens qui restent au nom de l'institut, mais il en devient lui-même propriétaire. L'institut religieux perd donc, pour la durée du placement, la propriété des biens qu'il a conférée au fonds même. La troisième inconnue est la valeur du marché immobilier à l'échéance du fond : si le marché immobilier est à la hausse, alors pourrait y avoir un gain effectif. Mais si le marché immobilier est au plus bas, comme c'est le cas en ce moment, le risque est de devoir intégrer ultérieurement les parts propres pour reprendre possession des biens que l'institut avait alors conférés au fonds comme inaliénables. Il semblerait que nous puissions dire que le fonds immobilier d'investissement soit un instrument destiné à la perte du patrimoine immobilier, plutôt qu'à sa conservation. Là où cela est possible, il semblerait que la conservation du patrimoine soit plus amplement garantie par la concession en gestion des immeubles contre paiement d'un montant annuel de la part du gestionnaire – éventuellement rémunéré par les travaux de restructuration –. Dans ce cas, en effet, il y a un avantage, qui n'est du reste pas secondaire, à ce que la propriété de l'immeuble reste au nom de l'institut.

La brièveté du temps à disposition ne me permet pas d'affronter le thème complexe des sociétés, comme cela était programmé. J'ai donc opté pour la présentation d'une structure juridique qui se répand de plus en plus dans les Instituts religieux, à savoir le développement des ONLUS. Le sigle ONLUS signifie précisément « activité non lucrative d'utilité sociale », et il indique un régime fiscal bien spécifique. Ce régime concerne les associations, les fondations, les comités, les coopératives et les organismes ecclésiastiques dans la mesure où ils appartiennent à une confession avec laquelle l'État a stipulé des pactes, accords ou ententes. Il faut dire, tout d'abord, que l'institut religieux en tant que tel n'emploie jamais le titre d'ONLUS, mais il peut seulement constituer à l'interne une branche d'entreprise ONLUS limitée à l'exercice d'une des activités d'utilité sociale prévues par l'art. 10 du Décret législatif du 4 décembre 1997, n. 460 (entre autres : assistance sociale et socio-médicale ; bienfaisance ; ou instruction, formation, etc., si elles sont destinées à des sujets désavantagés en raison des conditions physiques, psychiques, économiques, sociales ou familiales ou à des composantes de collectivités étrangères, pour les seules aides humanitaires). Il faut ensuite rappeler que l'activation d'une branche ONLUS n'est pas une obligation et encore moins, permettez-moi l'expression, une mode, bien que l'institut puisse accomplir (ou continuer d'accomplir) cette même activité sociale selon le régime fiscal qui lui est propre. Ceci doit être dit parce que, malgré les facilités fiscales accordées, il y a des limitations précises : 1. tout d'abord en ce qui concerne les activités accomplies, raison pour laquelle il n'est pas possible d'intégrer d'autres activités de l'institut dans la branche ONLUS qui n'ont aucun lien avec celles déclarées ; 2. les gains provenant des activités déclarées ne doivent pas dépasser 66% des dépenses totales de l'organisme ; 3. il est interdit de distribuer, même de manière indirecte (par exemple : paiement d'émoluments, rétributions et salaires supérieurs à certains paramètres) les profits et les excédents de gestion ainsi que les fonds, réserves ou le capital pendant la vie de l'organisme, à moins que la destination ou la distribution ne soient pas imposées par la loi ou soient effectués en faveur d'autres ONLUS ; 4. l'obligation d'employer les profits et les excédents de gestion pour la réalisation des activités institutionnelles et de celles directement liées à ces dernières ; 5. l'obligation d'affecter le patrimoine de l'organisation, en cas de liquidation pour toute cause, à d'autres organisations non lucratives d'utilité sociale ou aux fins d'utilité publique (donc le capital patrimonial en actif, mobilier et immobilier, en cas de cessation de la branche ONLUS n'est pas à la disposition de l'organisation, mais elle est réservée à la décision de l'Autorité de l'ONLUS). À tout ceci s'ajoute une série de prescriptions rigoureuses en matière de transparence comptable et administrative.

Il n'est pas dit donc que la constitution d'une branche ONLUS soit toujours le meilleur choix. Avant de prendre une telle décision, il faut considérer de façon critique tous les éléments en jeu. La preuve en est le fait que la constitution d'une ONLUS soit considérée comme un acte potentiellement préjudiciable, et donc sujet à une autorisation spécifique. Fondamentalement, les avantages se relèvent sur trois niveaux : 1. Exclusion de la commercialité de l'activité des impôts sur le revenu (ceci a cependant un sens insuffisant dans le cas où l'organisme clôt régulièrement son bilan en équilibre, sinon en perte, ou s'il s'agit seulement de la distribution de services [par exemple, une cantine pour les pauvres]) ; 2. La déductibilité des distributions libérales ; 3. Une taxation facilitée sur l'acquisition d'immeubles. Étant donné que, comme nous l'avons déjà dit, le patrimoine entré dans l'ONLUS, en cas de cessation de l'activité, doit être affecté à une autre ONLUS ou à un organisme d'utilité publique dans le respect des décisions de l'agence pour les ONLUS, il est conseillé de conserver les immeubles en dehors du patrimoine de l'ONLUS, de manière à ce que, en cas de cessation de l'activité, il ne doive pas y avoir de problème particulier à le faire revenir dans la pleine disponibilité de l'institut.

ALBERTO PERLASCA
Official de la Secrétairerie d'Etat
Bureau d'Administration

LE PATRIMOINE STABLE

Sebastiano Paciolla, o.cist.

La présente communication doit être considérée comme la synthèse d'une réflexion doctrinale plus ample[1] élaborée dans le but d'introduire le sujet qui est objet de l'étude, c'est-à-dire le *patrimoine stable* d'une personne juridique publique canonique, catégorie à laquelle appartiennent les associations publiques de fidèles *in itinere* – c'est-à-dire en prévision de devenir un institut de vie consacrée ou une société de vie apostolique –, les instituts de vie consacrée et les sociétés de vie apostolique, les provinces ou les parties de l'institut équivalentes à celles-ci et les monastères autonomes.[2] Comme cela a déjà été souligné au cours des interventions précédentes, les biens temporels appartenant aux personnes juridiques publiques dans l'Église sont des biens ecclé-

[1] Pour un développement plus ample du sujet cf. V. Rovera, I beni temporali della Chiesa, in Aa.Vv., *La normativa del nuovo codice*, Brescia 1983, 261-283 ; M. López Alarcón, Can. 1285, in Aa.Vv., *Código de Derecho Canónico*, Pamplona 1983, 769 ; F.R. Aznar Gil, *La administración de los bienes temporales de la Iglesia*, Salamanca 1993, 407-408 ; V. De Paolis, Alienazione, in *Nuovo Dizionario di Diritto Canonico*, Milano 1993, 8-13 ; Id., *I beni temporali della Chiesa* (Il Codice del Vaticano II, 10), sous la direction de A. Perlasca, Bologna 2011, 244-247 ; J.-C. Périsset, *Les biens temporels de l'Église : commentaire des canons 1254-1310*, Paris 1996, 199-200 ; J.P. Schouppe, *Elementi di diritto patrimoniale canonico*, Milano 1997, 130-132 ; F. Grazian, Patrimonio stabile : istituto dimenticato ?, in *Quaderni di Diritto Ecclesiale* 16 (2003) 282-296 ; A. Perlasca, *I beni temporali della Chiesa*, Milano 2005, 468 ; C. Begus, *Diritto patrimoniale canonico*, Città del Vaticano 2007, 222 ; L. Simonelli, L'alienazione dei beni ecclesiastici e i cosiddetti « atti peggiorativi », in *Ex Lege* 2 (2013) 17-22. La Conférence Italienne des Supérieurs Majeurs a tenu un séminaire d'étude sur le sujet, le 25 janvier 2014 : Le patrimoine stable : nouveauté, signification, réception d'un institut sous tutelle et garantie des biens ecclésiastiques, dont on attend la publication des actes.

[2] Cf. can. 634 § 1 CJC.

siastiques encadrés par le droit universel ainsi que par leurs statuts propres.[3]

Le *patrimoine stable* d'une personne juridique publique canonique consiste en un ensemble de biens déterminés par l'autorité ecclésiastique compétente et sujets à une discipline juridique particulière.

Le concept de *patrimoine stable*, introduit dans le Code de Droit Canonique de 1983, fait partie des innovations systématiques et continues concernant les biens temporels.

Il s'agit, cependant, d'une institution déjà connue de la doctrine précédente et incorporée dans la législation en vigueur. En effet, même si le Code Pio-Bénédictin ne parlait pas de *patrimoine stable*, le can. 1530, § 1 contenait l'expression « *Res ecclesiasticae immobiles aut mobiles, quae servando – se possunt* ».

La doctrine a tenté de donner un contenu juridique à la nouvelle locution de *patrimoine stable* en se référant tout d'abord au can. 1530 du Code abrogé dans la mesure où elle y reconnaît un parallélisme. Tout en admettant avec De Paolis que « le can. 1530, § 1, pour préciser l'objet des biens en soi inaliénables et donc aliénables seulement par une procédure spéciale et, en particulier, avec la permission de l'autorité compétente, utilise une phrase plutôt difficile à traduire »[4], nous devons reconnaître que le parallélisme n'est pas extrinsèque.

À partir de cette introduction, il est possible d'affirmer que tous les biens immobiliers et, parmi les biens mobiliers, ceux qui peuvent – et donc doivent – être conservés, constituent une catégorie particulièrement protégée en vertu de leur nature ou de leur fonction, ou encore de leur destination. Perlasca suit cette ligne pour traduire l'expression du can. 1530 du Code de 1917 dans le sens de « dotation permanente de biens immobiliers et mobiliers

[3] Cf. can. 1257 § 1 CJC.

[4] V. De Paolis, *I beni temporali*, cit., 245 (notre traduction).

qui constituent le fonds économique nécessaire pour exister et pour agir ».[5]

L'introduction d'un tel concept dans le Code en vigueur, comme il est possible de le lire dans *Communicationes*, ne s'est pas faite sans difficulté, dans la mesure où certains Consulteurs croyaient que l'expression *patrimoine stable* ne correspondait pas aux dynamiques de l'économie moderne. Dans le compte rendu, nous pouvons en effet noter : « Nonnulli crisim fecerunt de locutione 'patrimonium stabile', quae apta erat condicionibus rerum praeteritorum, sed nostris temporibus non idonea videtur, attenta mobilitate et ozioneate œconomiae hodiernae. Consultores autem concordant circa necessitatem ponendi aliqeum limitem [...], quod fieri ozion nisi sumendo ozione aliquam conventionalem per verba 'patrimonium stabile' indicatam ».[6]

Étant donné la réalité économique actuelle, qui intègre des biens mobiliers pouvant être investis de manière stable et permanente, en prenant en considération que les biens immobiliers n'ont plus l'importance qu'ils ont eue dans le passé et que la distinction entre les biens mobiliers et immobiliers n'est aujourd'hui pas aisément déterminable sur la base des seuls critères du Droit Romain, la formule du can. 1530 du Code de 1917 a été remplacée par l'expression *patrimoine stable.*

Si le concept existe dans le Code de Droit Canonique, la notion de *patrimoine stable* n'est pas explicitement définie dans le Code en vigueur, ce qui suppose la confirmation du concept classique, élaboré par la doctrine canoniste, de biens légitimement assignés à la personne juridique comme dot permanente pour faciliter l'obtention des finalités institutionnelles et d'en garantir l'autosuffisance économique.

La doctrine avant le Code de 1983 parlait déjà du patrimoine stable. Tabera, par exemple, la définit dans les termes suivants : « Sont considérés patrimoine stable les biens qui constituent pres-

[5] A. Perlasca, *I beni temporali della Chiesa*, cit., 468.

[6] *Communicationes* 12 (1980) 420.

que la base de la subsistance de la personne comme un capital des revenus desquels elle doit vivre, et par conséquent, ils sont caractérisés par une immuabilité relative : ils sont d'une certaine manière intangibles, ils ne peuvent pas être consommés et l'on cherche à les éloigner de tout danger de perte ou de diminution ».[7]

Plus récemment, certains auteurs, selon notre modeste avis, se sont démarqués pour avoir élaboré une certaine description – non pas une définition – utile pour une plus grande compréhension de la notion de patrimoine stable.

Pour Rovera, constituent le patrimoine stable « les biens qui [...] sont destinés à former la dot permanente de l'organisme, laquelle, directement ou indirectement, consent à l'organisme même d'atteindre ses finalités propres ».[8]

López Alarcón, en commentant le can. 1285, a défini le concept de patrimoine stable de la manière suivante : « Par patrimoine stable, il faut comprendre l'ensemble des biens qui constituent la base économique minimale et sûre afin que la personne juridique puisse exister de manière autonome et expliciter les objectifs et les services qui lui sont propres ; il n'existe toutefois pas de règle absolue pour fixer la notion de stabilité d'un patrimoine, puisque celui-ci est délimité non seulement en fonction de la nature et de la quantité des biens, mais aussi en fonction des exigences économiques qui sont nécessaires pour la réalisation des finalités, tout comme de la situation économique, stationnaire et en expansion de l'organisme dans l'exercice de sa mission ».[9]

Sur la même ligne, Schouppe souligne que « le patrimoine stable est un ensemble de biens qui jouit d'une certaine immuabilité, de manière telle qu'un acte qui le modifie serait considéré être d'administration extraordinaire. La raison d'être de ces biens, légitimement assignés comme dot permanente, est d'assurer un support financier stable pour garantir l'autosuffisance économique et la

[7] A. TABERA, *Il Diritto dei Religiosi*, Roma 1961, 101 (notre traduction).

[8] V. ROVERA, *I beni temporali della Chiesa*, cit., 277.

[9] M. LÓPEZ ALARCÓN, Can. 1285, cit., 759 (notre traduction).

survivance de l'organisme, comme pour faciliter la réalisation de ses fins propres».[10]

Toujours sur le même sujet, Begus considère que «si nous pouvons déduire quelque chose de la lettre des canons c'est qu'avec l'adjectif stable il est précisé qu'il s'agit d'un ensemble de biens n'étant pas destinés à la gestion ordinaire de la personne juridique. Nous nous trouvons en présence de biens mobiliers et immobiliers qui constituent non seulement la base économique financière minimale pour la subsistance autonome de la personne juridique ecclésiastique, mais qui lui permettent aussi d'atteindre les finalités et services qui lui sont propres».[11]

Deux canons du Code de Droit Canonique en vigueur – le can. 1285 et le can. 1291 – emploient la locution *patrimoine stable.*

Une telle expression apparaît, presque inaperçue, dans le can. 1285 qui édicte: «Dans les limites de l'administration ordinaire, et pas au-delà, il est permis aux administrateurs de faire des dons sur les biens mobiliers qui n'appartiennent pas au patrimoine stable, pour des buts de pitié ou de charité chrétienne». Il s'agit d'un canon, présent dans le livre V du Code qui s'adresse de manière directe aux administrateurs des biens ecclésiastiques en les autorisant, d'une part, à accomplir des actes de donation, mais en limitant ces actes mêmes de donation uniquement aux finalités de charité et piété chrétiennes et uniquement pour les biens mobiliers qui n'appartiennent pas au *patrimoine stable.*

Ce premier canon, sans définir les critères de détermination du patrimoine stable, se limite à offrir une indication sur les biens qui en font partie, dans la mesure où il établit qu'il s'agit de biens dont l'administrateur ne peut pas disposer, même pas pour des fins de donation. Dans ce canon est introduite cependant une explicitation – non présente dans l'autre canon qui parle du patrimoine

[10] J.P. Schouppe, *Elementi di diritto patrimoniale canonico*, cit., 131 (notre traduction).

[11] C. Begus, *Diritto patrimoniale canonico*, cit., 222 (notre traduction).

stable, le can. 1291 – qui énonce que parmi les biens du patrimoine il peut y avoir aussi des biens mobiliers.

C'est de manière explicite que le can. 1291 parle du *patrimoine stable*, en se référant aux actes d'aliénation : « Pour aliéner validement les biens qui constituent, en vertu d'une légitime attribution, le patrimoine stable d'une personne juridique publique et dont la valeur dépasse la somme fixée par le droit, est requise la permission de l'autorité compétente selon le droit ».

Le can. 1291 ne donne également pas de définition du patrimoine stable, mais la terminologie est utilisée pour préciser quels sont les biens dont l'aliénation demande, pour la validité de l'acte, la permission de l'autorité compétente. L'existence d'un tel type de patrimoine stable étant supposée, le canon se préoccupe de préciser que celui-ci est constitué de ces biens qui doivent être assignés au patrimoine stable avec un acte spécifique. Il s'agit en effet de constitution des biens en patrimoine stable *ex legitima assignatione*, un acte réalisé selon la règle de droit, universelle et/ou particulière.

Alors qu'il n'existe pas d'indications absolues à propos de l'entité et de la typologie des biens à attribuer au patrimoine stable, la nouveauté du Code en vigueur consiste à disposer de la nécessité d'un acte d'assignation, conforme aux normes en vigueur. Il a opportunément été souligné que « pour les personnes juridiques publiques canoniques, il faudrait donc un acte qui détermine quels biens doivent constituer un tel patrimoine. Il s'agit, donc, d'une véritable catégorie de biens, qui doit être déterminée par l'autorité ecclésiastique compétente. L'appartenance de ces biens au patrimoine stable dépend donc d'un acte juridique précis ».[12]

L'ensemble des biens immobiliers et mobiliers, des droits et des bilans actifs et passifs de la personne juridique, considéré dans sa totalité, constitue le patrimoine. La notion de *patrimoine stable* ne coïncide toutefois pas avec celle du patrimoine de la personne juridique, en d'autres termes tous les biens d'une personne juridi-

[12] F. GRAZIAN, Patrimonio stabile : istituto dimenticato ?, cit., 283 (notre traduction).

que ne sont pas des biens appartenant au patrimoine stable, et cela ne peut se présumer.

La présomption n'existe pas, c'est-à-dire que tous les biens d'une personne juridique ne sont pas des biens appartenant au *patrimoine stable*, puisqu'un acte juridique précis est exigé qui soustrait de tels biens à la libre disponibilité afin qu'ils soient assignés au patrimoine stable. Pour les personnes juridiques publiques canoniques, il faudrait donc un acte de légitime assignation qui détermine quels biens doivent constituer un tel patrimoine.

De tout ce qui a été dit et en prenant en considération la norme du Code de Droit Canonique, le patrimoine stable peut être défini comme cette partie des biens du patrimoine total d'une personne juridique publique qui, suite à la légitime assignation, constitue la base minimale nécessaire pour la subsistance économique de cette dernière et pour la réalisation de ses finalités, compte tenu de ses circonstances particulières. C'est pour ces raisons qu'elle jouit d'une protection spéciale au moment de son éventuelle aliénation.

Toujours du can. 1291, nous déduisons que pour chaque personne juridique publique canonique, il faudrait identifier, dans l'acte même de sa constitution ou au moyen d'un acte spécifique dans un deuxième temps, un ensemble de biens qui constitue le patrimoine stable. Dans ce second cas, quand l'assignation légitime arrive à un moment différent de celui de sa constitution, s'agissant d'un acte de particulière importance pour les finalités de l'administration, ce dernier devrait être considéré comme un acte d'administration extraordinaire et donc tomber sous la règle du can. 1281.

À propos de l'assignation de biens déterminés au patrimoine stable, De Paolis écrit ainsi: « S'il est vrai que c'est l'acte de légitime assignation qui attribue les biens au patrimoine stable, nous ne pouvons pas oublier de relever: 1) que chaque personne juridique a un patrimoine stable et que certains biens le sont de par leur nature, car sans eux la personne juridique n'aurait absolument pas les moyens pour ses finalités propres; 2) que l'entité de tels biens doit être proportionnée à la nature, aux finalités et aux exigences de la même personne juridique; 3) que certains biens sont par leur nature indisponibles, sous peine de désagrégation de la personne juridique même, et qu'ils font donc par nature partie du patrimoine stable et que par conséquent la légitime assignation résulte implicitement d'autres actes; 4) qu'il n'est pas permis de ne pas faire une telle assignation dans le seul but d'échapper aux prescriptions de la loi canonique sur l'aliénation. De telles lois servent en effet à la protection des biens mêmes et donc à garantir les biens ecclésiastiques».[13]

La citation mérite certainement de faire de plus amples observations,[14] que nous proposons d'approfondir à une autre occasion, alors que maintenant nous prêtons notre attention à l'affirmation sur la base de laquelle il existe des biens qui, par leur nature même, appartiennent au patrimoine stable. Il s'agit de ces biens qui constituent un moyen nécessaire afin que le sujet juridique puisse atteindre les finalités institutionnelles qui lui sont propres.

Comme nous pouvons facilement le comprendre, quand il s'agit de *patrimoine stable*, il ne s'agit pas de garantir, à travers une certaine masse de biens, que la personne juridique publique puisse pourvoir à sa propre subsistance, mais il est plutôt question du rapport biens-finalités institutionnelles de la personne juridique. En d'autres termes, il s'agit de garantir à la personne juridique publique la possibilité concrète de poursuivre les finalités pour lesquelles elle a été constituée.

La personne juridique publique a droit aux biens dans la mesure où elle a des finalités ecclésiales à atteindre[15] elle doit donc s'assurer les moyens nécessaires et suffisants pour pouvoir les réaliser.

Bien qu'il n'y ait aucune obligation explicite de constituer un patrimoine stable, une telle obligation dérive implicitement d'autres règles canoniques.

Le can. 114, §3 est sur ce point extrêmement clair: «L'autorité compétente de l'Église ne conférera la personnalité juridique qu'à

[13] V. De Paolis, Alienazione, cit., 247 (notre traduction).

[14] Cf. F. Grazian, Patrimonio stabile: istituto dimenticato?, cit., 288-289.

[15] Cf. can. 1254 CJC.

des ensembles de personnes ou de choses qui visent une fin réellement utile et qui, tout bien pesé, jouissent de moyens qui paraissent suffisants pour atteindre cette fin». C'est justement parce qu'il s'agit d'une fin utile pour l'Église, que celle-ci doit être nécessairement poursuivie par la prédisposition de moyens adaptés.

Puisque le Législateur s'est limité à prévoir l'existence du patrimoine stable, en évitant des prescriptions minutieuses, il est permis de se demander comment la personne juridique publique peut et doit déterminer l'entité et la typologie des biens à attribuer au patrimoine stable.

De ce qui a été dit précédemment, nous retenons, avec la doctrine prédominante, que les biens à constituer en patrimoine stable doivent être déduits tant en fonction de leur nature, que des finalités que le sujet juridique se propose d'obtenir, et des exigences de la personne juridique même.

Seulement à titre d'exemple, sont considérés, d'une façon générale, comme patrimoine stable:

– les biens faisant partie de la dot de fondation de l'organisme;

– ceux parvenus à l'organisme même, si l'auteur de la libéralité l'a ainsi établi;

– ceux destinés au patrimoine stable par l'organe d'administration de l'organisme;

– les biens mobiliers donnés *ex-voto* à la personne juridique.

De ce qui a été dit, il ressort «que le patrimoine stable d'une personne juridique ne doit pas être formé de manière arbitraire, mais doit être constitué par un ensemble de biens qui, d'une certaine manière, représentent l'organisme même, ses fins institutionnelles, ses exigences actuelles, l'étendue et la typologie de ses activités, le nombre des personnes qui en font partie».[16]

[16] F. GRAZIAN, Patrimonio stabile: istituto dimenticato?, cit., 289 (notre traduction).

Nous pouvons affirmer qu'il s'agit de biens qui, en vertu de leur nature, de leur fonction ou de leur destination, sont reliés aux finalités de l'organisme et doivent être donc conservés.

Dans la doctrine, il y a des auteurs qui invitent à prendre en considération aussi des facteurs historico-culturels, qui imposent de relier à un sujet juridique déterminé des biens immédiatement fonctionnels pour la subsistance ou pour la poursuite des finalités propres, mais également des biens qui appartiennent à son histoire et à ses événements constitutifs.

Comme il a été opportunément souligné, la légitime assignation d'un bien au *patrimoine stable* peut produire des effets juridiques : « Dans le cas où, par exemple, l'assignation au patrimoine stable est effectuée dans l'acte de fondation de la personne juridique, elle pourrait aussi provoquer un passage de propriété des biens par assignation au nouveau sujet juridique : dans une telle éventualité, il faudra s'assurer que les formalités prévues par le droit civil en vigueur dans le lieu soient aussi rigoureusement observées. Il peut toutefois arriver que l'autorité compétente attribue simplement au patrimoine stable un bien ou un ensemble de biens appartenant déjà à la personne juridique. Dans les deux cas, les biens acquièrent une stabilité particulière »,[17] qui ne veut pas dire inaliénabilité au sens absolu.

Déjà dans le Code Pio-Bénédictin, le Législateur n'employait pas le terme inaliénabilité. Si, dans les anciennes codifications et dans les commentaires avant le Code de 1917, nous trouvons le titre *De bonis eccelsiasticis non alienandis*, dans le Code de Droit Canonique de 1917, l'aliénation est mise parmi les contrats, en indiquant les cas dans lesquels l'aliénation est possible.

Le *patrimoine stable* ne signifie toutefois pas patrimoine perpétuellement immobilisé, dans la mesure où le droit même en prévoit, sous certaines conditions et précautions déterminées, la transformation éventuelle et même jusqu'à l'aliénation. Ce *patrimoine* en

[17] *Ibid.*, 292 (notre traduction).

effet, tout en n'étant pas immobile au sens absolu, est cependant *stable* parce que stabilisé, c'est-à-dire bien déterminé et bien protégé, et donc, d'une façon ou d'une autre, immobilisé, même si une telle situation n'est pas nécessairement absolue ou irréversible. La loi prévoit en effet que, en présence de causes proportionnées et avec des modalités précises, le bien appartenant au patrimoine stable puisse être aliéné.

Un autre aspect à prendre en considération est de définir si l'assignation d'un bien déterminé ou d'un ensemble de biens au patrimoine stable est un acte obligatoire. Il n'y a pas de consentement unanime entre les auteurs à ce sujet.

De Paolis et Schouppe, à titre d'exemple, ont deux positions distinctes. De Paolis soutient que: « Il n'est pas fait obligation explicitement d'un patrimoine stable. Mais implicitement une telle obligation dérive d'autres règles canoniques. Ainsi le can. 114 [...]. Le can. 319 donne pour acquis que la personne juridique publique ait des biens qui n'épuisent pas sa fonction pour les dépenses de la vie quotidienne ordinaire. Mais il est surtout reconnu à chaque personne juridique le droit à avoir des biens pour la réalisation de ses fins propres, qui sont toujours des finalités ecclésiales (cann. 1254-1255) »[18] alors que Schouppe n'insiste pas sur le caractère obligatoire de l'assignation.[19]

En vertu d'une telle obligation – même si elle est implicite – une partie de la doctrine considère que le *patrimoine stable* doit être constitué pour chaque personne juridique publique canonique. Si la constitution avait fait défaut, il devient donc nécessaire d'y pourvoir.

Circonscrire et identifier le patrimoine stable est utile pour connaître quels biens de la personne juridique publique doivent être particulièrement protégés, afin de faciliter le devoir de l'administrateur et de celui à qui revient la supervision, en permettant de comprendre quelles autorisations demander ou accorder.

[18] V. De Paolis, Alienazione, cit., 10 (notre traduction).

[19] Cf. J.P. Schouppe, *Elementi di diritto patrimoniale canonico*, cit., 13-132.

«L'effet primaire de l'attribution du patrimoine stable n'est pas seulement formel, mais il permet d'identifier des biens à préserver avec une attention particulière et d'avoir une perception claire de la consistance du patrimoine à administrer. Il faut être conscients que ce n'est pas parce qu'ils font l'objet d'attention que les biens temporels font partie du patrimoine stable, mais ils doivent être l'objet d'attention parce qu'ils font partie du patrimoine stable».[20]

Le can. 1291 soulique l'importance de l'assignation légitime pour qu'un bien puisse faire partie du *patrimoine stable* d'une personne juridique. Il devient donc opportun que chaque personne juridique publique canonique dispose de la liste des biens constituant le *patrimoine stable* propre et que l'acte de légitime assignation et les biens légitimement assignés soient rendus publics, avec des actes également valables dans le droit civil.

Par conséquent, le principe de l'appartenance implicite au patrimoine stable d'un bien ou d'un ensemble de biens en raison de leur nature même, suggéré par une partie de la doctrine, dans ce domaine, ne peut pas représenter la règle mais, à la limite, une exception.

Le Législateur a tenté avec l'institution du *patrimoine stable* de garantir non seulement la conservation des moyens pour la subsistance de la personne juridique publique canonique, mais également de garantir la poursuite effective des finalités institutionnelles.

Les associations publiques de fidèles *in itinere*, les Instituts de vie consacrée et les Sociétés de vie apostolique sont sollicités pour réaliser ces intentions du Législateur, en les déclinant à raison des situations concrètes de chaque personne juridique publique canonique, en définissant le patrimoine stable en conformité avec sa réalité économique, financière et pastorale.

La légitime assignation au *patrimoine stable* de biens, meubles et immeubles déterminés, la protection juridique effective d'un

[20] F. GRAZIAN, Patrimonio stabile: istituto dimenticato?, cit., 293 (notre traduction).

tel patrimoine, les conditions pour l'aliénation éventuelle doivent être encadrées par des normes propres, émanant de l'autorité interne compétente de l'institut en tenant compte des règles universelles.

SEBASTIANO PACIOLLA. O.CIST.
Sous-Secrétaire CIVCSVA

SYNTHÈSE

✠ José Rodríguez Carballo, ofm

Je souhaite commencer par ces deux brèves observations, et je saisis l'occasion pour remercier la Commission qui a travaillé avec moi pour la rédaction des orientations que je propose :

a) ces orientations seront complétées par une *Lettre circulaire* du Dicastère intitulée « Lignes d'orientation pour la gestion des biens dans les Instituts de vie consacrée et dans les Sociétés de vie apostolique » ;

b) ces orientations, en général adressées aux économes, doivent arriver jusqu'aux supérieurs majeurs et à leurs conseils.

Prémisses

Pendant des siècles, les choix des consacrés dans le domaine de l'économie ont été significatifs, innovants et prophétiques pour toute l'humanité. Les grandes innovations de l'histoire, également économiques, sont le fruit de la gratuité, d'un excédent, d'un plus anthropologique, qui ont permis le déplacement en avant des « enjeux humains ». En ce sens, les charismes ont souvent été des pionniers. Nos fondateurs ont apporté des innovations du point de vue économique et social : l'administration naît dans les abbayes bénédictines, les premières formes de micro crédit naissent chez les franciscains, les hôpitaux et les écoles naissent dans les congrégations des XVIIe et XIXe siècles, tout comme les premières universités. Dans le contexte socio-économique actuel, l'humanité a plus que jamais besoin d'une présence prophétique dans ce domaine. Quelles sont les nouvelles frontières qui nous attendent ?

Dans un système économique où la maximisation des profits et des rentes semble être le seul critère de décision des entreprises, nos œuvres doivent resplendir comme ces lieux animés par l'esprit de nos fondateurs, par les valeurs de l'Évangile et par de grands idéaux, sans renoncer à produire la valeur économique nécessaire à la subsistance.[1] Dans un système économique qui engendre trop souvent l'inégalité et l'exclusion,[2] nous, consacrés, nous suivons le Christ pauvre, nous sommes appelés à témoigner que ce n'est qu'à travers la fraternité, le partage, la solidarité et une utilisation sage des biens qu'il est possible de racheter les mille formes de misère et de pauvreté subies. Nous sommes convaincus, en tant que consacrés, que la dimension économique n'est pas un accessoire de notre vie consacrée, mais un domaine fondamental pour ses liens avec la mission et pour notre chemin avec le Christ. À travers l'économie passent les choix fondamentaux de notre vie : en eux devrait transparaître notre choix de pauvreté et un style de vie sobre et attentif à l'autre.

Le moment historique particulier dans lequel nous vivons est marqué par quelques difficultés pour les consacrés dans le domaine économique. Les instituts se retrouvent à devoir gérer des biens immobiliers particulièrement grands et des œuvres complexes dans une époque où les vocations diminuent dans une grande partie du monde, le personnel laïc augmente et les contraintes budgétaires sont de plus en plus pressantes. Dans les situations les plus complexes, nous pouvons parfois perdre le contrôle des œuvres et celles-ci, dans les choix concrets, s'éloignent de plus en plus du charisme. Il y a parfois des gestions personnalisées de la part de quelques consacrés, sans se rendre compte que, si l'on administre mal ou à titre personnel, les problèmes qui s'en suivent entachent la réputation de l'Église. Au contraire, une bonne gestion donne confiance en l'Église. La nécessité de vivre une bonne et prudente gestion des biens et de l'argent concerne aussi les instituts qui n'ont

[1] BENOÎT XVI, Lett. enc. *Caritas en veritate*, 37.

[2] FRANÇOIS, Exhort. ap. *Evangelii gaudium*, 53.

pas d'œuvres et les instituts séculiers : dans ce domaine, notre témoignage est fondamental.

Une autre difficulté est liée à la bonne administration et gestion du patrimoine des instituts, fruit du travail et de l'esprit de nos prédécesseurs et fruit de la charité de Dieu à travers les donations et testaments. Ils ne peuvent pas être mis en péril : les consacrés en sont seulement les gardiens. Cependant, une partie du patrimoine peut avoir des coûts de gestion élevés et alors, avec circonspection, nous devons savoir aussi nous en libérer, tout en faisant en sorte de pouvoir avant tout continuer l'activité de charité et de prière. Mais avec quels critères ? Un problème opposé se présente dans les endroits où la vie consacrée est en expansion : là, on court le risque d'acquérir des biens immobiliers ou d'en construire sans une planification adaptée et sans un projet.

Aujourd'hui, comme communautés de vie consacrée, nous sommes interpellés, par le contexte actuel et les difficultés que nous vivons, à exprimer le fait que nous suivons le Christ d'une nouvelle manière, à lever le regard, à donner un témoignage concret que nos biens sont au service de l'humanité.

Considérant la complexité liée à la globalisation de l'économie et à la gestion des biens en cette période, aujourd'hui, il est plus important que jamais que le rôle de l'économe ne se limite pas à celui d'un simple exécutant ou d'un comptable, mais qu'il soit celui d'une personne préparée qui sache donner au conseil général tous les renseignements et les instruments nécessaires pour discerner et prendre des décisions. Il est aussi important que, s'il est vrai que la dimension économique doit rester parmi les autres, l'économe contribue au discernement sur les décisions apostoliques, en fournissant son propre point de vue. Le service de l'économe général inclut des devoirs de gestion, de contrôle, d'aide et de conseil, de formation et d'information. Étant donné les circonstances actuelles et la nouvelle manière de comprendre l'économie, il serait bien que, si l'économe ne fait pas partie du conseil, il participe au moins aux réunions du conseil pour les matières économiques.

Pauvreté

Le fait de suivre le Christ nous demande avant tout d'être des témoins de la justice, de la transparence et de la dépendance de Dieu. Nous voulons dire, par notre vie personnelle et communautaire, que les biens nous sont confiés pour nous ouvrir à la charité et pour servir l'Église : cela rend libres du désir de posséder et, plus encore, cela nous rend évangéliquement libres pour vivre « sans rien à soi ». Aujourd'hui, vivre la pauvreté nous demande de faire des choix de communion et de solidarité : solidarité et communion entre nous et avec les pauvres, *en imitant la première communauté chrétienne, où il y n'avait pas de nécessiteux parce que tous partageaient.* Rien ne nous appartient, tout est donné par la grâce et par l'amour de Dieu. À nous le devoir de garder, d'administrer avec compétence et de « restituer » avec générosité aux pauvres. Dans une époque de globalisation, vivre la pauvreté veut dire être interdépendants les uns des autres. Les gestes prophétiques d'interdépendance seraient pour les instituts ceux de s'aider réciproquement dans la gestion des biens et de partager les biens entre eux pour le service à l'humanité.

Suivre le Christ implique aussi diligence et travail. Les Écritures Saintes, en particulier Saint Paul (*1 Ts* 4,11 ; *2 Ts* 3,6-12), nous rappellent à l'engagement à travailler avec nos mains, à ne pas perdre de temps, don précieux et gratuit de Dieu dont nous devons rendre compte. Vivre du travail et donc prêter attention à certains investissements qui, au-delà du risque qu'ils peuvent comporter, pourraient « épargner » à celui qui les font, le devoir de travailler.

Saint François, fondateur de la première école économique, écrit dans son Testament : « Moi, je travaillais de mes mains, et je veux travailler ; et tous les frères, je veux fermement qu'ils s'emploient à un travail honnête. Ceux qui ne savent point travailler, qu'ils apprennent [...]. Lorsqu'on ne nous aura pas donné le prix de notre travail, recourons à la table du Seigneur en quêtant notre nourriture de porte en porte ».[3] De ceci, nous pouvons sou-

[3] *FF* 119-120.

ligner que Saint François met en premier lieu la grâce du travail et comme deuxième hypothèse, le fait d'aller demander l'aumône, que nous appellerions aujourd'hui «fund raising». Nous sommes appelés à partager la vie, à écouter, à accueillir, à annoncer la nouvelle, à donner la vie pour le royaume de Dieu et pour la communauté qui nous a été donnée, à nous salir les mains avec les derniers, à donner généreusement notre temps et nos énergies à autrui. C'est seulement ainsi que nous pourrons compter sur la générosité de la providence divine. Seulement celui qui travaille est autorisé à parler de pauvreté et de vraie solidarité.

Enfin, le témoignage communautaire de notre pauvreté passe à travers une gestion des biens et des œuvres transparente, innovante, prudente et sage: les gaspillages et les pertes provenant d'une mauvaise gestion nous privent des ressources à partager dans la mission; les biens que nous ne partageons pas ne peuvent pas être des moyens et lieux d'annonce de l'amour de Dieu, parce qu'ils ne répondent pas aux valeurs évangéliques, ni à l'Église *koinonia*, ni à la doctrine sociale de l'Église.

Le défi le plus grand qui se présente est celui de faire voir par nos œuvres et avec nos biens que Dieu se baisse vers les hommes et vers les femmes de notre temps pour les consoler, et en particulier vers les pauvres pour les aider, les recevoir et les aimer. Les mots qui suivent veulent être une orientation et une aide pour répondre à ce défi.

Formation

La formation à la dimension économique, dans la logique de l'Évangile et dans la ligne de la doctrine sociale de l'Église et du charisme propre, est fondamentale pour que les choix dans la mission puissent être innovants et prophétiques.

LUMIÈRES: les Instituts sont en train d'investir beaucoup dans la formation, surtout dans la formation permanente et la formation continue; il existe des associations et groupes d'économes où il est possible d'échanger des informations et des bonnes pratiques. Celles-ci sont des expériences d'interdépendance et de communion.

OMBRES : dans les instituts, il manque une formation générale à la dimension économique, qui ne s'adresse pas seulement aux économes. Cela engendre une dichotomie entre économie et mission. La formation pour les économes, en outre, n'est pas toujours adaptée aux nouvelles instances et au changement que connaît le rôle de l'économe, dans le passage d'une optique de reddition comptable à une optique de gestion.

SUGGESTIONS : la dimension économique traverse de manière transversale beaucoup de domaines de notre vie et la formation doit en tenir compte, à tous les niveaux.

– La formation initiale doit prévoir des parcours d'éducation à la dimension économique et de gestion et aux coûts de la vie et de la mission, de responsabilisation dans la façon de vivre aujourd'hui le vœu de pauvreté. Cette formation doit aider à effectuer une lecture lucide et courageuse de la réalité pour ensuite offrir des réponses adaptées à partir de l'Évangile.

– La formation à la dimension économique doit entrer dans les programmes de formation des universités pontificales – la plupart desquelles sont gérées par les religieux –, et dans les centres d'étude et de formation des consacrés.

– La formation pour les économes doit sensibiliser les frères et les sœurs aux principes évangéliques qui sont à la base de notre action économique et fournir des compétences techniques afin que soit accompli avec compétence le service de l'économat dans la ligne de la gestion ; les économes doivent aussi être aidés et accompagnés pour vivre leur rôle comme un service et non comme une domination, à être généreux et prévenants pour garantir la disponibilité des biens pour l'apostolat et la mission.

– La formation des conseils locaux, provinciaux et généraux doit tenir compte de cette dimension et de la responsabilité du gouvernement en ce qui concerne les choix économiques, qui doivent être faits pour le développement de la mission et dans le respect des biens confiés.

– L'étude de l'économie et de la gestion doit être « nouvelle » également dans la recherche de modèles et de paradigmes : nous devons avoir le courage de penser aux différentes façons de gérer, et ne pas croire que les techniques soient neutres par rapport aux fins que nous voulons atteindre. La formation à la dimension économique ne changera pas tant ce que nous continuerons de croire que d'une part il y a les principes et de l'autre les techniques que nous prenons des livres de management. Nous devons avoir le courage d'inventer de nouvelles techniques, correspondant à nos principes. Pour ce faire, nous avons aussi besoin de personnes qui étudient sérieusement et à un haut niveau les sciences économiques et le management pour pouvoir élaborer théories, méthodes et instruments nouveaux.

Mission et œuvres

Les œuvres sont l'expression de la mission. Historiquement, les œuvres changent en réponse aux besoins du temps et revêtent des déclinaisons différentes selon le contexte social et culturel. Il peut ensuite arriver de nous retrouver avec des œuvres qui ne sont plus en ligne avec l'expression actuelle de la mission et avec des immeubles qui ne répondent plus aux œuvres comme expression du charisme.

LUMIÈRES : il y a une très grande variété d'œuvres qui répondent aux besoins dans leurs expressions multiples et à travers des formes souvent consolidées et matures, qui parfois devancent aussi les temps de la société et constituent un phare pour le développement humain et social. Dans certains cas, elles sont la seule réponse aux besoins auxquels les institutions n'arrivent pas à apporter de solutions.

OMBRES : il peut arriver qu'un institut qui en son temps avait donné vie à une œuvre qui était une réponse conforme à la mission, se retrouve aujourd'hui à maintenir en vie les œuvres pour se soutenir lui même et non plus tant pour exprimer la mission. Ou il arrive que l'on perde le contrôle de certaines œuvres n'ayant plus aucune empreinte de la mission originaire. Ou il arrive encore que la recherche de contributions provenant d'institutions porte à réaliser une œuvre qui n'est pas conforme à la mission fondatrice. Par exemple, celui qui a fondé l'institut avait un charisme d'infirmier, mais il a toujours refusé d'opérer dans les hôpitaux, en privilégiant les personnes délaissées des banlieues, alors qu'aujourd'hui l'institut possède des hôpitaux accessibles uniquement aux personnes pouvant se permettre de payer les soins. Ou celui qui a fondé l'institut avait un charisme éducatif qui s'adressait exclusivement aux enfants pauvres et délaissés des banlieues et aujourd'hui l'institut possède des écoles qui sont dans le centre-ville et dans lesquelles seuls les enfants de ceux qui peuvent se permettre des frais élevés peuvent étudier.

SUGGESTIONS : il faut entreprendre une relecture de la mission en fonction du le charisme, en énucléant les instances fondatrices et les caractéristiques identitaires des réponses opérationnelles. À travers cette relecture, il est possible de définir ce qu'il convient de continuer, ce qu'il faut clore, ce qu'il faut modifier, et surtout vers quels nouveaux horizons il faut commencer des parcours de développement et de témoignage de la mission en réponse aux besoins d'aujourd'hui, de manière cohérente avec les instances des fondateurs.

Dans cette réorganisation, faite dans le dialogue avec l'Église particulière, il faut mettre son attention sur la durabilité des œuvres et des biens immobiliers destinés à celles-ci. Les possibilités immobilières doivent être considérées non seulement comme un patrimoine à conserver et à rendre rentable, mais aussi comme une occasion de service pour des œuvres qui ne sont peut-être plus reliées à la mission de l'institut propriétaire, mais qui pourraient l'être pour d'autres instituts ou organisations, désireux de contribuer avec leur travail au développement et à la réalisation d'œuvres en ligne avec les valeurs fondatrices et la mission. S'il y avait la nécessité de construire de nouvelles structures, l'expérience nous dit que ce devraient être des structures agiles et faciles à gérer, moins onéreuses dans le temps et, dans des moments de difficultés vocationnelles, aisément cessibles ou partiellement utilisables sans des coûts de gestion élevés. Nous pensons qu'il est *nécessaire* de faire attention à ne pas exporter dans des pays avec moins de ressources économiques des structures qui ne sont pas gérables dans les pays plus riches.

Relation avec les Évêques et l'Église locale

Notre mission est universelle et celle de beaucoup d'instituts embrasse le monde entier, cependant elle est aussi incarnée dans des réalités locales spécifiques.

LUMIÈRES : dans certains diocèses, le dialogue et les bonnes relations entre les Évêques et les supérieurs majeurs ont permis que certains biens immobiliers ou certaines œuvres soient transformés de façon à servir la mission d'une nouvelle manière ; souvent, les instituts répondent avec générosité aux Évêques qui les appellent dans les différents diocèses.

OMBRES : il arrive souvent que les Instituts transforment ou aliènent leurs biens sans en informer les diocèses d'une manière adéquate, parfois en privant tout un territoire de la présence catholique et religieuse ; d'autres fois, les diocèses « s'approprient » des biens des instituts sans en reconnaître la juste valeur.

SUGGESTIONS : il est important de créer les conditions pour qu'il y ait, dans les diocèses, un dialogue régulier entre l'Évêque et les supérieurs majeurs des instituts, et afin de ne pas laisser ce dialogue dépendre de la bonne volonté de chacun ou des occasions d'aliénation ou d'acquisition de biens. Quand le dialogue est constant et régulier, les décisions extraordinaires sont aussi prises dans le respect mutuel, de manière posée et sans commettre d'erreurs. Le dialogue constant peut, en outre, aider les Évêques à mieux comprendre l'importance et le sens de la vie religieuse dans un diocèse. Il faut aussi, avant de prendre des décisions majeures relatives à un territoire, que les instituts partagent leurs intentions avec d'autres instituts, pour ne pas laisser une région entière dépourvue de présence religieuse.

Planification

Raisonner en termes préventifs aide à activer toutes les ressources pour la mission et à ne pas gaspiller de ressources : ceci aussi est une manière de vivre aujourd'hui la pauvreté.

LUMIÈRES : certains instituts ont vécu l'anticipation et la planification en cherchant de le faire pour les œuvres, et les résultats sont visibles.

OMBRES : on ressent souvent le poids des instruments tels que les estimations budgétaires, les plans et les budgets, et l'on ne sait pas les utiliser pour ce qu'ils pourraient apporter. Souvent, ces instruments ne sont même pas utilisés, et l'on avance ainsi en poursuivant les problèmes qui deviennent toujours plus importants dans le temps.

SUGGESTIONS : chaque institut devrait mettre en œuvre des procédures lui permettant d'établir une bonne programmation. Une planification bien faite aide à la réalisation de la mission et est indispensable dans le cas de création de nouvelles œuvres. Elle est utile pour faire des choix avisés même en phase de cession ou d'aliénation d'immeubles. Une bonne planification prévoit l'utilisation de budget et des estimations budgétaires, la lecture et la vérification des écarts, le contrôle de gestion, la lecture attentive des bilans, les vérifications et le remaniement des étapes. Le tout sur la base de planifications pluriannuelles et de projections, de façon à anticiper les problèmes et non à les poursuivre. Les œuvres en perte doivent être surveillées et suivies, en cherchant, également à travers l'aide d'experts, de mettre en action les plans de reconsolidation du déficit. Dans ces cas, la mentalité d'assistance doit être dépassée: couvrir les pertes d'une œuvre qui a des problèmes de gestion, sans résoudre ces problèmes veut dire gaspiller l'argent qui pourrait être utilisé différemment pour la mission.

L'instrument de l'estimation budgétaire devrait être aussi utilisé dans les communautés comme un instrument de formation et d'éducation à la dimension économique et comme une forme de partage avec beaucoup de familles qui pour arriver à la fin du mois doivent bien planifier leurs dépenses.

Transparence

Aujourd'hui, le monde ne nous demande pas de ne pas avoir de biens, mais de les gérer dans la pleine transparence, dans le respect des lois et au service des mille formes de pauvreté.

LUMIÈRES: certaines congrégations ont des *audits* annuels et les bilans de leurs œuvres sont ainsi certifiés; les choix économiques sont partagés en interne pour beaucoup de congrégations et il y a une participation dans la définition des objectifs économiques au service de la mission.

OMBRES: cependant il existe encore des situations peu claires, où les bilans ne sont pas partagés, où la personnalisation des œuvres est telle qu'il n'y a pas la nécessité d'en partager l'évolution; il y a un manque de processus clairs de délégation et de reddition des comptes de la part de celui qui reçoit les délégations. Les bilans présentés au Conseil sont souvent peu clairs et parfois même incompréhensibles.

SUGGESTIONS: la transparence est fondamentale pour l'efficience et l'efficacité de la mission, et elle permet de comprendre clairement l'évolution des œuvres. Les procédures transparentes sont signe de l'amour porté à l'œuvre, mais aussi du détachement nécessaire que doit avoir celui qui veut la gérer de manière correcte. L'éducation à la transparence se fait aussi à travers la formation au partage et à la communion dans les choix. Dans cette logique, les contrôles ne sont pas entendus comme manque de confiance, mais sont un service à la communion et à la transparence, et ils servent aussi à protéger celui qui accomplit des tâches d'administration délicates. Vivre la transparence et le partage implique que les supérieurs aient un cadre clair de la manière dont toutes les œuvres sont gérées à l'intérieur d'une province, aussi bien celles qui sont la propriété d'un institut que celles qui sont promues par lui, ou encore qui en émanent (les associations, par exemple). Enfin, il est très important qu'il y ait une distinction claire, toujours dans les objectifs de la transparence, entre les bilans des œuvres et ceux des communautés.

Gestion des biens

Les biens des instituts et l'argent qu'ils gèrent appartiennent à l'Église et ils doivent être utilisés pour les œuvres de charité, ils ne doivent donc pas connaître de prise de risque et leur gestion doit être transparente.

LUMIÈRES : beaucoup d'instituts ont acquis de bonnes procédures pour protéger les biens de l'institut ; au cours des années, l'attention prêtée à la gestion de l'argent a grandi, avec une sensibilité particulière pour les investissements éthiques.

OMBRES : parfois l'argent est dispersé dans des gestions négatives et inconsidérées, faites avec superficialité et sans considérer toutes les conséquences possibles. Il faut considérer en outre que les investissements représentent toujours un risque à cause de la fragilité du système économique.

SUGGESTIONS : s'il est nécessaire de faire des investissements, qu'ils soient simples et éthiques, là où le capital soit toujours garanti, et que cela soit écrit dans les contrats stipulés avec les sociétés et avec les banques. Nous devons rester très critiques devant les promesses d'intérêts élevés, parce que cela veut dire qu'elles mettent le capital même à risque. Il est nécessaire que les instituts soient conscients du risque qu'ils sont disposés à assumer, car chaque investissement comporte un risque. Les plans d'investissements d'argent doivent être partagés avec les supérieurs majeurs.

Relations avec les collaborateurs et conseillers

Il est aujourd'hui impossible de faire abstraction de la collaboration avec laïcs, experts et membres d'autres instituts, dans la gestion économique des biens et des œuvres.

LUMIÈRES : il est important de collaborer avec les laïcs et avec les experts qui peuvent aider les économes et les conseils dans les situations complexes de la gestion économique. Le fait qu'il y ait beaucoup de personnes fiables qui collaborent avec nous, souvent à titre de volontariat, dans les commissions consultatives et d'étude, représente un signe d'espoir.

OMBRES : deux extrêmes existent : d'une part, il y a ceux qui ne font pas recours aux conseillers pour éviter de dépenser de l'argent, risquant ainsi des problèmes juridiques, économiques, fiscaux, etc. ; de l'autre, il y a ceux qui dispersent l'argent de l'institut dans les consultations, entreprises sans discernement, qui ne se révèlent pas toujours efficaces. Parfois, les instituts sont la proie de conseillers sans scrupules, qui dilapident le patrimoine de l'institut au nom de prestations de faveur et d'amitié, en utilisant la bonne foi des économes.

SUGGESTIONS : les conseillers professionnels sont nécessaires en matière fiscale, juridique, administrative et de gestion, et ils sont essentiels quand il n'est pas possible de trouver un expert au sein même de l'institut. Avant de choisir un conseiller, il conviendrait de demander des renseignements et de faire des évaluations appropriées : ne jamais s'arrêter à la première impression. Les conseillers et les employés ne devraient pas être choisis parmi les bienfaiteurs, les membres de la famille et les amis ; de la même façon, les relations devraient être professionnelles et non amicales. Une bonne pratique pour un institut qui a différentes provinces et qui recourt à des conseillers différents est celle de faire rencontrer les conseillers périodiquement entre eux et d'exiger une égalité des traitements économiques. Le partage entre les instituts pourrait permettre de créer une sorte de liste des conseillers fiables.

Une bonne gestion, la planification et l'anticipation, vécues dans la communion des biens, sont la clé de la durabilité, non seulement économique, mais aussi relationnelle et spirituelle : quand les problèmes économiques tenaillent les communautés, les relations deviennent plus difficiles et la vie spirituelle peut s'en ressentir. Vice versa, une mauvaise gestion économique peut être la conséquence d'une vie spirituelle et communautaire vécue avec superficialité : que nos communautés sachent trouver leurs voies pour un témoignage évangélique prophétique dans chaque domaine de l'humain.

Changement de structures

Je veux terminer par quelques mots qui veulent être une invitation au changement des structures du système économique actuel « injuste à la racine » dans la mesure où « il fait prévaloir la loi du plus fort, un système dans lequel le plus fort mange le plus faible » (Pape François). La crise économique que nous sommes en train de vivre ne se résoudra pas avec une « solidarité superficielle » d'aides ponctuelles, même si celles-ci sont nécessaires, mais en créant des structures dans la droite ligne des valeurs qui donnent le sens à notre vie consacrée, en commençant par les structures internes à nos Instituts – locales, provinciales, générales – et des structures économiques qui répondent à ce qui a été appelé ici

« économie civile », et qui se réalisent avec les valeurs de justice, fraternité et gratuité. Il ne suffit pas d'intervenir dans la répartition des bénéfices d'une structure économique parfois fruit d'une « structure de péché » (Paul VI) ; il est nécessaire de poser les bases d'une économie que nous avons appelée dans ce symposium, « spirituelle » ou « écologique ». C'est cette économie, avec des règles bien distinctes de l'économie de marché, qui doit devenir « chair et pensée » dans nos institutions. Comme firent les confrères et consœurs qui nous ont précédés, nous, consacrés d'aujourd'hui, nous sommes appelés à créer de nouvelles structures économiques, pour répondre aux nouvelles situations que nous sommes en train de vivre.

Dans ce symposium, le premier mot a été prononcé par le Saint-Père. Je voudrais conclure ces orientations en faisant référence au message que le Pape François nous a adressé avec bienveillance. De ce message, je voudrais souligner dix mots, sous forme de mandat pour nous, consacrés :

1. Laissez-vous vous interroger par l'économie de l'inégalité et de l'exclusion.

2. Soyez protagonistes et actifs pour vivre et témoigner le principe de gratuité et la logique du don.

3. Donnez votre vraie contribution au développement économique, social et politique.

4. La fidélité dans l'engagement fondateur et le patrimoine spirituel qui s'y rattache, tout comme les finalités propres de chaque institut, restent le critère premier d'évaluation de la gestion des biens.

5. Veillez attentivement à ce que vos biens soient administrés avec prudence et transparence.

6. Dans une période comme la nôtre, absorbée par la conquête, la possession, le prestige, soyez prophétie et témoignage, construisez une nouvelle et authentique mentalité chrétienne et un nouveau style de vie ecclésiale.

7. Vivez une pauvreté amoureuse faite de solidarité, de partage et de charité et qui s'exprime dans la sobriété, dans la recherche de la justice et dans la joie de l'essentiel.

8. Touchez la chair du Christ chez les pauvres.

9. Soyez aux avant-postes de l'attention à tous les pauvres et à toutes les misères matérielles, morales et spirituelles..., dans la logique de l'Évangile qui apprend à avoir confiance dans la Providence.

10. Réveillez le monde aussi à travers une administration prophétique des biens.

✠ José Rodríguez Carballo, ofm
Archevêque Secrétaire civcsva

Congrégation pour les Instituts de vie consacrée et les Sociétés de vie apostolique

De Aviz, Card. João Braz
  Préfet Congrégation pour les Instituts de vie consacrée et les Sociétés de vie apostolique

Carballo, José Rodríguez, ofm
  Archevêque Secrétaire Congrégation pour les Instituts de vie consacrée et les Sociétés de vie apostolique

Paciolla, Sebastiano, o.cist.
  Sous-Secrétaire Congrégation pour les Instituts de vie consacrée et les Sociétés de vie apostolique

Spezzati, Nicla, asc
  Sous-Secrétaire Congrégation pour les Instituts de vie consacrée et les Sociétés de vie apostolique

Intervenants

Adam, Miroslav Konštanc, op (République Slovaque)
  Professeur de Droit canonique, Recteur de l'Université Pontificale « Angelicum », Rome

Aquini, Marco (Italie)
  Mouvement des Focolari, secteur « Communion des biens, économie et travail », Professeur de Coopération internationale pour le développement Université Pontificale « Angelicum », Rome

Barban, Alessandro, osb.cam (Italie)
  Prieur général de la Congrégation Camaldule de l'Ordre de Saint Benoît

Franc, Evelyne, fdc (France)
  Supérieure Générale Filles de la Charité

González Silva, Santiago Mª, cmf (Espagne)
  Professeur de Théologie de la vie apostolique et Doctrine sociale de l'Église, Doyen ITVC « Claretianum », Université Pontificale du Latran, Rome

Impagliazzo, Marco (Italie)
  Président Communauté de Sant'Egidio, Professeur d'Histoire contemporaine Université pour Étrangers, Pérouse

MARTIN, PEGGY ANN, OP (USA)
Première Vice Présidente du Parrainage et de la Gouvernance pour la Catholic Health Initiatives, Denver (Colorado)

MULLER, JEAN PAUL, SDB (Luxembourg)
Économe Général Société Salésienne de Saint Giovanni Bosco

PACHÓN, ADOLFO NICOLÁS, SJ (Espagne)
Préposé Général Compagnie de Jésus, Président USG

PERLASCA, ALBERTO (Italie)
Official de la Secrétairerie d'Etat, Bureau d'Administration

PUDUMAI DOSS, JESU, SDB (Inde)
Professeur de Droit canonique Doyen Émérite de la Faculté de Droit canonique Université Pontificale Salésienne, Rome

REUNGOAT, YVONNE, FMA (France)
Supérieure générale des Filles de Marie Auxiliatrice

ROBINSON, KERRY A. (USA)
Directrice exécutive National Leadership Roundtable on Church Management (USA)

RODRIGUEZ CORREA, OLGA MARIA (Uruguay)
Mouvement des Focolari, secteur «Communion des biens, économie et travail»

RODRÍGUEZ ECHEVERRÍA, ÁLVARO, FSC (Costa Rica)
Supérieur Général Frères des Écoles Chrétiennes

SÁNCHEZ GONZALEZ, ENRIQUE, MCCJ (Mexique)
Supérieur Général Missionnaires Comboniens du Cœur de Jésus

SUGAWARA, YUJI, SJ (Japon)
Professeur de Droit canonique, Doyen de la Faculté de Droit canonique de l'Université Pontificale Grégorienne, Rome

TOBIN, JOSEPH W., CSSR (USA)
Archevêque Métropolite d'Indianapolis, Secrétaire Émérite Congrégation pour les Instituts de vie consacrée et les Sociétés de vie apostolique

ZAMAGNI, STEFANO (Italie)
Professeur Ordinaire d'Économie politique Université de Bologne, Adjunct Professor Johns Hopkins University (USA)

SOMMAIRE

SECONDE SESSION

Modérateur

Sœur Nicla Spezzati, ASC

Sous-Secrétaire CIVCSVA

TROISIÈME SESSION

Modérateur

Don Jean Paul Muller, SDB

Économe Général de la Société Salésienne Saint Jean Bosco

TABLE RONDE

Vers une économie prophétique, solidaire et de communion

Présidée par

Sœur Evelyne Franc, FDC

Supérieure Générale des Filles de la Charité

Milton Keynes UK
Ingram Content Group UK Ltd.
UKHW032054040823
426370UK00007B/150

9 788826 604992